Catalogue sommaire illustré des peintures du Musée du Louvre

I Ecoles flamande et hollandaise

Catalogue sommaire illustré
des peintures
du Musée du Louvre

I Ecoles flamande et hollandaise

par
Arnauld Brejon de Lavergnée
Jacques Foucart
Nicole Reynaud

Editions de la Réunion des musées nationaux
Paris 1979

En couverture :
Pieter de Hooch
La Buveuse (détail)
R.F. 1974-29

ISBN 2.7118.0134.9

10 rue de l'Abbaye, 75006 Paris

Avertissement

Le dernier catalogue des peintures hollandaises et flamandes du Louvre remonte à 1922 : c'est dire la nécessité qu'il y avait à publier enfin, à 57 ans de distance, le présent ouvrage, quand bien même l'érudition très avertie de Louis Demonts eût fait du catalogue de 1922 le meilleur jamais paru au Louvre et un instrument d'une haute valeur scientifique pour l'époque. Mais il ne pouvait que vieillir pour trois excellentes raisons.

Il se voulait topographique, ne cataloguait donc que les tableaux exposés dans les salles et ne prétendait pas de ce fait être exhaustif, même si le Louvre exposait alors plus de tableaux nordiques qu'aujourd'hui (541 en 1852, 702 en 1903, 517 en 1922, 373 à la date de 1979).

En plus d'un demi-siècle la physionomie du fonds du Louvre a été fortement modifiée à la fois par les départs en dépôt (musées de province, ambassades et ministères, — en gros, près de 700 tableaux ont été déposés de 1850 à 1979, dont une soixantaine d'œuvres appartenant au fonds catalogué en 1922 et dispersées depuis cette date, les grands envois en province ayant été effectués en 1872, 1876 et 1895) et par les arrivées (près de 300 depuis 1922, le total se fractionnant ici en 97 tableaux jusqu'en 1945, 120 de 1945 à 1958 — dont 95 pièces de la Récupération française artistique en Allemagne — et 77 depuis 1958).

Enfin et surtout, le mouvement de l'érudition a entraîné bon nombre de changements d'attribution au point de rendre peu consultables tous les anciens catalogues du Louvre : notons au moins plus de 90 réattributions sur quelque 500 notices dans le seul catalogue de 1922 (et 70 dans celui de 1852). Mais ce mouvement s'accélère, car l'exposition des *700 tableaux tirés des réserves,* en 1960 comportait 235 flamands et hollandais, pour lesquels une cinquantaine de modifications ont pu être proposées. Même le *catalogue raisonné* d'Edouard Michel publié en 1953 — c'est d'ailleurs le seul paru pour les peintures du Louvre et concernant en partie les écoles du Nord, car il traite des Primitifs et des tableaux du XVIe — n'a pas échappé à un inéluctable vieillissement malgré tous les soins attentifs qui présidèrent à son élaboration : une vingtaine de réattributions ont changé et certains tableaux (de Paul Bril, de Sustris ou d'anonymes ex-français ou ex-allemands, par exemple) étaient même omis.

En quoi consiste ce travail délicat de catalographie ? Elaborer ou vérifier avec soin les cinq ou six données qui définissent l'œuvre : nom du peintre, libellé du sujet, transcription des données techniques (support, dimensions, date et signature apposées par le peintre...), mention du *Corpus* où le tableau est étudié de façon scientifique, date et mode d'entrée de l'œuvre dans les collections nationales, référence aux précédents catalogues du musée. Il s'agit en fin de compte d'un résumé de *catalogue raisonné.*

Les attributions ont été totalement revues ; nous avons fait allusion plus haut aux nombreux changements d'attribution survenus depuis le milieu du siècle dernier : ils n'auraient pu être possibles sans les progrès de l'histoire de l'art dans le domaine de la peinture nordique depuis un siècle. Nous avons, quant à nous, essayé de proposer un bon nombre de solutions nouvelles : si toutes ne sont pas admises, le débat n'en aura été que plus intéressant et plus fructueux.

Les titres des œuvres ont été revus; à la différence de Demonts, dont le si précieux catalogue a servi à plusieurs générations, nous avons essayé de donner aux tableaux des titres plus précis. Il nous a, par exemple, semblé intéressant, d'essayer de distinguer les dix *Paysages* de Cornelis Huysmans, de composition, de sujet et de facture quasi-identiques. Saluons au passage la science et le savoir-faire du XVIIIe siècle dans cette discipline; les deux cuivres de Peter Neefs (INV. 1596 et INV. 1597) étaient décrits dans les deux catalogues du musée comme des « Intérieurs d'églises » ; dans l'inventaire de saisie, ils sont cités ainsi : *Intérieur d'église. Effet de jour; Intérieur d'église. Effet de nuit.* Il était intéressant, croyons-nous, de reprendre cette indication. Nous avons surtout cherché à éviter ces éternels *« Paysages »* ou *« Natures mortes »*, non point titres, mais genre pictural, qui cachent des tableaux totalement différents.

Les premiers renseignements qui figurent dans le catalogue après l'énoncé du sujet, sont des données techniques : support de l'œuvre et dimensions de celle-ci. Nous avons tenu à remesurer tous les tableaux présentement catalogués, à noter les agrandissements et à vérifier les supports; dans quelques cas, il a même été difficile de connaître avec certitude s'il s'agissait de toiles ou de papiers collés sur toile. Signatures et dates ont été toutes revérifiées; ici encore, quelques heureuses surprises : des dates qui n'avaient jamais été lues, ont pu être retrouvées (Ostade INV. 1681 ; Mieris INV. 1547; Navez R.F. 3939...), des signatures passées inaperçues ont été déchiffrées (Couwenbergh R.F. 3776, Ostade M.N.R. 989); la découverte d'une signature ou d'une date a même pu permettre un changement d'attribution (J. van Oost le Jeune INV. 1672, Croos R.F. 3706, Rombouts R.F. 2861, Petit INV. 1384, œuvre d'un peintre presque inconnu, qui passa toujours pour un Huysum). Il ne fait aucun doute que de nouvelles dates ou des signatures qui nous ont échappé, seront encore découvertes.

Dans le même ordre d'idées, les provenances des œuvres ont toutes été réétudiées; sur 1 152 tableaux recensés ici, nous ignorons seulement la provenance de 70 d'entre eux environ : une vingtaine d'œuvres de l'Inventaire 20 000 (Inventaire supplémentaire de tableaux — rédigé à partir de 1958 — dont la date d'entrée est impossible à préciser et qui avaient été omis sur les autres inventaires) et une cinquantaine de tableaux dits de l'« ancienne collection ». Cette expression vague, employée pour la première fois dans l'Inventaire Napoléon (Louvre, Service des Archives des Musées Nationaux) rédigé vers 1805-1810, fut utilisée pour des tableaux qui proviennent sans doute de collections d'émigrés saisies à la Révolution. A cette époque, les blessures étaient encore vives et les administrateurs du Museum prenaient soin de passer sous silence, quand ils le pouvaient, la provenance des œuvres appelées à faire litige. Au cours des recherches, nous avons pu préciser la provenance de plusieurs tableaux rangés autrefois sous cette rubrique « ancienne collection » : ainsi les deux portraits de Honthorst, *Maurice de Bavière* et *Edouard de Bavière* (INV. 1366 et 1367) qui ont été saisis dans la collection du

Prince de Condé au château d'Ecouen ; dans ce cas précis, retrouver la mention d'archives a été précieuse à plus d'un titre, puisque dans l'inventaire de la saisie, les noms des modèles, Maurice et Edouard de Bavière, sont précisés ; Villot, puis Demonts, qui ignorent ce renseignement, cataloguent les tableaux comme représentant Charles Louis Ier et Rupert de Bavière ; cette identification fallacieuse a donc été abandonnée.

Qu'il nous soit permis de signaler deux difficultés auxquelles nous nous sommes heurtés lors des recherches sur les provenances : les conquêtes révolutionnaires et napoléoniennes en Allemagne et en Autriche et les acquisitions entre 1914 et 1945. Autant les conquêtes en Italie sont assez bien connues grâce aux recherches de Mlle Blumer ou de F. Boyer, autant celles qui furent effectuées à Munich ou à Vienne, à Kassel ou à Brunswick, à Schwerin ou à Liège, restent encore peu étudiées. Malgré le soin qu'ont apporté les commissaires de ces villes à reprendre leurs richesses en 1815, la France a gardé quelques tableaux, principalement des Natures mortes de fleurs ou de gibier. Etant donné l'imprécision apportée aux titres dans les listes des conquêtes, il a été souvent difficile de connaître avec exactitude si telle ou telle nature morte de gibier, de Fyt ou de Weenix, vient effectivement de Munich ou de Kassel, les collections ducales ou princières germaniques possédant en général par dizaines de telles grandes pièces décoratives.

De même, durant l'entre-deux-guerres, le trop grand laconisme apporté à la rédaction des inventaires a été parfois difficile à interpréter.

Tout comme le catalogue sommaire de l'école française paru en 1972 qui fut notre constant modèle, le présent catalogue se veut absolument exhaustif, pour autant que les recherches entreprises par nos collègues à propos des tableaux des autres écoles n'apportent pas à l'avenir trop de « repêchages » de tableaux nordiques, méconnus par nous. C'est une relative nouveauté puisque, répétons-le, aucun des précédents catalogues de peintures nordiques du Louvre ne fut complet et ne voulut l'être : jadis, les catalogues étaient avant tout des guides du visiteur, et une certaine quantité de tableaux n'étaient jamais montrés au public mais se trouvaient déposés dans les châteaux d'Etat (surtout Compiègne et Fontainebleau), les ministères, les ambassades, les bureaux des conservations du Louvre et divers bâtiments officiels, sans compter le reliquat de tableaux plus ou moins médiocres ou fatigués que compte toute réserve de musée. On s'explique ainsi qu'au gré de leurs migrations successives, certaines œuvres, pourtant inventoriées dans le fondamental inventaire récapitulatif de Villot vers 1852, n'aient jamais été cataloguées et qu'elles aient échappé jusqu'ici à toute attention scientifique (tel Houckgeest — INV. 1374 — des collections du Stadhouder, toujours réputé perdu !). Et l'on a pu ainsi retrouver dans le « rebut », sous une quelconque appellation « France XVIIIe siècle », un important Lambert Sustris provenant tout droit de la collection de Louis XIV..., tandis que le Rubens — INV. 854 — de la Galerie d'Orléans, redécouvert par Charles Sterling en 1935-38, se cachait au Louvre dans les anonymes italiens du XVIIIe siècle « en mauvais état ». Pour le présent catalogue nous avons donc essayé de ne rien négliger, même le plus pauvre document (sait-on jamais !) et nous avons dû à plusieurs reprises inventorier des œuvres laissées pour compte et sans aucune origine connue (Inventaire 20 000).

A la date de 1979, on peut affirmer honnêtement qu'il n'y a plus au Louvre de tableaux nordiques, en réserve, qui ne répondent à un numéro d'inventaire et qui n'aient été catalogués.

Identique quant à la présentation des notices et l'esprit de la recherche (un catalogue sommaire mais exhaustif, aussi précis et aussi «avancé» que possible mais non *raisonné*, une bibliographie limitée aux *corpus* qui font référence, une citation sélectionnée des catalogues antérieurs, etc.), le présent catalogue des peintures nordiques diffère du catalogue sommaire de l'école française sur un point capital : il est intégralement illustré de vignettes marginales, alors que le livret de 1972 n'était qu'un texte pur. Il est vrai que pour l'école française la situation était différente, puisque dès 1958 la Conservation (en l'occurrence Mme Adhémar et M. Sterling) avait lancé une vaste collection d'albums illustrés qui couvrent aujourd'hui intégralement la section de peinture française du Louvre, soit au total 7 volumes (le dernier parut en 1974) avec 3 195 tableaux reproduits.

L'école française formait un tout et nécessitait de par son ampleur même un certain classement chronologique des reproductions qui entraîna à son tour une numérotation particulière distincte de celle des inventaires. Pour les écoles étrangères, il est apparu que l'on pouvait, tout en restant avec quelque logique dans la continuité du format des albums de planches, fusionner l'opération «catalogue» et l'opération «album photographique», éviter ainsi les aléas d'une double numérotation, et offrir à un public moderne friand d'«intégrales» et plus exigeant qu'autrefois des catalogues à la fois totalement illustrés et vraiment exhaustifs, comme l'habitude s'en répand à l'étranger depuis bien des années (exemples de Londres, Vienne, Anvers, Kassel, Amsterdam, Hambourg, Chicago, New York, etc.). Du coup, on briserait le fallacieux mythe des «réserves» du Louvre et l'on préparerait au grand jour la réhabilitation et le réaccrochage d'une école de peinture qui, jadis très appréciée en France, n'a plus depuis longtemps la place qu'elle mériterait au Louvre et qu'appellent ses 1 152 numéros, un contingent plus important, notons-le, en taille et en nombre que l'école italienne (aux environs de 800 pièces)... Et l'on pourra toujours soutenir que la réalisation d'albums plus luxueux de photos en pleine page n'est aucunement gênée par celle des démocratiques vignettes, d'autant qu'il serait souhaitable de faire alors coïncider, comme cela s'est fait à la National Gallery de Londres, la sortie de catalogues raisonnés et celle d'albums de planches. Mais qui n'avouera que le «catalogue raisonné» est un art très difficile et très lent et qu'il est devenu urgent de ne plus attendre la sortie d'un *Sommaire* qui décrive enfin et pour la première fois la totalité des tableaux actuellement présents au Louvre?

Sur un autre point, le catalogue des peintures nordiques diffère du catalogue sommaire de 1972 : un riche appareil de seize index lui est adjoint, et c'est peut-être ce qui fera le mieux excuser la tardive venue d'un catalogue sommaire et volontairement laconique. Le maître catalogue d'Amsterdam a servi ici d'exemple et l'on n'a pas cru devoir à l'heure de l'informatique renoncer à fournir certaines données statistiques dont l'intérêt paraissait sans doute moindre il y a quelques années. Ainsi a-t-on multiplié des informations sur les supports, les formats, les commanditaires, les provenances, les collaborations entre plusieurs artistes — une question bien importante en peinture nordique —, les pendants, etc., toutes listes qui débordent peut-être le strict cadre d'un catalogue restreint et nécessairement provisoire. Mais, bien souvent, le seul fait de poser le problème et de dresser une liste en conséquence, a suffi à montrer la validité de la démarche, ainsi, pour ne prendre qu'un exemple, n'a-t-on peut-être pas encore suffisamment réfléchi en matière de peinture nordique sur le problème des *pendants* (des différents types de pendants et de leur justification formelle et iconographique). A cet égard, l'index des sujets, pour lacunaire et résumé qu'il soit (c'est une nécessité face à ce domaine illimité et bientôt inconsultable qu'est l'iconographie) devrait rendre quelque service, car ici nous avons voulu insérer dans l'ordre alphabétique (le plus simple de tous!) un certain classement thématique facilitant les recherches et bien adapté aux spécialisations de la peinture nordique (portrait, nature morte, paysage). Quant à l'index des provenances, avec son face à face chronologique et alphabétique, il permettra une lecture instantanée et par là bien nouvelle de l'évolution des collections de peinture du Louvre, et cela ne sera pas, croyons-nous, sans fruit sur le plan des idées générales...

L'index des dépôts qui complète fort logiquement celui des provenances, appelle quelques remarques. C'est une véritable «première»! Il a été dressé en un temps très court et cela n'implique évidemment pas que toutes les attributions et toutes les localisations aient pu être vérifiées! Le vrai travail d'enquête débutera justement à partir de la publication de telles listes (un index alphabétique des lieux de dépôt facilite les repérages). Nous remercions spécialement notre collègue Elisabeth Walter de nous avoir aidé dans la confection éclair de cet ingrat travail, en attendant le catalogue plus étoffé (il donnera les sujets et les dimensions qui manquent à nos présentes listes) des tableaux de toutes les écoles déposés par le Louvre, un catalogue que prépare Mlle Walter, et qui recensera plusieurs milliers d'œuvres, y compris les œuvres disparues ou non retrouvées. Ces tableaux déposés sont ceux qui figurent sur les divers inventaires en usage dans le Département des Peintures, soit les tableaux recensés par Villot vers 1850-52 et donc déposables à partir de cette date; échappent ainsi, car relevant d'un autre statut et d'inventaires plus anciens, les tableaux envoyés directement en province sous la Révolution et l'Empire lors de la fondation des musées des grandes villes de France. Le cas des tableaux de Versailles a été également disjoint pour des raisons pratiques et juridiques, puisqu'il n'existe plus comme au siècle dernier un inventaire commun à tous les musées nationaux, et que le fonds de Versailles a depuis la fin du XIXe siècle son autonomie.

En précisant que les notices des tableaux du XVe et de la première moitié du XVIe siècle ont été l'œuvre de Mme Reynaud, chargée de mission au Département et chargée de recherches au CNRS, et que les fiches des tableaux de l'ancien Musée du Luxembourg récemment reversés au Louvre par le Musée d'Art moderne ont été rédigées par Mme Lacambre, conservateur au Musée d'Orsay, il nous reste à remercier tous ceux qui nous ont aidé à la longue réalisation de ce catalogue, en tout premier lieu les regrettés H. Gerson et S.J. Gudlaugsson quand ils animaient d'une façon incomparable le Rijksbureau voor Kunsthistorische documentatie de La Haye (bon nombre d'attributions des tableaux de la Récupération leur sont dues, ainsi qu'une fondamentale correction du catalogue de l'exposition des 700 tableaux des réserves organisée en

1960), les nombreux spécialistes étrangers qui nous ont visité au Louvre ces dernières années et dont nous avons pu recueillir les avis ou les confirmations toujours utiles, enfin notre collègue déjà nommée plus haut et la petite équipe du Service de Documentation du Département qui nous aidèrent dans la laborieuse confection des index, notamment Mlles Marceillac, Durand, Scaillierez et Fontan, conservateur stagiaire, ainsi que Mmes Chabour et Buhart.

Comme le présent catalogue se veut pour les écoles du Nord l'exact continuateur du catalogue sommaire de l'école française paru en 1972, nous redonnons ici pour la bonne compréhension de notre texte et sans en changer le moindre terme les quelques explications pratiques déjà fournies dans l'avertissement du livre de 1972 et toujours valables pour le présent ouvrage :

Numéros d'inventaire

Pour éviter une nouvelle numérotation superflue et donc des risques de confusion, les notices ont été classées, pour chaque artiste, par numéro d'inventaire, dans l'ordre suivant :

– INV. (Inventaire récapitulatif du fonds existant avant 1852)

– INV. 20000 (Inventaire supplémentaire des tableaux dont la date d'entrée est impossible à préciser et qui avaient été omis sur les autres inventaires) ;

– M.I. (Liste d'entrées du Second Empire, 1852-1870) ;

– R.F. (Liste d'entrées de la République, depuis 1871) ;

– M.N.R. (Œuvres attribuées au Musée du Louvre, au titre de la Récupération artistique, par l'Office des Biens privés, 1950-1952).

On constatera que ce classement correspond, pour une bonne part, à l'ordre chronologique d'entrée des œuvres dans les collections du Louvre.

Supports, dimensions, signatures

Les supports ont été indiqués avec les abréviations usuelles : T. (toile), B. (bois), C. (cuivre). Les abréviations utilisées pour les signatures sont : S. (signé), D. (daté), b. (bas), h. (haut), d. (droite), g. (gauche), m. (au milieu), mi-h. (à mi-hauteur). Les inscriptions distinctes des signatures n'ont pas été relevées.

Dates

Pour les tableaux non datés par l'artiste, nous avons mentionné la date d'exécution lorsqu'elle est attestée par des documents ; les dates approximatives reposant sur des appréciations de style n'ont pas été indiquées.

Références aux corpus

Quand l'œuvre d'un artiste a fait l'objet d'un catalogue numéroté, la référence à l'ouvrage est donnée entre parenthèses avec le nom de l'auteur et le numéro du catalogue (voir Ouvrages cités en abrégé, p. 13).

Catalogues du Louvre

Nous avons donné la référence des tableaux dans les principaux catalogues antérieurs du Louvre (voir Catalogues du Musée, p. 16). Lorsque l'attribution adoptée dans ces ouvrages diffère de celle que nous avons retenue, nous l'avons indiquée entre parenthèses. De même, quand un tableau qui ne figurait sur aucun catalogue a changé d'attribution depuis son entrée au Musée, nous avons signalé ce changement en rappelant l'attribution portée sur les inventaires.

En revanche, pour les attributions et la signification de l'expression «attribué à», précisons par rapport au catalogue de 1972 et aux habitudes de certains catalogues de vente que, pour nous, «attribué à» veut dire en bonne logique grammaticale que l'on décide d'attribuer tel tableau à tel maître : c'est donc une hypothèse volontaire, peut-être encore entachée de quelque caractère hypothétique et provisoire. Mais *attribué à* ne veut pas dire que nous ne croyons pas pour autant dans notre catalogue à notre propre attribution spécialement formulée en tant que telle : ce serait trop de casuistique !

Jacques Foucart et Arnauld Brejon

Liste des ouvrages cités en abrégé

Andrews (K.)
Adam Elsheimer, Paintings-Drawings-Prints, Londres, 1977.
Baldass (L.)
Joos van Cleve / der Meister des Todes Mariae, Vienne, 1925.
Baldass (L.)
Jan van Eyck, Londres - New York, 1952.
Bauch (K.)
Rembrandts Gemälde, Berlin, 1966.
Bautier (P.)
Juste Suttermans, peintre des Médicis, Bruxelles - Paris, 1912.
Beck (H.-U.)
Jan van Goyen 1596-1656, 2 vol., Amsterdam, 1972-1973.
Bianconi (P.),
Tout l'œuvre peint de Bruegel l'Ancien, Paris, 1968 (1re édition, Milan, 1967).
Bianconi (P.)
Tout l'œuvre peint de Vermeer, Paris, 1968 (1re édition, Milan, 1967).
Blankert (A.)
Johannes Vermeer van Delft 1632-1675, Utrecht-Anvers, 1975.
Blankert (A.)
Ferdinand Bol 1616-1680 / een leerling van Rembrandt, La Haye, 1976 (thèse inédite).
Bode (W.)
«Meisterwerke der Braunschweiger-Galerie. XIII. Eine Dünenlandschaft. Oelgemälde von Jan van Meer, dem Aelteren, von Haarlem», *Zeitschrift für Bildende Kunst*, 4, 1869, pp. 346-353.
Bode (W.)
Adriaen Brouwer, sein Leben und seine Werke, Berlin, 1924.
Bol (L. J.)
The Bosschaert Dynasty. Painters of flowers and fruit, Leigh-on-Sea, 1960.
Bol (L. J.)
Adriaen Coorte. A unique late seventeenth Century Dutch Still-Life Painter, Ussen-Amsterdam, 1977.
Bosque (A. de)
Quentin Metsys, Bruxelles, 1975.
Bredius (A.)
Rembrandts Gemälde, Vienne, 1935.
Bredius (A.), Gerson (H.)
Rembrandt. The complete edition of the paintings, Londres, 1969.
Brossel (C.)
«Charles van Falens (1683-1733), peintre du Régent et de Louis XV Académicien», *Revue Belge d'Archéologie et d'histoire de l'art, XXXV, 1965, 3-4*, pp. 211-226.
Broulhiet (G.)
Meindert Hobbema (1638-1709), Paris, 1938.
Burchard (L.)
Corpus rubenianum Ludwig Burchard, voir à *Huemer* et à *Martin*.
Cinotti (M.)
Tout l'œuvre peint de Jérôme Bosch, Paris, 1967 (1re édition, Milan, 1966).
Cust (L.)
Anthony van Dyck. An historical Study of life and works, Londres, 1900.
Dattenberg (H.)
Niederrheinansichten holländischer Künstler des 17. Jahrhunderts, Düsseldorf, 1967.
Davies (M.)
Rogier van der Weyden, Londres, 1972.
Delbanco (G.)
Der Maler Abraham Bloemaert (1564-1651), Strasbourg, 1928.
Dimier (L.)
Histoire de la peinture de portrait en France au XVIe siècle accompagnée d'un catalogue de tous les ouvrages subsistant en ce genre, 3 vol., Paris-Bruxelles, 1924-1926.
Dobrzycka (A.)
Jan van Goyen 1596-1656, Poznan, 1966.
Ekkart (R.E.O.)
Johannes Cornelisz. Verspronck, Haarlem 1979.
Faggin (G. T.)
«Per Paolo Bril», *Paragone*, juillet 1965, pp. 21-35.
Foucart (J.)
«Un peintre flamand à Paris Pieter van Boucle», *Etudes d'art français offertes à Charles Sterling*, Paris, 1975, pp. 237-256.
Foucart (J.)
voir à *Thuillier*.
Franken (D.)
Adriaen van de Venne, Paris-Amsterdam, 1878.
Freise (K.)
Pieter Lastman, Sein Leben und seine Kunst, Leipzig, 1911.
Friedländer (M.J.)
Die altniederländische Malerei :
tome 1 : *Die Van Eyck. Petrus Christus*, Berlin, 1924.
tome 2 : *Rogier van der Weyden und der Meister van Flémalle*, Berlin, 1924.
tome 3 : *Dierick Bouts. Joos van Gent*, Berlin, 1925.
tome 4 : *Hugo van der Goes*, Berlin, 1926.
tome 5 : *Geertgen van Haarlem und Hieronymus Bosch*, Berlin, 1927.
tome 6 : *Memling und Gerard David*, Berlin, 1928.
tome 7 : *Quinten Massys*, Berlin, 1929.
tome 8 : *Jan Gossart. Bernart van Orley*, Berlin, 1930.
tome 9 : *Joos van Cleve. Jan Provost. Joachim Patenier*, Berlin, 1931.
tome 10 : *Lucas van Leyden und andere holländische Meister seiner Zeit*, Berlin, 1932.
tome 11 : *Die antwerpener Manieristen. Adriaen Ysenbrant*, Berlin, 1933.
tome 12 : *Pieter Coeck. Jan van Scorel*, Leyde, 1935.
tome 13 : *Anthonis Mor und seine Zeitgenossen*, Leyde, 1936.
tome 14 : *Pieter Brueghel und Nachträge zu den früheren Bänden*, Leyde, 1937.
Friedländer (M.J.)
Lucas van Leyden, Berlin, 1963 (manuscrit publié et annoté par Fr. Winkler).
Gammelbo (P.),
«Floris Gerritsz. van Schooten», *Nederlands Kunsthistorisch Jaarboek*, vol. 17, 1966, pp. 105-142.
Gelder (J. J. de)
Bartholomeus van der Helst, Rotterdam, 1921.
Genaille (R.)
«L'œuvre de Jean Bellegambe», *Gazette des Beaux-Arts*, Janvier 1976, pp. 7-28.
Gerson (H.)
Rembrandt et son œuvre, Paris, 1968.
Glück (G.)
Van Dyck / Des Meisters Gemälde, Klassiker der Kunst in Gesamtausgaben, t. XIII, Stuttgart-New York, 1931.
Grant (M. H.)
Jan van Huysum 1682-1749. A Catalogue raisonné of the artist's fruit and flower paintings, Leigh-on-Sea, 1954.
Greindl (E.)
Corneille de Vos, portraitiste flamand (1584-1651), Bruxelles, 1944.
Greindl (E.)
Les peintres flamands de nature morte au XVII siècle, Bruxelles, 1956.
Grimm (C.)
«Frans Hals und seine Schule», *Münchner Jahrbuch der bildenden Kunst*, t. 22, 1971, pp. 146-178.
Grimm (C.)
Frans Hals. Entwicklung. Werkanalyse, Gesamtkatalog, Berlin, 1972.
Grisebach (L.)
Willem Kalf, Berlin, 1974.
Grossmann (F.)
Brueghel, the paintings, Londres, 2e édition, 1966.
Gudlaugsson (S. J.)
Gerard ter Borch, 2 vol., La Haye, 1959-1960.
Guiffrey (J.)
Antoine Van Dyck. Sa vie et son œuvre, Paris, 1882.
Haagen (J. K. van der)
De shilders van der Haagen en hun werk met catalogus van de Schilderijen in Teekeningen van Joris van der Haagen, Woorburg, 1932.
Hairs (M. L.)
Les peintres flamands de fleurs au XVIIe siècle, 2e édition, Bruxelles, 1965.
Hall (H. van)
Portretten van Nederlandse Beeldende Kunstenaars; portraits of dutch painters

and other artists of the low countries, specimen of an Iconography, Amsterdam, 1963.
Harms (J.)
«Judith Leyster, Ihr Leben und ihr Werk», *Oud Holland*, vol. 44, 1927, pp. 88-96, 113-126, 145-154, 221-242, 275-279.
Hentzen (A.)
«Abraham Hondius», *Jahrbuch der Hamburger Kunstsammlungen*, t. 8, 1963, pp. 33-56.
Hofstede de Groot (C.)
«De Schilder Janssens, een nachfolger van Pieter de Hooch», *Oud Holland*, vol. 9, 1891, pp. 266-296.
Hofstede de Groot (C.)
Beschreibendes und kritisches Verzeichnis der Werke der hervorragendsten Holländischen Maler des XVII. Jahrhunderts.
tome 1 : Esslingen-Paris, 1907, *Jan Steen*, pp. 1-252 ; *Gabriel Metsu*, pp. 253-336 ; *Gerard Dou*, PP; 337-467 ; *Pieter de Hooch*, pp. 469-572 ; *Johannes Vermeer*, pp. 583-614.
tome 2 : Esslingen-Paris, 1908, *Aelbert Cuyp*, pp. 1-246 ; *Philips Wouwerman*, pp. 247-659.
tome 3 : Esslingen-Paris, 1910, *Frans Hals*, pp. 5-145 ; *Adriaen van Ostade*, pp. 149-455 ; *Isack van Ostade*, pp. 459-583 ; *Adriaen Brouwer*, pp. 587-701.
tome 4 : Esslingen-Paris, 1911, *Jacob van Ruisdael*, pp. 1-364 ; *Meindert Hobbema*, pp. 365-474 ; *Adriaen van de Velde*, pp. 475-608 ; *Paulus Potter*, pp. 609-698.
tome 5 : Esslingen-Paris, 1912, *Gerard ter Borch*, pp. 3-151 ; *Caspar Netscher*, pp. 153-322 ; *Godfried Schalcken*, pp. 323-440 ; *Pieter van Slingeland*, pp. 441-504 ; *Eglon Hendrik van der Neer*, pp. 505-562.
tome 6 : Esslingen-Paris, 1915, *Rembrandt*, pp. 3-478 ; *Nicolaes Maes*, pp. 479-622.
tome 7 : Esslingen-Paris, 1918, *Willem van de Velde*, pp. 1-173 ; *Ludolf Bakhuyzen*, pp. 237-356 ; *Aert van der Neer*, pp. 359-523.
tome 8 : Esslingen-Paris, 1923, *Jan van Goyen*, ap. 3-350 ; *Jan van der Heyden*, pp. 353-459 ; *Johannes Wijnants*, pp. 463-639.
tome 9 : Esslingen-Paris, 1926, *Nicolaes Berchem*, pp. 51-292 ; *Karel du Jardin*, pp. 295-411 ; *Jan Both*, pp. 421-518 ; *Adam-Pijnacker*, pp. 521-568.
tome 10 : Stuttgart-Paris, 1928, *Frans van Mieris*, pp. 1-102 ; *Willem van Mieris*, pp. 105-230 ; *Adriaen van der Werff*, pp. 233-304 ; *Jan van Huysum*, pp. 335-391.
Hoogewerff (G.I.)
«Theodoor Helmbreker / schilder van Haarlem / 1633-1696», *Oud Holland*, 1913, pp. 27-64.
Huemer (F.)
Corpus Rubenianum Ludwig Buchard, Portraits I, t. XIX, Bruxelles, 1977.
Janeck (A.)
Untersuchung über den holländischen Maler Pieter van Laer, genannt Bamboccio, Würtzburg, 1968.
Jantzen (H.)
Das niederländische Architekturbild, Leipzig, 1910.
Jost (I.), *Studien zur Anthonis Blocklandt*, Cologne, 1960.
Judson (J.R.)
Gerrit van Honthorst, a discussion of his position in dutch art, La Haye, 1959.
Knüttel-Volk (B.)
Peter Candid, Francfort/Main, 1964 (thèse à paraître).
Knüttel (G.)
Adriaen van de Venne, s.l.n.d. [1923].
Koch (R.A.)
Joachim Patinir, Princeton, 1968.
Kraemer-Noble (M.)
Abraham Mignon 1640-1679, Leigh-on-Sea, 1973.
Kultzen (R.)
Michael Sweerts (1624-1666), Hambourg, 1954 (thèse inédite).
Kuznetzow (J. I.)
«Nikolaus Knupfer (1603 ? - 1655), *Oud Holland*, vol. 88, 1974, n° 3, pp. 169-244.
Larsen (F.)
Frans Post, interprète du Brésil, Amsterdam - Rio de Janeiro, 1962.
Lecaldano (P.)
Tout l'œuvre peint de Rembrandt, Paris, 1971 (1re édition, Milan, 1969).
Lieure (J.)
Jacques Callot, 8 vol., Paris, 1924-1929.
Lilienfeld (K.)
Arent de Gelder. Sein Leben und seine Kunst, La Haye, 1914.
Marlier (G.)
Anthonis Mor van Dashorst (Antonio Moro), Bruxelles, 1934.
Marlier (G.)
Ambrosius Benson et la peinture à Bruges au temps de Charles-Quint, Damme, 1957.
Marlier (G.)
La Renaissance Flamande, Pierre Coeck d'Alost, Bruxelles, 1966.
Martin (J. R.)
Corpus Rubenianum Ludwig Burchard. The Ceiling paintings for the jesuit church in Antwerp, t. I, Londres-New York, 1968.
Martin (W.)
Gérard Dou. Des Meisters Gemälde in 247 Abbildungen, Stuttgart-Berlin, 1913.
Michel (E.)
Bruegel, Paris, 1931.
Moltke (J. W. von)
Govaert Flinck (1615-1660), Amsterdam, 1965.
Moltke (J. W. von)
«Jan de Bray», *Marburger Jahrbuch für Kunstwissenschaft*, XI-XII, 1938-1939, pp. 421-523.
Montagni (E. C.)
Tout l'œuvre peint de Frans Hals, Paris, 1976 (1re édition, Milan, 1977).
Moreau-Nélaton (E.)
Les Clouet et leurs émules, 3 vol., Paris, 1924.
Nicolson (B.)
Ter Brugghen, La Haye, 1958.
Nicolson (B.)
«Stomer Brought up-to-date», *The Burlington Magazine*, avril 1977, pp. 230-245.
Oldenbourg (R.)
Thomas de Keysers Tätigkeit als Maler. Ein Beitrag zur Geschichte des holländischen Porträts, Munich, 1911.
Oldenbourg (R.)
P.P. Rubens / Des Meisters Gemälde, Klassiker der Kunst in Gesamtausgaben, t. V, Stuttgart-Berlin, 1921.
Peltzer (R.)
«Hans Rottenhammer», *Jahrbuch der kunsthistorischen Sammlungen des allerhöchsten Kaiserhauses*, t. XXXIII, Heft 5, 1916, pp. 293-365.
Peltzer (R.)
«Nicolas Neufchatel und seine Nürnberger Bildnisse», *Münchner Jahrbuch der bildenden Kunst*, N.F., t. III, 1926, pp. 187-231.
Pont (D.)
Barent Fabritius 1624-1673, La Haye, 1958.
Ring (G.)
La peinture française du XVe siècle, Londres, 1949.
Robinson (F. W.)
Gabriel Metsu (1629-1667). A study of his place in Dutch genre painting of the golden age, New York, 1974.
Robinson (M. S.)
Willem van de Velde (à paraître).
Rooses (M.)
L'œuvre de P.P. Rubens, histoire et description de ses tableaux et dessins, 5 vol., Anvers, 1886-1892.
Rosenberg (J.)
Jacob van Ruisdael, Berlin, 1928.
Roy (A.)
Théodore van Thulden, Strasbourg, 1974 (thèse inédite).
Saligny (Fr. de)
«Lucas Franchoys», *Bulletin des musées royaux des Beaux-Arts de Belgique*, 1967, pp. 209-232.
Schabacker (P.)
Petrus Christus, Utrecht, 1974.
Schneider (H.)
Jan Lievens, sein Leben und seine Werke, Haarlem, 1932.
Schneider (H.), Ekkart (R.E.O.)
Jan Lievens, sein Leben und seine Werke von H. Schneider, mit einem Supplément von R.E.O. Ekkart, Amsterdam, 1973 (réédition de l'ouvrage précédent).
Schöne (W.)
Dieric Bouts und seine Schule, Berlin-Leipzig, 1938.
Schubert (D.)
Die Gemälde des Braunschweiger Monogrammisten, Cologne, 1970.
Schulz (W.)
Lambert Doomer 1624-1700 / Leben und Werke, 2 vol., Berlin, 1972.
Schulz (W.)
«Lambert Doomer als Maler», *Oud Holland*, vol. 92, 1978, n° 2, pp. 69-105.
Schulz (W.)
Cornelis Saftleven, Berlin, 1978.

Segard (A.)
Jean Gossart dit Mabuse, Bruxelles-Paris, 1923.
Slatkes (L.J.)
Dirck van Baburen (c. 1595-1624). A dutch painter in Utrecht and Rome, Utrecht, 2e édition, 1969.
Slive (S.)
Frans Hals, 3 vol., New York, 1970-1974.
Sluijter (E.J.)
« Hendrik Willem Schweickhardt (1746-1797), een haagse schilder in de tweede helft van de achttiende eeuw », *Oud Holland*, vol. 89, 1975 n° 3, pp. 142-212.
Sousa Leao (J. de)
Frans Post, Sao Paolo et Rio de Janeiro, 1948 ; nouvelle édition, Amsterdam, 1973.
Stechow (W.)
Salomon van Ruysdael : Eine Einführung in seine Kunst..., 2e édition, Berlin, 1975.
Steland-Stief (A. Ch.)
Jan Asselyn nach 1610 bis 1652, Amsterdam, 1971.
Sterling (Ch.) [Publié sous le nom de Ch. Jacques)
Les peintres du Moyen Age, Paris, 1941.
Sutton (P.)
Pieter de Hooch, Londres, 1979.
Thuillier (J.), et Foucart (J.)
Rubens, La galerie Médicis au Palais du Luxembourg, Milan 1967 (édition italienne), Paris, 1969 (édition française).
Tolnay (C. de)
Hieronymus Bosch, Bâle, 1937.
Trizna (J.)
Michel Sittow, peintre revalais de l'école brugeoise, Bruxelles, 1976.
Valentiner (W.R.)
Pieter de Hooch / Des Meisters Gemälde, Klassiker der Kunst in Gesamtausgaben, Stuttgart, 1929.
Velde (C. van de)
Frans Floris (1519/20 - 1570) Leven en Werken, 2 vol., Bruxelles, 1975.
Vlieghe (H.)
Gaspard de Crayer, sa vie et ses œuvres, 2 vol., Bruxelles, 1972.
Voorhelm-Schneevogt (C.G.)
Catalogue des estampes gravées d'après P.P. Rubens avec l'indication des collections où se trouvent les tableaux de Rubens, Haarlem, 1873.
Vroom (N.R.A.)
De Schilders van het Monochrome Banketje, Amsterdam, 1945.
Wagner (H.)
Jan van der Heyden 1637-1712, Amsterdam-Haarlem, 1971.
Wassenbergh (A.)
L'art du portrait en Frise au XVIe siècle, Leyde, 1934.
Welcker (C.J.)
Hendrick Avercamp 1585-1634. Bijgenaamd de « Stomme can Campen » en Barend Avercamp 1612-1679, Schilders tot Campen, Zwolle, 1933.

Liste des catalogues du musée du Louvre cités

Villot I
Villot (F.), *Notice des tableaux exposés dans les galeries du Musée national du Louvre, 1re partie, écoles d'Italie et d'Espagne*, Paris, 1849.

Villot II
Villot (F.), *Notice des tableaux exposés dans les galeries du Musée national du Louvre, 2e partie, écoles allemande, flamande et hollandaise*, Paris, 1852.

Villot III
Villot (F), *Notice des tableaux exposés dans les galeries du Musée impérial du Louvre, 3e partie, école française*, Paris, 1855.

Cat. Sauvageot
Sauzay (A.), *Musée impérial du Louvre, catalogue du Musée Sauvageot*, Paris, 1861.

Cornu
S. Cornu, *Catalogue des tableaux des sculptures de la Renaissance et des majoliques du musée Napoléon III*, Paris, 1862.

Reiset
Reiset (F.), *Notice des tableaux du musée Napoléon III exposés dans les salles de la Colonnade au Louvre*, Paris, 1863.

Cat. La Caze
Reiset (F.), *Notice des tableaux légués au Musée impérial du Louvre par M. Louis La Caze*, Paris, 1870.

Suppl. Tauzia
Both de Tauzia (Vte L.), *Notice supplémentaire des tableaux exposés dans les galeries du Musée national du Louvre et non décrits dans les trois catalogues des diverses écoles de peinture*, Paris, 1878.

Cat. somm.
Musée national du Louvre, catalogue sommaire des peintures, Paris, 1903 (édition la plus complète d'un catalogue publié pour la première fois en 1889).

Demonts
Demonts (L.), *Musée national du Louvre, catalogue des peintures exposées dans les galeries, III, écoles flamande, hollandaise, allemande et anglaise*, Paris, 1922.

Bénédite
Bénédite (L.), *Le Musée de Luxembourg (Musée annexe du Jeu de Paume aux Tuileries). Peintures, pastels, aquarelles et dessins des écoles étrangères*, Paris, 1924.

Brière
Brière (G.), *Musée national du Louvre, catalogue des peintures exposées dans les galeries, I, école française*, Paris, 1924.

Hautecœur
Hautecœur (L.), *Musée national du Louvre, catalogue des peintures exposées dans les galeries, II, école italienne et école espagnole*, Paris, 1926.

Michel
Michel (E.), *Catalogue raisonné des peintures du Moyen Age, de la Renaissance et des temps modernes. Peintures flamandes du XVe et du XVIe siècle*, Paris, 1953.

Cat. Rés.
Exposition de 700 tableaux de toutes les écoles antérieurs à 1800 tirés des réserves du Département des Peintures, Paris, Musée du Louvre, 1960.

S.A. II
Sterling (Ch.) et Adhémar (H.), *Musée national du Louvre, peintures, école française, XIVe, XVe et XVIe siècles*, Paris, 1965.

Rosenberg. Reynaud. Compin
Rosenberg (P.), Reynaud (N.), Compin (I.), *Catalogue illustré des Peintures, école française XVIIe et XVIIIe siècles*, 2 tomes, Paris, 1974.

Catalogue illustré

ADRIAEN VAN UTRECHT

Voir UTRECHT.

AELST Willem van
Delft, 1627 - Amsterdam (?), 1683.

R.F. 666

Raisins et pêches.
T. H.0,745 ; L.0,580.
S.D.b.g. : *Guill^m van Aelst 1670.*
Don François Kleinberger, 1891.
Demonts 2298, p. 145.

AELST Willem van (genre de)

INV. 20370

Vase de fleurs.
T. H.0,355 ; L.0,485.
Provenance indéterminée.

AERT CLAESZ.
dit Aertgen van Leyden.
Leyde, 1498 - Leyde (?), 1564.

R.F. 2502

La Nativité.

B. H.0,45 ; L.0,58.
Don François Kleinberger, 1925.
Michel 4111, p. 157 (Lucas de Leyde ou son atelier) -
Cat. Rés. 83 (attr. à Aertgen).

ALSLOOT Denÿs van
Malines, 1570 - Bruxelles, 1628.

M.I. 960

Voir CLERCK.

M.N.R. 431

Paysage d'hiver.
B. H.0,36 ; L.0,47.
S.b.d. : *D. ab. Alsloot. SCDR. Pict.* et D.mi-h.d. : *1610.*
Attribué au Musée du Louvre par l'Office des Biens privés, 1950.

AMSTEL Jan van

Voir MONOGRAMMISTE
DE BRUNSWICK.

APSHOVEN Thomas van
(attribué à)
Anvers, 1622 - id., 1664/65.

M.N.R. 676

Joueurs de quilles.
T. H.0,845 ; L.1,100.
Attribué au Musée du Louvre par l'Office des Biens privés, 1951.

ARENTSZ. Arent, dit CABEL
Amsterdam, 1586/86 - id., 1631.

R.F. 1163

Pêcheurs.
B. H.0,420 ; L.0,615.
S.b.g. : *AA.*
Acquis en 1899.
Demonts 2300 A, p. 65.

ARTHOIS Jacques d'
Bruxelles, 1613 - id., v. 1686.

M.I. 901

La Route de Boitsfort à Auderghem et l'étang de Ten Reuken (environs de Bruxelles).
T. H.0,575 ; L.0,755.
Figures traditionnellement attribuées à Pieter Bout.
Legs du Dr Louis La Caze, 1869 (Cat. 40).
Demonts 1901, p. 106.

ASCH Pieter-Jansz. van
Delft, 1603 - id., 1678.

M.N.R. 707

La Halte.
B. H.0,50 ; L.0,40.
S.b.d. du monogramme : *I V A.*
Attribué au Musée du Louvre par l'Office des Biens privés, 1951.

ASSELBERGS Alphonse
Bruxelles, 1859 - Uccle, 1916.

R.F. 1979-31

La Casbah d'Alger.
B. H.0,47 ; L.0,65.
S.b.g. : *Alp. Asselbergs.*
Legs de l'auteur au Musée du Luxembourg, 1920.
Reversement du Musée National d'Art Moderne au Louvre, 1979.
Bénédite 88.

ASSELIJN Jan
« Diepen » (Dieppe ou une localité néerlandaise telle que Diepenheim ou Diepenveen ?), vers 1610 - Amsterdam, 1652.

INV. 984

Paysage avec une tour surplombant une rivière.
T. ovale H.0,725 ; L.0,420.
Pendant du INV. 986 ?
Peint en 1646-1647 pour le Cabinet de l'Amour dans l'Hôtel du Président Nicolas Lambert de Thorigny, à Paris. Cf. INV. 985 et 986. Cf. en outre Flemalle, Juste d'Egmont et Swanevelt, ainsi que Le Sueur, Mauperché, Patel I, Perrier pour l'Ecole française, et Romanelli pour l'Ecole italienne.
(Steland-Stief 217).
Coll. de Louis XVI : acquis en 1776.
Villot II 2 - Cat. somm. 2302.

INV. 985

Paysage avec un troupeau traversant une rivière.
T. H.0,66 ; L.0,88.
Pour l'historique, cf. Asselijn, INV. 984.
(Steland-Stief 125).
Coll. de Louis XVI : acquis en 1776.
Villot II 3.

INV. 986

Ruine et cabane de bergers.
T. ovale H.0,775 ; L.0,395.
Pendant du INV. 984 ?
Pour l'historique, cf. Asselijn, INV. 984.
(Steland-Stief 44).
Coll. de Louis XVI : acquis en 1776.
Villot II 4 - Cat. somm. 2303.

AVERCAMP Barend
Kampen, 1612/13 - id., 1679.

R.F. 2854

Scène de patinage à Kampen.
T. H.0,470 ; L.0,635.
S.b.g. : *Avercamp.*
(Welcker 21 : Barend Avercamp).
Coll. du comte de l'Espine ; donné par sa fille, la princesse Louis de Croy, 1930.
(Inventaire : attr. à Hendrick Avercamp).

BACKHUYZEN Ludolf
Emden, 1631 - Amsterdam, 1708.

INV. 987 †

Escadre néerlandaise de la Compagnie des Indes.
T. H.1,70 ; L.2,86.
D.b.g. sur le tonneau : *1675* (très effacé).
(Hofstede de Groot VII 252).
Coll. de Louis XVI : acquis en 1785.
Villot II 5 - Demonts 2304, p. 127.

INV. 988

Le Port d'Amsterdam vu de l'Ij.
T. H.1,28 ; L.2,21.
S.D.g. sur la poupe du grand navire : *An°. 1666. Ludolff Backh fecit.*
(Hofstede de Groot VII 80).
Commandé par la Ville d'Amsterdam en 1665 et offert en 1666 à Hugue de Lionne, ministre de Louis XIV.
Don de M. Girard, neveu du sculpteur Bouchardon, 1808.
Villot II 6 - Demonts 2305, p. 135.

INV. 989

Bateaux de pêche et cabotier par gros temps,
dit aussi
Le Coup de vent.
T. H.0,46 ; L.0,66.
S.b.d. : *L. Backh.*
(Hofstede de Groot VII 253).
Coll. de Louis XVI : acquis en 1784.
Villot II 7 - Demonts 2306, p. 149.

INV. 990

Vaisseaux hollandais au large d'Amsterdam.
T. H.0,66 ; L. 0,80.
(Hofstede de Groot VII 254).
Acquis en 1816.
Villot II 8 - Demonts 2307, p. 142.

R.F. 1528

La Mer au Helder.
T. H.0,625 ; L. 0,845.
S.b.d. : *L. Backuy...* (apocryphe ?).
(Hofstede de Groot VII 136 : Dubbels ?).
Legs du baron Arthur de Rothschild, 1904.
Demonts 2304 A, p. 20.

BADEN Hans Jurriaensz. van
?, vers 1604 - Amsterdam, vers 1663.

INV. 1599

Intérieur d'église. Vue depuis le chœur.
B. H.0,240 ; L.0,225.
(Jantzen 21 : Baden).
Ancienne collection.
Villot II 353 (Pieter Neefs le vieux) - *Cat. somm. 2064* (id).

BAELLIEUR Cornelis de
Anvers, 1607 - id., 1671.

M.I. 699

Intérieur d'une galerie de tableaux et d'objets d'art.
B. H.0,935 ; L.1,230
S.D.b.d. près de la porte : *BAELLIUER. I fecit A° 1637.*
Legs Alexandre Cart Balthazar, 1864.
Demonts 1902, p. 84.

BAERTSOEN Albert
Gand, 1866 - id., 1922.

R.F. 1977-29

Petite cité le soir au bord de l'eau (Flandre)
ou
Petite cour en Flandre au crépuscule :
vue du Luysgevecht à Gand
T. H.1,41 ; L.1,085.
S.D.b.d. : *Alb. Baertsoen Gand 99.*
Exposition Universelle de 1900, Paris.
Entré en 1901 au Musée du Luxembourg en échange de *Vieux quai en Flandre* (R.F. 1315) acquis en 1900 et rendu à l'artiste.
Reversement du Musée National d'Art moderne au Louvre, 1977.
Bénédite 90.

R.F. 1977-30

Le Dégel.
T. H.1,39 ; L.1,655.
S.D.b.g. : *Alb. Baertsoen.*
Acquis pour le Musée du Luxembourg à l'exposition de la Société Nationale des Beaux-Arts, 1904.
Reversement du Musée National d'Art Moderne au Louvre, 1977.
Bénédite 89.

BAILLY David
Leyde, 1584 - id., 1657.

R.F. 792

Portrait de jeune homme.
B. H.0,30 ; L.0,24.
S.D.g.mi-h. : *D. Bailly fecit A° 1637.*
Acquis en 1893.
Demonts 2303 A, p. 112.

BALEN Hendrick van
Anvers, 1575 - id., 1632.

INV. 1093
Voir BRUEGHEL Jan I.

D.L. 1973-21
Voir Annexe I (tableaux en dépôt au Louvre).

BAMBOCCIO
Voir LAER.

BARENDSZ. Dirck
Amsterdam, 1534 - id. 1592.

R.F. 1975-25

Voir annexe II (dons sous réserve d'usufruit).

BARGAS
Voir p. 75 et 163

BASSEN Bartholomeus van
?, v. 1590 - La Haye, 1652.

INV. 2184

Vue intérieure d'une grande salle.
(Le vestibule de l'Hôtel de Ville de La Haye ?) avec joueurs de billard.
B. H.0,50 ; L. 0,74.
D. au centre du plafond : *1620.*
Une prétendue signature : *W. Klie* a été lue par Demonts.
Figures de D. Hals ?
Ancienne collection.
Cat. Sauvageot 982 bis (éc. flamande) - *Demonts s.n., p. 112* (genre de Van Bassen).

BEELDEMAKER
Adriaen Cornelisz.
Rotterdam, 1618 - La Haye, 1709.

R.F. 1938-26

Portrait d'homme.
C. ovale. H.0,205 ; L.0,175.
S.D.b.g. : *A.C. Beeldmaker f. 1654.*
Donation de Mme Walter Gay, 1937.
(Inv. : attr. à G. ter Borch).

BEELT Cornelis
Haarlem, vers 1660 - ?, avant 1702.

M.N.R. 923

Intérieur d'écurie.
B. H.0,370 ; L.0,295.
S.b.m. : *A. Cuÿp* (apocryphe).
Attribué au Musée du Louvre par l'Office des biens privés, 1952.

BEERSTRATEN Jan-Abrahmsz.
Amsterdam, 1627 - ?, après ou en 1668.

INV. 1030

Vue imaginaire d'un port avec la façade de Sainte-Marie-Majeure de Rome,
dit à tort : L'Ancien port de Gênes.
T. H.0,940 ; L.1,285.
S.D.mi-h.d. : *Johannes Beerstraaten fecit 1662.*
Acquis en 1822.
Villot II 11 (Johannes Beerstraaten) - *Cat. somm. 2310* (Jan Abrahamsz. Beerstraten).

BEERSTRATEN Jan-Abrahmsz
frère (?) du précédent.
Amsterdam, 1622 - id., 1666.

R.F. 3715

Vue imaginaire d'un port méridional avec le chevet de la cathédrale de Lyon.
T. H.1,55 ; L.1,79.
S.b.g. : *Beerstraten 1652.*
Coll. du comte de L'Espine ; donné par sa fille, la princesse Louis de Croy, sous réserve d'usufruit, 1930 ; entré au Louvre en 1932.

BEERT Osias
Anvers (?), vers 1580 (?) - id., 1624.

M.N.R. 563

Corbeille de fleurs.
B. H.0,53 ; L.0,75.
(Hairs p. 348).
Attribué au Musée du Louvre par l'Office des Biens privés, 1950.
Cat. Rés. 262 (éc. flamande, XVIIe s.).

BEGA Cornelis Pietersz.
Haarlem, 1631/32 - id., 1664.

INV. 1032

Intérieur rustique
ou
Le Bon ménage.
T. sur B. H.0,447 ; L.0,390.
S.D.b.m. : *C. Bega A° 1662* (et non 1652).
Acquis sous l'Empire (avant 1810).
Villot II 13 - Demonts 2312, p. 153.

R.F. 2880

Couple dans un intérieur rustique.
B. H.0,28 ; L.0,23.
S.b.d. : *C. Bega.*
Coll. du comte de l'Espine donnée par sa fille, la princesse Louis de Croÿ, 1930.

M.N.R. 933

Paysans dans un cabaret.
T. H.0,37 ; L.0,29.
S.D.b.g. : *C. Bega. A° 1653* (plutôt que 1663 ; date difficilement lisible).
Attribué au Musée du Louvre par l'Office des biens privés, 1952.

BEGEYN ou **BEGA** Abraham Jansz.
Leyde, vers 1635 - Berlin, 1697.

INV. 1031

Chèvres au pied d'une statue antique.
(Sculpture jadis à la villa du pape Jules III (1487-1555) à Rome).
T. H.0,61 ; L.0,50.
S.b.d. : *A. Bega.*
Ancienne collection.
Villot II 12 - Cat. somm. 2311.

BELLEGAMBE Jean
Douai, 1467/1470 - id. ?, avant 1536.

M.I. 817

Saint Adrien.
B. H.0,750 ; L.0,335.
(Friedländer XII 134. Genaille 13).
Donation Charles Sauvageot, 1856 (Cat. 1009 : éc. de Holbein).
Cat. somm. 2739. (Inconnu de l'Ecole allemande, XVIe s.) - *Brière 13 A* (attr. à Bellegambe) - *Michel 13 A, p. 2* (Bellegambe) - *S.A. II 54* (attr. à Bellegambe).

BENING
Gand, vers 1484 - Bruges, 1561.

D.L. 1973-18

Voir Annexe I (tableaux en dépôt au Louvre).

BENSON Ambrosius
Bruges, avant 1519 - id., 1550.

R.F. 2821

Jeune femme lisant un livre d'heures, dit autrefois : Portrait de Marguerite d'Autriche, puis La Sibylle Persique.
B. H.0,75 ; L.0,55.
(Friedländer XI in 271. Marlier 85).
Don Félix Doistau, 1929.
Michel 4000, p. 4.

R.F. 1971-19

Voir Annexe II (dons sous réserve d'usufruit).

BENSON Ambrosius (atelier de)

R.F. 2248

Le Concert après le repas.
B. H.1,22 ; L.1,47.
(Marlier 119 : atelier de Benson, peut-être son fils Jan).
Acquis en 1919.
Demonts s.n., p. 65 (éc. de Benson) - *Michel 4001, p. 6* (d'après Benson) - *Cat. Rés. 85* (Jan Benson ?).

BERCHEM Nicolaes Pietersz.
Haarlem, 1620 - Amsterdam, 1683.

INV. 1037

Paysage aux grands arbres.
T. H.1,305 ; L.1,955.
S.D.b.d. : *C. Berghem 1653.*
(Hofstede de Groot IX 386).
Coll. de Louis XVI ; acquis en 1784.
Villot II 18 - Cat. somm. 2314.

INV. 1038

Le Gué.
B. H.0,320 ; L.0,405.
S.D.b.d. : *Berchem 1658* (et non 1650).
(Hofstede de Groot IX 387).
Coll. de Louis XVI : acquis en 1784.
Villot II 19 - Demonts 2315, p. 127.

INV. 1040

Le Passage du bac.
B. H.0,500 ; L.0,705.
S.b.d. : *Berchem f.*
(Hofstede de Groot IX 328).
Provient de la coll. du Stadhouder à La Haye, 1795.
Villot II 21 - Cat. somm. 2317.

INV. 1042

Pâtres gardant un troupeau au bord de l'eau.
B. H.0,51 ; L.0,62 (autrefois H.0,410 ; L.0,565).
S.b.d. : *Berchem f.*
Sans doute mis en pendant au XVIIIe siècle avec un autre Berchem acquis à la même vente et aujourd'hui déposé au Mobilier National (Inv. 1039).
(Hofstede de Groot IX 701).
Coll. de Louis XV : acquis en 1741.
Villot II 23 - Cat. somm. 2319.

INV. 1043

Bergère trayant une chèvre.
B. H.0,635 ; L.0,595.
S.b.m. : *Berchem.*
(Hofstede de Groot IX 197).
Acquis en 1817.
Villot II 24 - Demonts 2320, p. 157.

INV. 1044

Muletière près d'un gué.
T. H.1,12 ; L.1,40.
S.b.m. sur le rocher : *Berchem f.*
(Hofstede de Groot IX 389).
Acquis en 1817.
Villot II 25 - Cat. somm. 2321.

INV. 1045

Lavandière et animaux au bord de l'eau.
B. H.0,245 ; L.0,315.
S.b.m. sur une pierre : *Berchem.*
Au XVIIIe siècle en pendant avec le Bergen INV. 1035.
(Hofstede de Groot IX 291).
Saisie révolutionnaire de la coll. du baron de Breteuil.
Villot II 26 - Demonts 2322, p. 133.

INV. 1046

Paysage avec Jacob, Rachel et Léa.
T. H.1,66 ; L.1,38.
S.D.b.g. vers le milieu sur la grande pierre : *C. Berghem 164...* (3 ?) et non 1664.
Figures de Jan-Baptist Weenix.
(Hofstede de Groot IX 59 : 1664).
Acquis en 1816.
Villot II 27 (pas de remarque sur les figures) - *Cat. somm. 2323* (id.).

BERCKHEYDE Gerrit Adriaensz.
Haarlem, 1638 - id., 1698.

R.F. 2341

Le Dam avec le nouvel Hôtel de Ville à Amsterdam.
B. H.0,405 ; L.0,565.
S.b.g. : *Gerret. Berck Heyde.*
Legs de Mme Jacques Chatry de Lafosse, 1921.
Demonts s.n., p. 190.

BERGEN Dirck Van
Haarlem, vers 1640 - id., vers 1690

INV. 1035

Paysage au cheval blanc.
T. sur B. H.0,255 ; L.0,315.
S.b.m. : *D.V. Berghen.*
Au XVIIIe siècle en pendant avec le Berchem INV. 1045.
Saisie révolutionnaire de la coll. du baron de Breteuil.
Villot II 16 - Demonts 2326, p. 134.

BERNAERTS Nicasius
Anvers, 1620 - Paris, 1678.

INV. 1622

Deux petits chiens.
T. H.0,53 ; L.0,65.
Coll. de Louis XIV (Manufacture des Gobelins) ?

INV. 1623, 1627, 1627 bis, 1631, 1640, 1643, 1649, 1650, 1654, 1660, 1662, 1663, 20748, 20749.

Etudes d'animaux
(oiseaux pour la plupart).
T. Dimensions diverses : soit H.0,66 ; L.0,66 ; soit en ovale : H.0,85 ; L.0,70.
Certaines sont des copies anciennes ayant sans doute remplacé des originaux en mauvais état (tous les tableaux énumérés ici n'ont pu de ce fait être reproduits dans le présent catalogue).
Coll. de Louis XIV (Manufacture des Gobelins) ?

1627

1631

1643

1649

1650

1654

1660

1662

1663

BERNAERTS Nicasius
(attribué à)

INV. 3953

Combat de coqs et de poules
T. H.1,065 ; L.1,435.
Ancienne collection.
(Inventaire : copie d'après François Desportes).

BESCHEY Balthazar
Anvers, 1708 - id. 1776.

INV. 1049

Portrait d'une famille,
dit autrefois : La Famille du peintre.
T. H.0,880 ; L.0,725.
S.D.b.g. : *Bescheÿ 1731* (et non 1721).
Acquis en 1844.
Villot II 29.

BEUCKELAER Joachim
Anvers, vers 1530 - id., 1573.

R.F. 2659

Intérieur de cuisine.
B. H.1,095 ; L.1,390.
S.h.g. (monogramme) : *I.B.*
D.h.d. : *Anno domini 1566.*
Acquis en 1928.
Michel 1902 B, p. 8.

BEYEREN Abraham Van
La Haye, 1620/21 - Overschie, 1690.

R.F. 1181

Nature morte à la dinde.
B. H.0,74 ; L.0,59.
S.mi-h.d. : *AVB.f.* (les trois premières lettres entrelacées).
Acquis en 1900.
Demonts 2312 A, p. 136.

R.F. 3705

Nature morte aux poissons.
Bord de mer avec pêcheurs à l'arrière-plan.
T. H.0,940 ; L.1,245.
Coll. du comte de l'Espine ; donné par sa fille, la princesse Louis de Croÿ, sous réserve d'usufruit, 1930 ; entré au Louvre en 1932.

R.F. 3724

« La Marine d'argent ».
B. H.0,345 ; L.0,570.
S.d. sur le bateau : *AVB* (lettres entrelacées).
Ainsi traditionnellement intitulé pour faire pendant au S. van Ruysdael R.F. 3725.
Coll. du comte de l'Espine ; donné par sa fille, la princesse Louis de Croÿ, sous réserve d'usufruit, 1930 ; entré au Louvre en 1932.

BLIECK Daniel de (d'après)
Middelburg, 1630 - id., 1673.

M.N.R. 495

Intérieur d'église inspiré par l'église Saint-Laurent à Rotterdam.
B. H.0,27 ; L.0,26.
Peut-être une imitation du XIXe s.
Attribué au Musée du Louvre par l'Office des Biens privés, 1950.

BLOCKLANDT Anthonis van

Voir BREDAEL.

BLOEMAERT Abraham
Gorkum, 1564 - Utrecht, 1651.

INV. 1052

Adoration des bergers.
T. H.2,87 ; L.2,29.
S.D.b.d. : *A. Bloemaert fe. 1612.*
(Delbanco 14).
Peint pour la chapelle des Clarisses à Bois-le-Duc ?
Séquestre de la coll. Milliotty, 1799.
Villot II 31 - Demonts 2327, p. 99 - Michel 2327, p. 12.

INV. 1053

Allégorie de l'hiver.
T. H.0,705 ; L.0,575.
S.b.mi-h.d. : *A. Bloemaert. fe.*
(Delbanco 22).
Acquis en 1843.
Villot II 32 - Cat. somm. 2327 A - Michel 4003, p. 14.

R.F. 1976-14

Prédication de saint Jean-Baptiste.
T. H.0,675 ; L.0,900.
Don anonyme, 1976.

BLOEMEN Jan-Frans van (genre de)
Anvers, 1656 - Rome, 1749.

M.N.R. 671

Paysage boisé avec personnages assis près d'une cascade.
T. H.0,730 ; L.0,615.
Attribué au Musée du Louvre par l'Office des Biens privés, 1951.

BLOEMEN Pieter van, frère du précédent.
Anvers, 1657 - id., 1720.

INV. 2178

Halte devant l'auberge.
T. H.0,38 ; L.0,52 (autrefois H.0,38 ; L.0,47).
Ancienne collection.
(Inventaire : éc. flamande XVIIe s.).

BLOMMERS
Bernardus-Johannes
La Haye, 1845 - id., 1914.

R.F. 2553

La Visite au grand-père.
T. H.0,75 ; L.0,65.
S.b.d. : *B.J. Blommers.*
Don Abraham Preyer, 1926.

BOEL Pieter
Anvers, 1622 - Paris, 1674.

INV. 2187 bis

Animaux et ustensiles, dit aussi **Départ de Jacob pour la Mésopotamie.**

T. H.2,72 ; L.4,12.
Coll. de Louis XVI : acquis en 1785.
Villot I 165 (Castiglione ? - peut-être flamand) - *Tauzia 147* (Castiglione) - *Ricci 1252* (id.) - *Hautecœur 1252* (éc. de Castiglione).

INV. 3964

Deux aigles sur un rocher.
Etude.
T. H.0,780 ; L.0,945.
Coll. de Louis XIV (Manufacture des Gobelins).
(Inventaire : attr. à Desportes).

INV. 3969

Un Tiercelet et une tête de coq.
Etude.
T. H.0,47 ; L.0,55.
Coll. de Louis XIV (Manufacture des Gobelins).
(Inventaire : attr. à Desportes).

INV. 3970

Trois autruches.
Etude.
T. H.0,95 ; L.1,15.
Coll. de Louis XIV (Manufacture des Gobelins).
(Inventaire : attr. à Desportes).

INV. 3972

Casoar et corbeau blanc.
Etude.
T. H.0,98 ; L.1,06.
Coll. de Louis XIV (Manufacture des Gobelins).
(Inventaire : attr. à Desportes).

INV. 3973

Grue à aigrette.
Etude.
T. H.1,01 ; L.0,80.
Coll. de Louis XIV (Manufacture des Gobelins).
(Inventaire : attr. à Desportes).

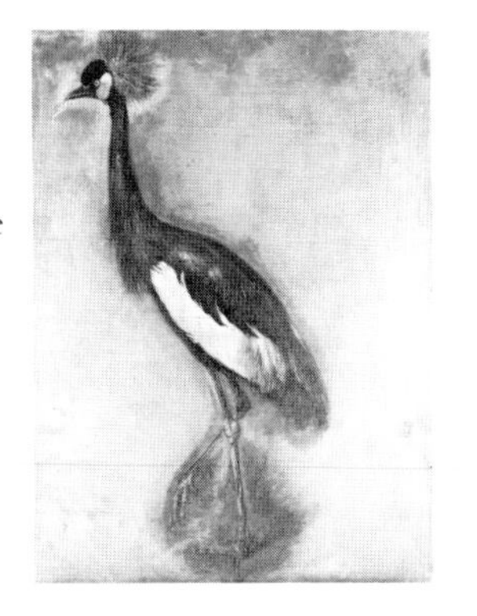

INV. 4012

Trois hiboux et trois autres oiseaux. Etude.
T. H.0,47 ; L.0,56.
Coll. de Louis XIV (Manufacture des Gobelins).
(Inventaire : attr. à Desportes).

INV. 3987

Deux têtes de dromadaires.
Etude.
T. H.0,54 ; L.0,65.
Coll. de Louis XIV (Manufacture des Gobelins).
(Inventaire : attr. à Desportes).

INV. 4015

Trois lézards. Etude.
T. H.0,46 ; L.0,54.
Coll. de Louis XIV (Manufacture des Gobelins).
(Inventaire : attr. à Desportes).

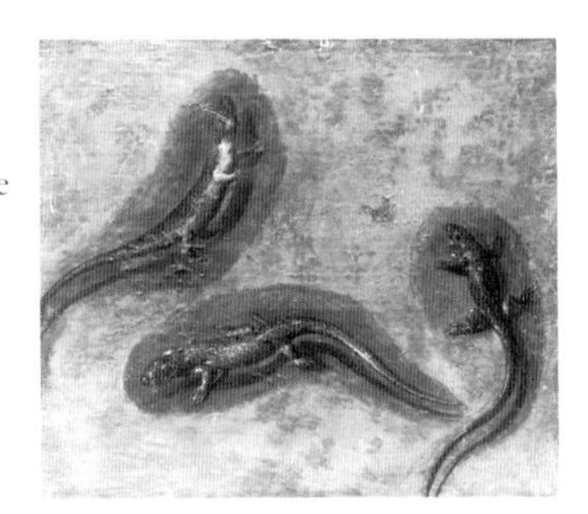

INV. 3994

Chat huant. Etude.
T. H.0,74 ; L.0,92.
Coll. de Louis XIV (Manufacture des Gobelins).
(Inventaire : attr. à Desportes).

INV. 4037

Quatre perroquets. Etude.
T. H.1,26 ; L.1,14.
Coll. de Louis XIV (Manufacture des Gobelins).
(Inventaire : attr. à Desportes).

INV. 3999

Un Chien de Barbarie. Etude.
T. H.0,51 ; L.0,61.
Coll. de Louis XIV (Manufacture des Gobelins).
(Inventaire : attr. à Desportes).

INV. 4039

Trois perroquets aras et une tête.
T. H.0,98 ; L.1,30.
Coll. de Louis XIV (Manufacture des Gobelins).
(Inventaire : attr. à Desportes).

INV. 4006

Deux faisans dorés.
T. H.0,77 ; L.1,00.
Coll. de Louis XIV (Manufacture des Gobelins).
(Inventaire : attr. à Desportes).

INV. 4043

Renards. Etude.
T. H.0,53 ; L.0,65.
Coll. de Louis XIV (Manufacture des Gobelins).
(Inventaire : attr. à Desportes).

INV. 4052

Un Vautour et un aigle. Etude.
T. H.0,65 ; L.0,77.
Coll. de Louis XIV (Manufacture des Gobelins).
(Inventaire : attr. à Desportes).

BOL Ferdinand
Dordrecht, 1616 - Amsterdam, 1680.

INV. 1062

Enfants nobles dans un char traîné par des chèvres, dit autrefois Portrait présumé de Guillaume-Henri de Nassau, enfant, futur Guillaume III (1650-1702).
T. H.2,11 ; L.2,49.
S.D.b.d. : *F. Bol 1654* (les deux premières lettres entralacées).
(Blankert A 174).
Séquestre de la coll. Milliotty, 1799.
Villot II 40 - Demonts 2329, p. 16.

INV. 1063

Portrait d'un mathématicien.
T. H.0,77 ; L.0,63.
S.D.b.g. : *B. 1658.*
(Blankert A100).
Saisie révolutionnaire de la coll. de la duchesse de Noailles.
Villot II 41 - Demonts 2330, p. 145.

INV. 1064

Portrait d'homme accoudé à une balustrade.
T. H.1,19 ; L.1,00.
S.D.d. sur la balustrade : *F. Bol 1659.*
(Blankert, 1976, A 106).
Provient sans doute d'Allemagne, 1806 ?
Villot II 42 - Demonts 2331, p. 133.

R.F. 2127

Portrait d'un couple, dit autrefois Le peintre F. Bol et sa femme Lisbeth Dell.
T. H.1,71 ; L.1,48.
S.D.b.g. : *F. Bol. 1654.*
(Van Hall 35, p. 32. Blankert, 1976, A 173[1] qui catalogue en outre sous le n° A 173[2] les *Enfants nourrissant un bouc* du musée du Mans, hypothétique fragment d'une toile plus vaste dont le morceau principal serait le *Couple* du Louvre).
Legs du baron Basile de Schlichting, 1914.
Demonts s.n., p. 167.

BOL Ferdinand (genre de)

R.F. 2269

Vénus couchée.

T. H.0,90 ; L.1,43.
Copie ancienne dans le goût rembranesque, dérivée de la *Vénus d'Urbin* du Titien (Florence, Offices).
Legs Louis Bonaparte Wyse, 1920.
(Inventaire : attr. à G. van den Eeckhout).

BORCH Gerard ter
Zwolle, 1617 - Deventer, 1681.

INV. 1899

Le Galant militaire.
T. H.0,68 ; L.0,55.
S.h.g. dans un cartouche sur le manteau de la cheminée : *GTB* (monogramme).
(Hofstede de Groot V 161. Gudlaugsson 189).
Coll. de Louis XVI : acquis en 1785.
Villot II 526 - Demonts 2587, p. 126.

INV. 1900

Le Duo : chanteuse et joueur de luth theorbé.
T. H.0,825 ; L.0,720.
S.D. au bas de la carte de géographie : *Burg F. 1660* (signature pratiquement illisible et apocryphe remplaçant sans doute une authentique signature ; la date originelle devait être plutôt 1669).
(Hofstede de Groot V 136. Gudlaugsson 233).
Coll. de Louis XVI : acquis en 1785.
Villot II 527 - Demonts 2588, p. 136.

INV. 1901

Le concert : chanteuse et joueuse de luth theorbé.
B. cintré. H.0,47 ; L.0,44.
S. sur le barreau de la chaise : *G.T.B.* (peu lisible).
(Hofstede de Groot V 137. Gudlaugsson 126).
Saisie révolutionnaire de la coll. du duc de Brissac.
Villot II 528 - Demonts 2589, p. 144.

INV. 20371

Portrait d'homme en noir.
T. H.0,67 ; L.0,53.
Pendant de R.F. 3983 selon Gudlaugsson, mais sans preuves suffisantes.
(Gudlaugsson 183).
Legs de Mme Adolphe Thiers, 1881 (cat. 265 : Ter Borch).
Demonts s.n., p. 177 (éc. de Ter Borch).

M.I. 1006

La Leçon de lecture (avec Mozes, le jeune frère du peintre).
B. H.0,270 ; L.0,253 (autrefois H.0,23 ; L.0,253) S. sur le dossier de la chaise : *GT* (monogramme).
(Hofstede de Groot V 104. Gudlaugsson 98).
Legs du Dr. Louis La Caze, 1869 (Cat. 145).
Demonts 2591, p. 102.

BORCH Gerard ter (atelier de)

R.F. 3983

Portrait de femme avec un chien.
B. H.0,727 ; L.0,525.
Pendant de INV. 20371 selon Gudlaugsson, mais sans preuves suffisantes.
(Gudlaugsson B7 : médiocre travail d'élève ; visage peut-être original).
Legs de Mme Adolphe Thiers, 1881.

BOS Pieter van den
Amsterdam, vers 1613 - Londres ?, après 1663.

INV. 1842

Ustensiles de cuisine.
B. H.0,176 ; L.0,210.
(Hofstede de Groot V 181 : Slingelandt).
Ancienne collection.
Villot II 488 (Slingelandt) - *Cat. somm. 2570* (id.) - *Cat. Rés. 474* (id.).

BOSBOOM Johannes
La Haye, 1817 - id., 1891.

R.F. 2549

Le Chœur de la Grote Kerk

T. H.0,88 ; L.0,70.
S.b.g. : *J. Bosboom.*
Peint en 1856.
Don Abraham Preyer, 1926.

BOSCH VAN AKEN Hieronimus (Jérôme)
Bois-le-Duc, vers 1450 - id., 1516.

R.F. 2218

La Nef des fous.
B. H.0,580 ; L.0,325.
(Friedländer V 106. Tolnay 8. Cinotti 16).
Don Camille Benoit, 1918.
Demonts s.n., p. 61 - Michel 4004, p. 16.

BOSCH Hieronimus (d'après)

R.F. 970

Jésus parmi les docteurs.
B. H.0,74 ; L.0,58.
(Friedländer V 72. Tolnay 37. Cinotti 12).
Copie d'un original perdu.
Entré au Musée de Cluny en 1844 avec la coll. Du Sommerard (cat. Musée 1847).
Transféré du Musée de Cluny au Louvre, 1896.
Demonts s.n., p. 63 - Michel 4005, p. 18.

BOSSCHAERT Johannes
Middelburg ?, 1610/11 -
Dordrecht ?, après 1628.

M.N.R. 583

Corbeille de fleurs.
C. H.0,345 ; L.0,455.
(Bol n° 6 p. 88 : tableau absolument identique à celui du Louvre mais décrit - par erreur ? - comme étant sur bois et jadis chez Leegenhoek à Paris).
Attribué au Musée du Louvre par l'Office des Biens privés, 1951.

BOSSCHAERT Thomas

Voir VILLEBOIRTS.

BOTH Jan
Utrecht, vers 1613 - id., 1652.

INV. 1065

Paysage avec voyageurs.
T. H.1,56 ; L.2,12.
S. sur un tertre à d. vers le milieu : *J. Both.*
(Hofstede de Groot IX 63).
Coll. de Louis XVI : acquis en 1785.
Villot II 43 - Cat. somm. 2332.

INV. 1066

Paysage avec bergers.
T. H.0,74 ; L.0,61.
S.b.g. vers le milieu : *J. Both. fe.*
(Hofstede de Groot IX 194).
Coll. de Louis XVI : acquis en 1783.
Villot II 44 - Demonts 2333, p. 149.

BOTH Jan (d'après)

M.N.R. 810

Buveurs et mendiants sur le forum romain.
T. H.0,73 ; L.0,91.
Copie du tableau (Hofstede de Groot IX 26) du Rijksmuseum à Amsterdam.
Attribué au Musée du Louvre par l'Office des Biens privés, 1951.

BOUCLE Pieter van
Anvers (?), début du XVIIe s. -
Paris, 1673.

INV. 1852

Viande de boucherie avec chien et chat.
T. H.1,13 ; L.1,49.
S.D.b.d. sur le rebord de la table : *P.V.B. fecit 1651.*
Pendant de INV. 1853.
(Foucart 22).
Coll. de Louis XIV (entré entre 1684 et 1715).
(Inventaire : Joris van Son).

INV. 1853

Fruits et légumes.
T. H.1,135 ; L.1,485.
S.D.m.d. : *P.V.B. 1651.*
Pendant de INV. 1852.
(Foucart 23).
Coll. de Louis XIV (entré entre 1684 et 1715).
(Inventaire : Joris van Son).

BOUCQUET Victor
Furnes (Belgique), 1619 - id., 1677.

R.F. 1155

Une Porte-étendard.
T. H.1,84 ; L.1,12.
S.D.b.d. : *Victor Boucquet. Lens (?) 1664.*
La lecture de *Furnes* proposée par Demonts à la place de celle de *Lens* est impossible.
Don de la comtesse de Comminges-Guitaud, 1898.
Demonts 1903 A, p. 10.

BOUT Pieter
Bruxelles, 1658 - id., 1719.

M.I. 901

Voir ARTHOIS.

R.F. 3714

Marchands de poissons sur une plage.
B. H.0,220 ; L.0,345.
S.b.g. : *P. Bout.*
Coll. du comte de l'Espine ; donné par sa fille, la princesse Louis de Croÿ sous réserve d'usufruit, 1930 ; entré au Louvre en 1932.

BOUTS Dirck, dit le Vieux
Haarlem, vers 1420 - Louvain, 1475.

M.I. 734

La Vierge assise avec l'Enfant
B. H.0,20 ; L.0,12.
(Friedländer III 26. Schöne 72 : Dieric Bouts le Jeune).
Acquis en 1868.
Suppl. Tauzia 697 (Van der Weyden) - *Cat. somm. 2195* (id.) - *Demonts 2195 A, p. 50* (attr. à D. Bouts le Vieux) - *Michel 2195 A, p. 25* (D. Bouts le Vieux).

R.F. 1

La Déploration du Christ.
B. H.0,69 ; L.0,49.
(Friedländer III 4. Schöne 69 : Dieric Bouts le Jeune).
Legs de M. Mongé-Misbach, 1871.
Suppl. Tauzia 698 (Van der Weyden) - *Cat. somm. 2196* (id.) - *Demonts 2196, p. 47* - *Michel 2196, p. 20.*

R.F. 2622

Saint Joseph et deux bergers.
Fragment d'une Nativité.
B. H.0,204 ; L.0,184.
Autre fragment du même tableau (la Vierge) à Berlin-Dahlem, Staatliche Museen.
(Friedländer III 25. Schöne 66 : Dieric Bouts le Jeune).
Don de la Société des amis du Louvre, 1927.
Michel 1904 B, p. 23.

BOUTS Dirck (atelier de)

INV. 1986

La Vierge de douleur.
B. H.0,386 ; L.0,297.
Volet gauche d'un diptyque.
Cf. INV. 1994.
(Friedländer III 83 a. Schöne 19-3).
Provient peut-être du couvent des Filles-Bleues à Paris.
Saisi à la Révolution.
Villot II 594 (éc. flamande, XVe s.) - *Demonts 2201, p. 51* (éc. de Louvain, XVe s.) - *Michel 2201, p. 26* (éc. de D. Bouts le Vieux).

INV. 1994

Le Christ de douleur.
B. H.0,386 ; L.0,294.
Volet droit d'un diptyque.
Cf. INV. 1986.
(Friedländer III 83 a. Schöne 19-3).
Provient peut-être du couvent des Filles-Bleues à Paris.
Saisi à la Révolution.
Villot II 593 (éc. flamande, XVe s.) - *Demonts 2200, p. 49* (éc. de Louvain, XVe s.) - *Michel 2200, p. 26* (éc. de D. Bouts le Vieux).

BOUTS Dirck (d'après)

R.F. 1732

La Vierge et l'Enfant.
B. H.0,358 ; L.0,230.
(Friedländer III 93 b. Schöne 145 b).
Don de Mme Victor Gay, 1909.
Demonts 1904 B, p. 52 (éc. de D. Bouts le Vieux) - *Michel 1904 B, p. 28* (d'après D. Bouts le Vieux).

BRAEKELEER Adriaan de
Anvers, 1818 - id., 1904.

M.N.R. 772

Gentilhomme dans une auberge du XVIIe siècle.
B. H.0,74 ; L.0,92.
S.D.b.d. : *Adrien De Braekeleer 1868.*
Attribué au Musée du Louvre par l'Office des Biens privés, 1951.

BRAEKELEER Henri de
Anvers, 1840 - id., 1888.

R.F. 1196

Vieux bibelots.
T. H.0,38 ; L.0,56.
S.b.d. : *Henri de Braekeleer.*
Acquis en 1900 pour le Musée de Luxembourg.
Bénédite 92.

BRAKENBURG Richard
Haarlem, 1650 - id., 1702.

R.F. 3708

Intérieur d'auberge.
T. H.0,407 ; L.0,487.
Coll. du comte de l'Espine ; donné par sa fille, la princesse Louis de Croÿ, sous réserve d'usufruit, 1930 ; entré au Louvre en 1932.

BRAY Jan de
Haarlem, 1627 - id., 1697.

R.F. 1760

Portrait d'homme.
B. H.0,670 ; L.0,555.
S.D.b.d. : *J.D. Bray 165 (8 ?)* (le dernier chiffre est partiellement tronqué en bordure du tableau). On a généralement lu 1650, mais la date de 1658 est plus plausible à cause du dessin préparatoire du British Museum (Moltke 87) ainsi daté. (Moltke 101).
Acquis en 1910 sur les arrérages du legs de Mme Emile-Louis Sevène.
Demonts 2333 A, p. 128.

BREDAEL ou **BREDA**
Jan-Frans I van, dit l'Ancien
Anvers, 1686 - id., 1750.

INV. 1072

Campement militaire.
C. H.0,21 ; L.0,25.
Le cuivre utilisé est celui d'une gravure de Philippe Galle (1537-1612), d'après Anthonis Blocklandt (1532-1583) et représentant le *Christ et la Samaritaine.*
Acquis en 1821.
Villot II 49 - Cat. somm. 1905.

BREEN Adam van
Middelburg, 1599 - Amsterdam, 1665.

R.F. 1738

Scène de patinage.
B. H.0,35 ; L.0,65.
Acquis en 1909.
(Inventaire : attr. à Hendrick Avercamp).

BREENBERGH Bartholomeus
Deventer, 1599 - Amsterdam, 1657.

R.F. 1937-4

Jésus guérissant un sourd-muet, avec une ruine inspirée de la Villa de Mécène à Tivoli.
B. H.0,90 ; L.1,22.
S.D.b.d. : *B Breenbergf. A° 163* [5] (très effacé).
Legs Adolphe Somborn, 1937.
Cat. Rés. 390.

BREKELENKAM Quiringh Gerritsz. van
Zwammerdam, vers 1620 - Leyde, 1668.

M.I. 907

La Consultation.
T. H.0,57 ; L.0,52.
Legs du Dr. Louis La Caze, 1869 (Cat. 46).
Demonts 2337, p. 104.

M.I. 939

Le Bénédicité.
B. H.0,545 ; L.0,410.
S.b.d. : *N. Maes 1648* (apocryphe).
(Hofstede de Groot VI 115 : N. Maes).
Legs du Dr Louis La Caze, 1869 (Cat. 78 : N. Maes).
Demonts 2454, p. 105 (N. Maes).

BREYDEL Karel
Anvers, 1678 - id., 1733.

M.I. 801

Choc de cavalerie.
B. H.0,052 ; L.0,070.
Donation Charles Sauvageot, 1856 (Cat. 984).

BRIET Arthur
Madioen (Indonésie), 1867 - Nunspeet (Pays-Bas), 1939.

R.F. 1186

Intérieur en Gueldre.
T. H.0,75 ; L.0,63.
S.b.d. : *A. Briët.*
Acquis à l'Exposition internationale universelle de 1900 à Paris pour le Musée du Luxembourg.
Bénédite 271.

BRIL Paul
Anvers 1554 - Rome, 1626.

INV. 207

Diane découvrant la grossesse de Callisto.
T. H.1,61 ; L.2,06.
Les figures sont d'une main italienne.
(Faggin 69).
Coll. de Louis XIV : donné par le cardinal Fabrizio Spada en 1674.
Villot I 149 (Annibal Carrache ; paysage attr. à P. Bril) - *Tauzia* 132 (id.) - *Cat. somm. 1230* (id.) - *Hautecœur 1230* (id.).

INV. 1085

Marché dans le Campo Vaccino à Rome.
C. H.0,27 ; L.0,35.
S. sur l'enseigne : *P. Bril* surmonté de l'emblème des lunettes (*Bril* en néerlandais).
Coll. de Louis XIV (entré avant 1683).
Villot II 54 (Breenbergh).

INV. 1108

Chasse au daim.
T. H.1,05 ; L.1,36.
Pendant du INV. 1109.
(Faggin 70).
Coll. de Louis XIV (entré avant 1683).
Villot II 65 (Mathieu Bril) - *Demonts 1906, p. 13* (Paul Bril) - *Michel 1906, p. 30.*

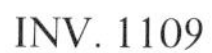

INV. 1109

Chasse au cerf.
T. H.1,05 ; L.1,37.
Pendant du INV. 1108.
(Faggin 71).
Coll. de Louis XIV (entré avant 1683).
Villot II 66 (Mathieu Bril) - *Demonts 1907, p. 11* (Paul Bril) - *Michel 1907, p. 31.*

INV. 1113

Chasse aux canards.
T. H.1,04 ; L.1,47.
Pendant du INV. 1114.
(Faggin 74).
Saisie révolutionnaire de la coll. du duc de Brissac.
Villot II 67 (figures de A. Carrache ?) - *Demonts 1908, p. 11* (id.) - *Michel 1908, p. 34.*

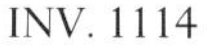

INV. 1114

Diane et ses nymphes allant à la chasse.
T. H.1,04 ; L.1,46.
Pendant du INV. 1113.
(Faggin 75).
Saisie révolutionnaire de la coll. du duc de Brissac.
Villot II 68 - Demonts 1909, p. 9 - Michel 1909, p. 35.

INV. 1115

Attaque à main armée dans un bois.
T. H.1,15 ; L.1,47.
Coll. de Louis XIV (entré avant 1683).

INV. 1117

Paysage aux pêcheurs.
T. H.0,465 ; L.0,715.
S.D.b.g. : *Pa. Brilli 1624.*
(Faggin 76).
Coll. de Louis XIV (entré avant 1683).
Villot II 69 - Demonts 1910, p. 81 - Michel 1910, p. 36.

INV. 1118

Pan et Syrinx.
C. H.0,395 ; L.0,605.
Les figures sont d'une main italienne.
(Faggin 77).
Coll. de Louis XIV : légué au roi par Le Nôtre en 1693.
Villot II 70 (figures d'A. Carrache ou du Cavalier d'Arpin) - *Demonts 1911, p. 78* (id.) - *Michel 1911, p. 37.*

INV. 1121

Paysage avec les pèlerins d'Emmaüs.
T. H.0,95 ; L.1,42.
S.D.b. vers le centre : *P. Brill... 1617.*
(Faggin 79).
Coll. de Louis XIV (entré avant 1683).
Villot II 73 - Michel s.n., p. 32.

D.L. 1970-4

Voir annexe I (tableaux en dépôt au Louvre).

BROUWER Adriaen (d'après)
Audenarde, 1605/6 - Anvers, 1638.

INV. 1070

Intérieur de tabagie.
B. H.0,22 ; L.0,29 (autrefois L.0,273).
(Hofstede de Groot III 125. Bode 31).
Ancienne collection.
Villot II 47 - Demonts 1912, p. 80.

R.F. 2559

Paysage au crépuscule.
B. H.0,17 ; L.0,26.
(Hofstede de Groot III 239. Bode 98).
Don du colonel Michaël Friedsam, 1926.

BROUWER Adriaen (d'après)

M.I. 905

Voir LUNDENS.

M.N.R. 914

Paysage animé.
B. H.0,285 ; L.0,360.
Attribué au Musée du Louvre par l'Office des Biens privés, 1952.

BRUEGHEL Abraham, petit-fils de Jan I et fils de Jan II.
Anvers, 1631 - Naples, 1690.

R.F. 1949-4

Femme prenant des fruits.
Figure allégorique d'une saison ou d'un sens ?
T. H.1,125 ; L.1,485.
S.D.b.m. : *A. Breugel fecit Roma 1669.*
La figure est sans doute d'une autre main (italienne ?).
Donation André Pereire sous réserve d'usufruit, 1949 ; entré au Louvre en 1974.

BRUEGHEL Jan I, dit de Velours ou l'Ancien, grand-père d'Abraham Brueghel et père de Jan II.

INV. 1092

La Terre ou **Le Paradis terrestre.**
C. H.0,46 ; L.0,67.
Peint en 1607-1608.
Faisait partie d'une série de quatre tableaux, représentant les Quatre Eléments, commandés en 1607 par le cardinal milanais Federico Borromeo. Cf. INV. 1093. *L'Eau* et le *Feu* sont conservés à la Pinacoteca Ambrosiana à Milan.
Provient de la Bibliothèque Ambrosienne de Milan, 1796.
Villot II 58 - Demonts 1919, p. 81 (figures attr. à H. van Balen) - *Michel 1919, p. 50.*

INV. 1093

L'Air ou **L'Optique.**
C. H.0,46 ; L.0,67.
S.D.b.d. : *Brueghel 1621.*
Figures de H. van Balen.
Faisait partie d'une série de quatre tableaux représentant les Quatre Eléments, commandés en 1607 par le cardinal milanais Federico Borromeo. Cf. INV. 1092. L'*Eau* et le *Feu* sont conservés à la Pinacoteca Ambrosiana à Milan.
Provient de la Bibliothèque Ambrosienne de Milan, 1796.
Villot II 59 - Demonts 1920, p. 82 (pas de remarque sur les figures) - *Michel 1920, p. 48.*

INV. 1094

La Bataille d'Issus, dit autrefois : La bataille d'Arbelles.
B. H.0,865 ; L.1,355.
S.D.b.g. : *Brueghel. 1602.*
Coll. de Louis XIV ; légué au roi par Le Nôtre, 1693.
Villot II 60 - Demonts 1921, p. 79 - Michel 1921, p. 46.

INV. 1099

Vue imaginaire avec le temple de la Sibylle de Tivoli et le pont de Talavera.
C. Diam.0,22.
Provient de la coll. du Stadhouder à La Haye, 1795.
Villot II 62 - Demonts 1922, p. 81 (attr. à Jan I) - *Michel 1922, p. 56* (atelier de Jan I ; peut-être Jan II).

INV. 1764

La Vierge, l'Enfant Jésus et des anges au milieu d'une guirlande de fleurs.
T. H.0,835 ; L.0,650.
Pour le médaillon, voir RUBENS.
Peint en 1621 pour le cardinal milanais Federico Borromeo.
Provient de la Bibliothèque Ambrosienne de Milan, 1796.
Villot II 429 - Demonts 2079, p. 27.

M.I. 908

Le Pont de Talavera.
C. H.0,205 ; L.0,280.
S.D.b.d. : *Brueghel. 1610.*
Legs du Dr Louis La Caze, 1869 (Cat. 47).
Demonts 1925, p. 89 - Michel 1925, p. 48.

D.L. 1973-21

Voir Annexe I (tableaux en dépôt au Louvre).

BRUEGHEL Jan I (d'après)

M.I. 909

Paysage au moulin à vent.
C. H.0,275 ; L.0,350.
D.b.d. : ... *1600* (apocryphe).
Copie du tableau du musée de Kassel, daté 1597.
Legs du Dr Louis La Caze, 1869 (Cat. 48 : Jan I Brueghel).
Demonts 1926, p. 89 (Jan I) - *Michel 1926, p. 44* (id.).

R.F. 2547

Paysage aux moulins à vent.
C. Diam.0,125.
Legs Paul Cosson, 1926.
Michel 4008, p. 58 (atelier de Jan I Brueghel).

BRUEGHEL Jan I (genre de)
Deuxième moitié du XVIIe siècle.

INV. 1100

Le Débarquement.
C. H.0,14 ; L.0,20.
Peint au revers d'un cuivre gravé par J. Meyssens (1612-1670) pour le frontispice d'un *Traité de dessin* qui semble n'avoir jamais été publié.
Pendant du INV. 1101.
Saisie révolutionnaire de la coll. du comte de Pestre-Senef.
Villot II 63 (Jan I) - *Demonts 1924, p. 83* (attr. à Jan I) - *Michel 1924, p. 58* (atelier de Jan I).

INV. 1101

La Rencontre près du moulin.
C. H.0,145 ; L.0,200.
Peint au revers d'un cuivre gravé par J. Meyssens (1612-1670) pour le *Traité de dessin* cité précédemment.
Pendant du INV. 1100.
Saisie révolutionnaire de la coll. du comte de Pestre-Senef.
Villot II 64 (Jan I) - *Demonts 1923, p. 83* (attr. à Jan I) - *Michel 1923, p. 57* (atelier de Jan I).

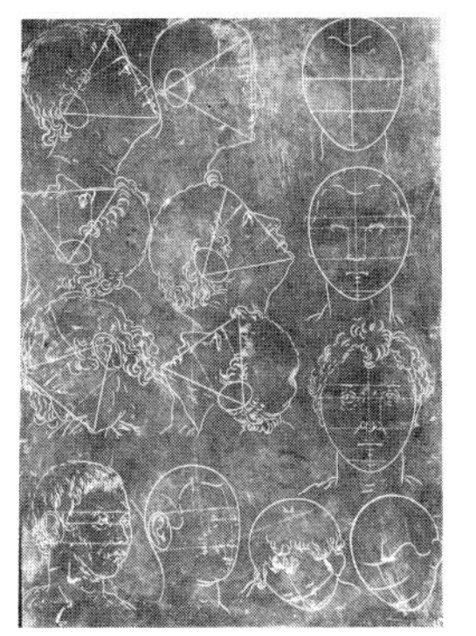

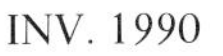

INV. 1990

Voir FRANCKEN (d'après).

BRUEGHEL Pieter II, dit d'Enfer ou le Jeune, fils de Pieter I et frère de Jan I.
Bruxelles, 1564 - Anvers, 1638.

R.F. 829

La Parabole des aveugles.
B. H.1,22 ; L.1,70.
Copie du tableau de Pieter I (Bianconi 74) au Museo di Capodimonte à Naples.
Acquis en 1893.
Cat. somm. 1917 A (P. Brueghel I) - *Demonts 1917 A, p. 56* (d'après Pieter I Brueghel et probablement par Jan I) - *Michel 1917 A, p. 52* (id.).

R.F. 1973-37

Voir Annexe II (dons sous réserve d'usufruit).

BRUEGHEL Jan II, le Jeune, fils de Jan I et père d'Abraham.
Anvers, 1601 - id., 1678.

INV. 1095

Voir FRANCKEN.

INV. 1120.

Cour de ferme.
B. H.0,465 ; L. 0,750.
Coll. de Louis XIV (entré avant 1683).
Villot II 72 (Paul Bril).

INV. 1412

Voir FRANCKEN.

M.N.R. 418

Voir MOMPER.

BRUEGEL Pieter I, le Vieux, père de Jan I et de Pieter II.
Breughel ?, v. 1525 - Bruxelles, 1569.

R.F. 730

Les Mendiants.
B. H.0,185 ; L.0,215.
S.D.b.g. : *Bruegel M.D.LXVIII.*
(Michel 28. Friëdlander XIV 43. Grossmann 140. Bianconi 76.).
Don Paul Mantz, 1892.
Demonts 1917, p. 55 - *Michel 1917, p. 41.*

BRUGGHEN Hendrick Ter
Deventer, 1588 - Utrecht, 1629.

R.F. 1954-1

Le Duo.
T. H.1,06 ; L.0,82.
S.D.b.g. sur le luth : *H.T. Brugghen fecit 1628* (les trois premières lettres entrelacées).
(Nicolson A 56).
Acquis en 1954.

BUYSSE Georges
Gand, 1864 - id., 1916.

R.F. 1977-97

Le Canal (vue du canal de Gand à Terneuzen, prise de la terrasse de la maison de l'artiste à Wondelghem).
T. H.0,90 ; L.2,27.
Don de Mme Buysse, veuve de l'artiste, 1921.
Reversement du Musée National d'Art Moderne au Louvre, 1977.
Bénédite 93.

CABEL

Voir ARENTZ.

CAISNE

Voir DECAISNE.

CALRAET Abraham van
Dordrecht, 1642 - id., 1722.

M.N.R. 886

Portrait d'un militaire.
C. ovale. H.0,255 ; L.0,195.
Attribué au Musée du Louvre par l'Office des Biens privés, 1951.

CANDIDO Pietro

Voir WITTE Pieter de

CASTEELS Pieter II
Actif à Anvers en 1673-1674.

INV. 1300 *bis*

Vue du Louvre et de la tour de Nesles prise de l'île de la Cité.
T. H.0,295 ; L.0,425.
S.b.d. : *Petrus Gasteels inventor.*
Peint d'après une gravure (Lieure 667) de Jacques Callot (1592-1635).
Ancienne collection.

INV. 1300 *ter*

Vue d'un port imaginaire.
P. sur T. H.0,295 ; L.0,425.
S.b.g. : *Petrus Gasteels inventor.*
Ancienne collection.

CAULERY Louis de
Caullery (près de Cambrai) ?, vers 1580 - Anvers ?, 1621 ou 1622.

M.I. 828

Vue de fantaisie des jardins et de la Villa Medicis à Rome.
B. H.0,515 ; L.0,720.
Donation Charles Sauvageot, 1856 (Cat. 982 : éc. flamande, XVIIe s.).

CEULEN

Voir JONSON.

CHAMPAIGNE

Voir Ecole française.

CHARLET Frantz
Bruxelles, 1862 - id., 1928.

R.F. 1979-32

La vieille armoire.
T. H.0,593 ; L.0,505.
S.b.d. : *frantz charlet.*
Acquis pour le Musée du Luxembourg, 1909.
Reversement du Musée National d'Art Moderne au Louvre, 1979.
Bénédite 96.

CHRISTUS Petrus
Baerle, 1415/20 - Bruges, 1472/73.

R.F. 1951-45

La Déploration du Christ.
B. H.0,380 ; L.0,304.
(Friedländer I p. 85. Schabacker App. I-1 : Maître de la Crucifixion de Dessau).
Acquis en 1951.
Michel 4010, p. 62.

CLAESZ. Pieter
Burgsteinfurt, vers 1597 - Haarlem, 1660.

R.F. 1939-11

Nature morte aux instruments de musique.
T. H.0,69 ; L. 1,22.
S.D.b.m. : *P.C.* (monogramme) *A° 1623.*
Don Friedrich Unger, 1939.

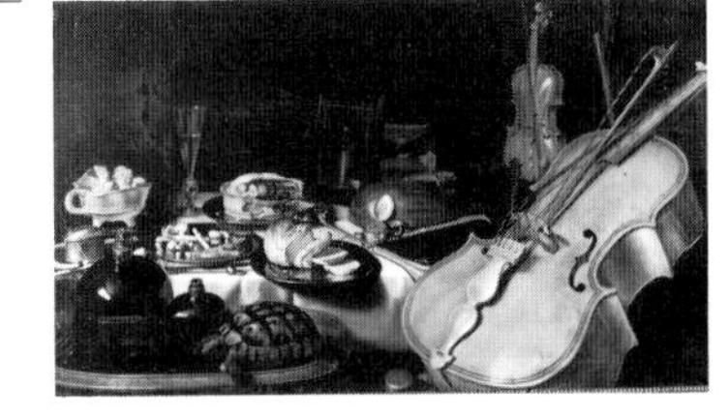

CLAEISSENS Pieter I, dit le Vieux
Bruges, 1499/1500 - id., 1576.

R.F. 242

Tête de la Vierge
B. H.0,375 ; L.0,290.
S.h.d. : *P.C.S.* [Senior] (monogramme).
Faisait sans doute pendant à une *Tête de Christ* aujourd'hui perdue (Cf. la paire de copies conservées au musée de Bruges).
Don Jean-Baptiste Foucart, 1879.
Demonts 1951, p. 59 (attr. à Claeissens le Vieux).

CLAUS Emile
Vive-Saint-Eloi (Flandre occidentale), 1849 - Astene, 1924.

R.F. 1313

Rayon de soleil, maison de l'artiste à Astene.
T. H.0,805 ; L.1,165.
S.b.d. : *Emile Claus.*
Acquis en 1900.
Bénédite 97.

CLERCK Hendrick de
Bruxelles, vers 1570 - id., 1629.

M.I. 960

Diane découvrant la grossesse de Callisto.
T. H.1,15 ; L.1,64.
Paysage de D. van Alsloot.
(Peltzer 32 : Clerck et Alsloot).
Legs du Dr Louis La Caze, 1869
(Cat. 99 : Rottenhamer ; paysage de l'école de Bril).
Demonts 2733, p. 75 - Michel 2733, p. 66.

R.F. 1945-17

Les Noces de Thétis et de Pelée.
C. H.0,545 ; L.0,765.
S.b.g. : *H. de Clerck.*
Acquis en 1945.
Michel 4012, p. 67.

M.N.R. 395

Histoire de Psyché.
B. H.0,42 ; L.0,57.
Attribué au Musée du Louvre par l'Office des Biens privés, 1950.

CLEVE Joos van, dit autrefois **Le Maître de la mort de Marie**
Clèves ?, vers 1485 - Anvers, 1540/41.

INV. 1996

Retable de la Déploration du Christ.
Panneau central : **La Déploration du Christ.**
B. H.1,45 ; L.2,06.
Lunette : **La Stigmatisation de saint François.**
B. cintré. H.0,75 ; L.1,46.
Prédelle : **La Cène.**
B. H.0,45 ; L.2,06.
(Baldass 57. Friedländer IX 19).
Provient de l'église Santa Maria della Pace à Gênes. Entré au Louvre en 1813.
Villot II 601 (éc. flamande, XVIe s. ; peut-être Gossart) - *Demonts 2018 A, p. 63 - Michel 2018 A, p. 76.*

INV. 2105

Portrait d'homme.
B. H.0,63 ; L.0,53.
(Baldass 73. Peltzer 32 : Clève et non Neufchâtel. Friedländer IX 101).
Coll. de Louis XIV : acquis en 1671.
Villot II 610 (Inconnu, XVIe s. ; pas de Holbein ; peut-être de Neufchâtel ?) - *Cat. somm. 2742* (éc. allemande, XVIe s.) - *Demonts 2742, p. 69* (éc. flamande, 1re moitié du XVIe s. : probablement de J. van Cleve) - *Michel 2742, p. 74.*

R.F. 187

Salvator Mundi.
B. H.0,54 ; L.0,40.
(Baldass 16. Friedländer IX 34).
Legs du vicomte Adolphe de Ségur-Lamoignon, 1876.
Suppl. Tauzia 679 (Q. Metsys) - *Cat. somm. 2030* (Q. Metsys) - *Demonts 2030, p. 48* (éc. d'Anvers, début du XVIe s. : peut-être de J. van Clève) - *Michel 4014, p. 73.*

R.F. 839-840

Adam. Eve.
B. cintré. H.0,60 ; L.0,20 (chaque panneau).
D.b. : *1507* (Adam) et *M.V. VII* (Eve).
Revers de volets d'un triptyque au centre trilobé, diminués sur le bord interne et arrondis au

sommet pour former une paire de pendants.
(Baldass 1. Friedländer IX 21).
Don Paul Lemonnier, 1894.
Cat. somm. 2212-2213 (éc. flamande ou hollandaise, début du XVIe s.) - *Demonts 2208-2209, p. 55* (sic pour 2212 et 2213) - *Michel 2208 - 2209* (sic) *p. 70*.

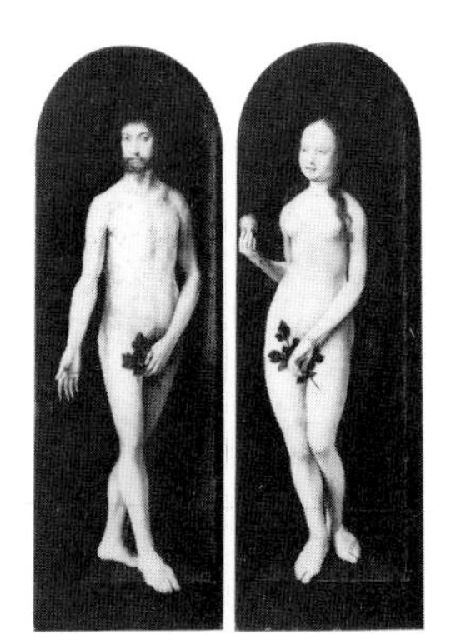

R.F. 1958-6

La Vierge à l'Enfant.
B. H.0,265 ; L.0,193.
Copie d'un original (Baldass 5. Friedländer IX 55) perdu.
Legs de Mlle Elisabeth Mège, 1958.

R.F. 2068

La Vierge et l'Enfant avec un dominicain offrant son cœur.
B. H.0,57 ; L.0,56.
(Baldass 6. Friedländer IX 50).
Don Jules Maciet, 1893.
Cat. somm. 2738 bis (éc. de Cologne, XVIe s. : école du Maître de la Mort de Marie) - *Demonts 2018 B, p. 64* (éc. flamande, 1re moitié du XVIe s. : figures dans le goût de J. van Clève ; paysage dans le goût de Patinir) - *Michel 2018 B, p. 72*.

R.F. 2230

La Vierge et l'Enfant avec saint Bernard
B. H.0,29 ; L.0,29.
(Baldass 2. Friedländer IX 48).
Don Félix Doistau, 1919.
Demonts s.n., p. 61 - Michel 4013, p. 71.

CLEVE Joos van (d'après)

R.F. 2288

L'Enfant Jésus à la grappe de raisin.
B. H.0,27 ; L.0,19.
Copie d'un original (Baldass 87. Friedländer IX 36) perdu.
Donation de M. et Mme Brauer, sous réserve d'usufruit, 1920 ; entré au Louvre en 1932.

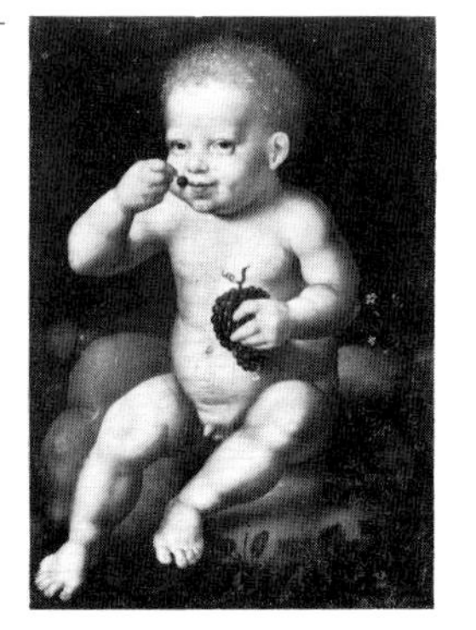

CLUYSENAAR André
Saint-Gilles, près de Bruxelles, 1872 - Uccle-Bruxelles, 1939.

R.F. 1979-33

Emile Van de Velde, ministre d'Etat de Belgique.
T. H.0,88 ; L.0,53.
S.D.b.g. : *Cluysenaar Londres 1915*.
Acquis pour le Musée du Luxembourg, 1916.
Reversement du Musée national d'Art Moderne au Louvre, 1979.
Bénédite 99.

CODDE Pieter Jacobsz.
Amsterdam, 1599 - id., 1678.

R.F. 612

Dame à sa toilette.
B. H.0,200 ; L.0,255.
S.b.d. sur le cahier de musique : *P C* (monogramme).
Don Jules Maciet, 1890.
Cat. somm. 2339 A.

M.N.R. 452

La Leçon de danse.
B. H.0,395 ; L.0,530.
S.D. sur le tableau du fond : *P Codde A° 27*.
Attribué au Musée du Louvre par l'Office des Biens privés, 1950.
Cat. Rés. 393.

COECKE van Aelst Pieter
Alost, 1502 - Bruxelles, 1550.

INV. 2003

Le Rêve de Pâris.
B. H.0,475 ; L.0,350.
(Marlier p. 288).

Acquis en 1846.
Villot II 600 (éc. allemande XVIe s.) - *Demonts 2745, p. 68* (id.) - *Michel 2745, p. 162* (copie d'après un original perdu du Maître des Demi-figures).

COINGNET Gillis
Anvers, 1535 - Hambourg, 1599.

INV. 20342

Allégorie de la vanité.
T. H.2,00 ; L.1,58.
S.D.b.m. : *G. Coingnet inve. et fe. in Hamborch 1595.*
Provenance indéterminée.

CONINXLOO Jan II van
Actif à Bruxelles entre 1514 et 1546.

INV. 1984

Le Mariage de la Vierge
B. H.0,810 ; L.0,655.
Acquis en 1822.
Villot II 605 (flamand du XVIe s., peut-être Van Orley).

COORTE Adriaen S.
?, vers 1665 - ?, après 1707.
Actif à Middelburg entre 1685 et 1707.

R.F. 1970-53
Cinq coquillages sur une tranche de pierre.
P. sur B. H.0,155 ; L.0,220.
S.D.b.d. : *A.S. Coorte. 1696*
(A et S entrelacés).
Pendant du R.F. 1970-54.
(Bol 21)
Don de la Galerie Hallsborough, Londres, 1970.

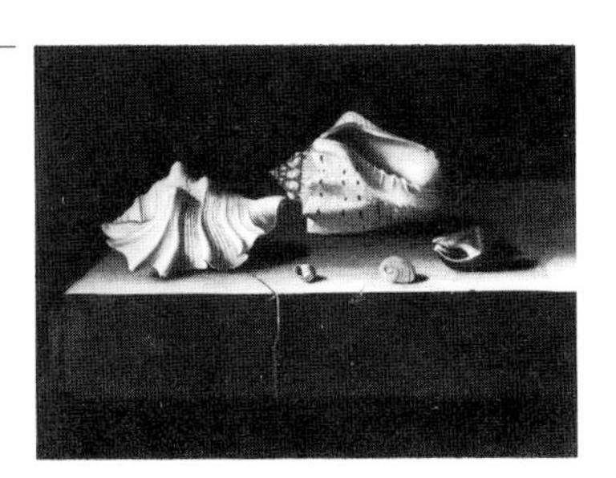

R.F. 1970-54

Six coquillages sur une tranche de pierre.
P. sur B. H.0,155 ; L.0,220.
S.D.b.g. : *A.S. Coorte. 1696*
(A et S entrelacés).
Pendant du R.F. 1970-53.
(Bol 22)
Don de la Galerie Hallsborough, Londres, 1970.

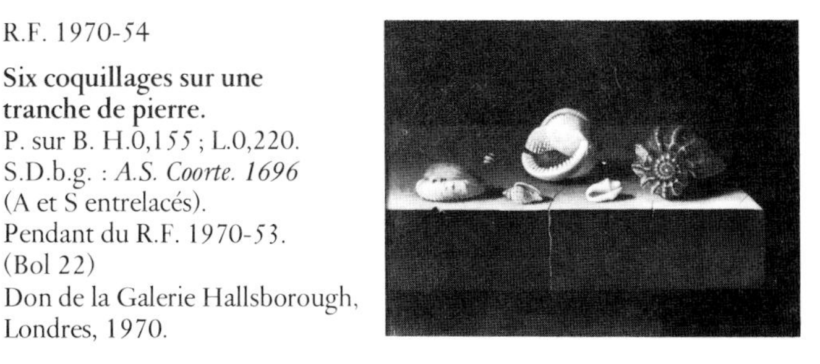

COQUES Gonzales
Anvers, 1618 - id., 1684.

R.F. 290

Réunion de famille dans un cabinet de tableaux,
dit autrefois : La famille Van Eyck.
B. H.0,52 ; L.0,71.
Don Lucien Double, 1881.
Demonts 1952, p. 110.

COQUES Gonzales (genre de)

M.N.R. 730

Portrait d'homme.
B. H.0,345 ; L.0,240.
Attribué au Musée du Louvre par l'Office des biens privés, 1951.

CORNELIS van DALEM

Voir DALEM

COSSIERS Simon
Actif dans la première moitié du XVIIe siècle. Sans doute un parent du peintre anversois Jan Cossiers (1600-1671).

R.F. 1166

Buveurs et fumeurs.
T. H.0,625 ; L.0,925.
S.D.h.g. : *Fecit Simon Cossiers gerelof Anno 1626.*
Don de Mlles Cottini, 1899.
Demonts 1952 E, p. 27 (Jan Cossiers).

COTER Colijn de
Actif à Bruxelles au début du XVIe siècle.

R.F. 534

Le Trône de Grâce.
B. H.1,67 ; L.1,18.
Panneau central d'un triptyque commandé par Antoine II d'Averhoult et sa femme Barbe van Coudenberg. Cf. R.F. 1482. (Friedländer IV 90).
Provient de l'église Saint-Denis à Saint-Omer.
Acquis en 1889.
Cat. somm. 1952 A - Demonts 1952 B, p. 47 - Michel 1952 B, p. 82.

R.F. 1482

Les trois Marie en pleurs.
Au revers : **Sainte Barbe** (grisaille).
B. H.1,675 ; L.0,623.
S.b. (sur le galon du manteau) : *Coliin de Coter pingit me in Brabancia Bruselle.*
Volet droit d'un triptyque commandé par Antoine II d'Averhoult (armoiries au revers) et sa femme Barbe van Coudenberg. Cf. R.F. 534. (Friedländer IV 90).
Provient de l'église Saint-Denis à Saint-Omer.
Don Claude Lafontaine, 1902.
Cat. somm. 1952 B - Demonts 1952 C, p. 46 - Michel 1952 C, p. 84.

M.N.R. 375

La Vierge médiatrice, avec Jeanne la Folle (1479-1555), fille de Ferdinand d'Aragon et d'Isabelle la Catholique, femme de Philippe le Beau en 1496, et sa suite.
B. H.1,115 ; L.0,745.
Partie droite découpée d'un retable. Cf. M.N.R. 376. (Friedländer IV 93).
Attribué au Musée du Louvre par l'Office des Biens privés, 1950.
Cat. Rés. 102.

M.N.R. 376

Le Christ médiateur, avec Philippe le Beau, archiduc d'Autriche, duc de Bourgogne (1478-1506) et sa suite.
B. H.1,127 ; L.0,744.
Partie gauche découpée d'un retable. Cf. M.N.R. 375. (Friedländer IV 93).
Attribué au Musée du Louvre par l'Office des Biens privés, 1950.
Cat. Rés. 101.

M.N.R. 376

M.N.R. 375

COUWENBERGH
Christiaen van
Delft, 1604 - Cologne, 1667.

R.F. 3776

Ixion trompé par Junon
T. H.0,86 ; L.1,20.
S.b.m. : *C.B.F. 1640.*
Don de Mme David-Nillet, 1933.
(Inventaire : attr. à Adam van Noort).

COXCIE Michiel van
Malines, 1499 - Anvers, 1592.

R.F. 1946-9

Voir FLANDRES. Deuxième moitié du XVIe siècle.

CRAESBEECK Joos van
Neerlinter, vers 1605 - Bruxelles, avant 1662.

INV. 1179

Peintre faisant un portrait, dit autrefois : L'atelier de Craesbeeck.
B. H.0,85 ; L.1,02.
Coll. de Louis XVI : acquis en 1784.
Villot II 97 (Craesbeeck) - *Demonts 2340, p. 134* (attr. à Craesbeeck) - *Cat. rés. 259* (éc. flamande, XVIIe s.).

M.I. 906

Le Fumeur (portrait de l'artiste ?).
B. H.0,415 ; L.0,320.
S.b.d. : *A.B.* (apocryphe). On lit en dessous : *C* (ancienne signature du peintre).
(Hofstede de Groot III 20 : Brouwer).
Legs du Dr. Louis La Caze, 1869 (Cat. 45 : Brouwer).
Demonts 1916, p. 105 (Brouwer) - *Cat. Rés. 207* (d'après Brouwer).

R.F. 2860

Les Mangeurs de moules.
B. H.0,635 ; L.0,485.
S.b.g. : *CB.*
Coll. du comte de l'Espine ; donné par sa fille, la princesse Louis de Croÿ, 1930.

CRAESBEECK Joos van (genre de)

R.F. 3973

Fête des enfants le jour du Jeudi gras.
B. H.0,27 ; L.0,27.
Don du comte Allard du Chollet, 1936.
Cat. Rés. 209 (Craesbeeck).

CRAYER Gaspard de
Anvers, 1584 - Gand, 1669.

INV. 1186

La Vierge et l'enfant Jésus avec saint Augustin, sainte Barbe et saint Antoine.
T. cintrée. H.3,87 ; L.2,70.
Peint pour le maître-autel de l'église du prieuré des Sœurs Augustines à Sept-Fontaines près de Bruxelles.
(Vlieghe A 104).
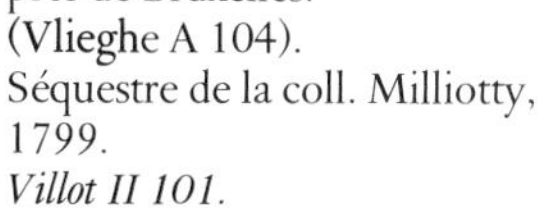
Séquestre de la coll. Milliotty, 1799.
Villot II 101.

M.I. 337

Le Christ en croix entre sainte Madeleine et saint François.
T. H.4,08 ; L.2,88.
(Vlieghe A 116).
Provient de l'église des Capucins à Malines, 1794. Remis à Notre-Dame de Paris en 1811. Don du Chapitre de Notre-Dame, 1862.
Demonts 1953 A, p. 98.

CRONENBURG Adriaen von
Schagen, vers 1525 - Bergen (?), après 1604.

M.I. 819

Dame avec sa fille.
B. cintré. H.0,547 ; L.0,360.
(Wassenbergh 40).
Donation Charles Sauvageot, 1856 (Cat. 1003 : éc. flamande).
Demonts 2641 E, p. 54 (éc. de la Frise, XVIe s.) - *Michel 2641 E, p. 110* (id.).

CROOS Pieter van der
Alkmaar ? vers 1609/1611 - Amsterdam, 1701 (?).

R.F. 3706

Entrée d'une maison dans la campagne.
B. H.0,715 ; L.0,615.
S.b. sur le mur sous l'homme assis : *P.C.*
Coll. du comte de l'Espine ; donné par sa fille, la princesse Louis de Croÿ, sous réserve d'usufruit, 1930 ; entrée au Louvre en 1932.
(Inventaire : Anthonie Jansz. van der Croos).

CUYLENBORCH Abraham van
Utrecht, ca 1620 - id., 1658.

R.F. 2885

Voir WYTMANS.

CUYP Aelbrecht, neveu de Benjamin et fils de Jacob. Dordrecht, 1620 - id., 1691.

INV. 1190

Paysage près de Rhenen : vaches au pâturage.
T. H.1,70 ; L.2,29.
S.b.g. : *A. Cüyp.*
(Hofstede de Groot II 332).
Coll. de Louis XVI : acquis en 1783.
Villot II 104 - Demonts 2341, p. 21.

INV. 1191

Le Départ pour la promenade à cheval.
T. H.1,190 ; L.1,525.
(Hofstede de Groot II 490).
Coll. de Louis XVI : acquis en 1785.
Villot II 105 - Demonts 2342, p. 24.

INV. 1192

Paysage avec trois cavaliers.
T. H.1,17 ; L.1,82.
(Hofstede de Groot II 491).
Saisie révolutionnaire de la coll. Clermont d'Amboise.
Villot II 106 - Demonts 2343, p. 22.

INV. 1193

Garçon à la chèvre et jeune bergère.
T. H.1,25 ; L.1,03.
S.b.d. sur le rocher : *A. Cuÿp. f.*
(Hofstede de Groot II 160).
Saisie révolutionnaire de la coll. de la duchesse de Noailles.
Villot II 107 - Demonts 2344, p. 161.

INV. 1194

Chasseur tenant une perdrix morte.
B. H.0,780 ; L.0,655.
S.D.m.d. : [Ae] *tatis 37 1657 A. Cuÿp* (signature autographe ?).
(Hofstede de Groot II 113).
Acquis en 1816.
Villot II 108 - Cat. somm. 2345 A.

INV. 1195

Bateaux sur l'estuaire du Hollands Diep, pris dans un orage.
T. H.1,07 ; L.1,46.
S.b.m. sur le bateau : *A.C.*
(Hofstede de Groot II 643).
Ancienne collection.
Villot II 109 - Demonts 2345, p. 161.

M.N.R. 490

Coqs et poules.
T. H.0,80 ; L.1,03.
Attribué au Musée du Louvre par l'Office des Biens privés, 1950.

CUYP Benjamin Gerritsz., oncle d'Aelbrecht Cuÿp. Dordrecht, 1612 - id., 1652.

R.F. 1942-6

L'Opération de la loupe.
T. H.0,650 ; L.0,825.
S.b.d. : *B.G. Cuÿp.*
Legs de Mme Sophie Wyrouboff, 1942.

CUYP Jacob Gerritsz., demi-frère de Benjamin Cuyp et fils d'Aelbrecht.
Dordrecht, 1594 - id., 1651.

M.N.R. 454

M.N.R. 437

M.N.R. 437

L'Enfant à l'oie (illustration du proverbe donné par l'inscription «Mon oÿe [monnaie] faict tout»).
B. H.0,745 ; L.0,585.
S.b.g. sous le papier : *J.G. Cuyp fe.* (initiales du prénom entrelacées).
Pendant du M.N.R. 454.
Attribué au Musée du Louvre par l'Office des Biens privés, 1950.

M.N.R. 454

Jeune fille au panier d'œufs.
B. H.0,745 ; L.0,585.
S.b.d. sous l'anse du panier : *J.G. Cuÿp fe.*
Pendant du M.N.R. 437.
Attribué au Musée du Louvre par l'Office des Biens privés, 1950.
Cat. Rés. 397.

CUYP Jacob (genre de)

M.N.R. 700

Portrait d'enfant.
B. H.0,350 ; L.0,285.
Pastiche moderne ?
Attribué au Musée du Louvre par l'Office des Biens privés, 1951.

CV (artiste signant)

Voir ANVERS, deuxième moitié du XVIe siècle.

DAEL Jan Frans van
Anvers, 1764 - Paris, 1840.

INV. 1196

Vase de fleurs, raisins et pêches.
T. H.0,99 ; L.0,79.
S.D.b.d. : *Vandael 1810.*
Acquis en 1819.
Suppl. Tauzia 670 - Demonts 1956, p. 160.

DALEM Cornelis van
Connu à Anvers entre 1545 et 1573/76.

R.F. 2217

Cour de ferme avec mendiant.
B. H.0,385 ; L.0,520.
Coll. du banquier E. Jabach, 1696 (comme P. Brueghel I).
Don Camille Benoit, 1918.
Demonts 1917 B, p. 56 (Pieter Brueghel I, mais attr. incertaine) - *Michel 1917 B, p. 88.*

DAVID Gérard
Ouwater, 1450/60 - Bruges, 1523.

INV. 1995

Les Noces de Cana.
B. H.1,00 ; L.1,28.
(Friedländer VI 183).
Coll. de Louis XIV (entré avant 1683).
Villot II 596 (éc. flamande, XVe s., proche de Gossaert) - *Cat. somm. 1957* (attr. à G. David) - *Demonts 1957, p. 54 - Michel 1957, p. 95.*

R.F. 588

Triptyque de la famille Sedano.
Panneau central : **La Vierge et l'Enfant entre deux anges musiciens.**
B. H.0,970 ; L.0,715.
Volet gauche : **Jean de Sedano et son fils présentés par saint Jean-Baptiste.** Au revers : **Adam.**
B. H.0,91 ; L.0,30.
Volet droit : **La femme de Jean de Sedano présentée par saint Jean l'Evangéliste.** Au revers : **Eve.**
B. H.0,91 ; L.0,30.
(Friedländer VI 165).
Acquis en 1890.
Cat. somm. 2202 B (Inconnu de l'Ecole flamande, début du XVIe s.) - *Demonts 2202 B, p. 45 - Michel 2202 B, p. 93.*

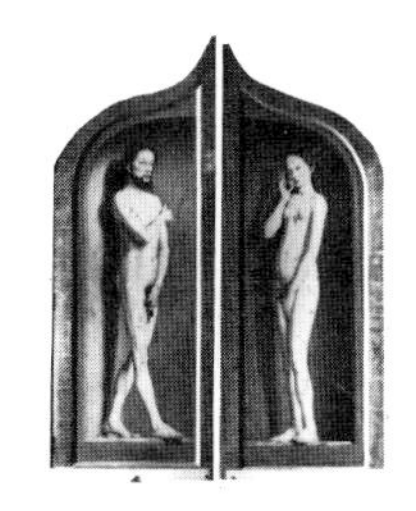

R.F. 2228

Dieu le Père bénissant.
B. cintré. H.0,46 ; L.0,88.
Sans doute lunette supérieure du retable de l'église abbatiale de La Cervara (Ligurie), peint pour Vincenzo Sauli en 1506.
Autres panneaux du même retable : *Vierge à l'Enfant, Saint Jérôme, Saint Maur* (Gênes, Palazzo Bianco) ; *Ange* et *Vierge de l'Annonciation* (New York, Metropolitan Museum).
(Friedländer VI 202).
Acquis en 1919.
Demonts s.n., p. 53 (attr. à G. David) - *Michel 4015 p. 86* (Albert Cornelis) - *Cat. Rés. 18* (attr. à G. David).

DECAISNE ou **De Caisne** Henri
Bruxelles, 1799 - Paris, 1852.

INV. 3759

L'Ange gardien.
T. H.1,48 ; L.1,14.
Acquis au Salon de 1836.

DECKER Cornelis Gerritsz.
Connu à Haarlem à partir de 1643 - Haarlem, 1678.

INV. 1201

Paysage avec une laveuse de linge près d'une chaumière.
T. H.0,680 ; L.0,805.
Coll. de Louis XVI : acquis en 1783.
Villot II 113 (figures attr. à A. van Ostade) - *Demonts 2346, p. 145* (id.).

DEJONGHE Gustave
Courtrai, 1829 - Anvers, 1893.

R.F. 3074

Jeune mère et ses enfants dans un salon.
B. H.0,40 ; L.0,32.
S.b.m. : *Gustave De Jonghe.*
Legs de Mme Delphine Maugin, 1930.

DELEN Dirck van
Heusden, 1605 - Arnemuiden, 1671.

INV. 1203

Les Joueurs de paume.
B. H.0,32 ; L.0,54.
S.D.b.g. sur le piedestal d'une colonne : *Dirk van Delen 162* (6 ?).
Provient peut-être de la coll. du Stadhouder à La Haye, 1795.
Villot II 115 (1628) - *Cat. somm. 2347.*

M.N.R. 695

Les Joueurs de quilles.
B. H.0,85 ; L.1,45.
S.D.b.m. sur une marche : *D. VAN. DELEN F. 1637.*
Figures peut-être de Palamedes.
Attribué au Musée du Louvre par l'Office des Biens privés, 1951.
Cat. Rés. 398.

DELVILLE Jean
Louvain, 1867 - Forest près de Bruxelles, 1953.

R.F. 1979-34

L'Ecole de Platon.
T. H.2,60 ; L.6,05.
S.D.b.d. : *Jean Delville 1898.*
Entré au Musée du Luxembourg avant 1912.
Reversement du Musée National d'Art Moderne au Louvre, 1979.
Bénédite 101.

DENIS Simon
Anvers, 1755 - Naples, 1813.

INV. 1206

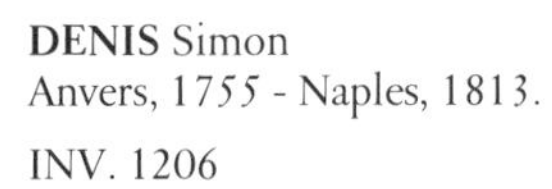

Marine. Vue des environs de Naples.
T. H.1,34 ; L.2,00.
Une autre *Vue des environs de Naples* (INV. 1207), du même

auteur et de dimensions voisines, fut saisie en même temps que l'INV. 1206 et déposée au Ministère de la Justice en 1876 (non retrouvé). Sans doute cet INV. 1207 faisait-il pendant au INV. 1206.
Provient du Palais Braschi à Rome, 1798 (probablement saisi chez Lord Bristol).

DIEPENBEECK Abraham van
Bois-le-Duc, 1596 - Anvers, 1675.

INV. 1210

Clélie passant le Tibre.
T. H.1,135 ; L.1,440.
Réplique partielle du tableau attribuable à l'atelier de Rubens et conservé au musée de Dresde.
Provient de la coll. du Stadhouder à La Haye, 1795.
Villot II 118 - Demonts 1958, p. 82.

DIRCK JACOBSZ. (attribué à)
Amsterdam ?, 1496 - id., 1567.

R.F. 1938-24

Portrait d'homme.
B. H.0,87 ; L.0,68.
Donation de Mme Walter Gay, 1937.
(Inventaire : Genre de Scorel).

DONGEN Kees van

Voir ECOLE FRANÇAISE.

DORNICKE Jan van

Voir MAITRE DE 1518.

DOOMER Lambert
Amsterdam, 1624 - id., 1700.

R.F. 3733

Le Pont-Neuf à Angers.
B. H.0,60 ; L.0,83.
S.b.g. : *Doomer f.*
(Schulz G. 41. Schulz XX).
Don Arthur Hartog, 1933.
Cat. Rés. 399.

DOU Gérard
Leyde, 1613 - id., 1675.

INV. 1213

La Femme hydropique.
B. cintré. H.0,860 ; L.0,678.
S.D.g. sur le livre : *1663 Gdou out 65* (sic !) *jaer.*
(Les deux premières lettres entrelacées. En 1663, le peintre a en réalité 50 ans. Toute la signature est peut-être apocryphe mais la date pouvait bien être 1663, car l'existence du tableau est documentée dès 1665 et l'artiste y travaillait en 1662).
Placé à l'origine dans une boîte aux volets peints, cf. INV. 1214.
(Hofstede de Groot I 66 : la date de l'âge est fausse. Martin 40 : id.).
Galerie Royale de Turin. Donné par Charles-Emmanuel IV de Savoie au général Clauzel qui le remet au Louvre, 1799.
Villot II 121 - Demonts 2348, p. 130.

INV. 1214

L'Aiguière d'argent.
B. H.1,025 ; L.0,820 (chaque volet 0,41).
S.b.m. dans un pli du linge : *Gdou* (les deux premières entrelacées ; signature refaite ?).
Couvercle à deux volets de la *Femme hydropique*, INV. 1213.
(Hofstede de Groot I 389. Martin 211).
Galerie royale de Turin. Donné par Charles-Emmanuel IV de Savoie au général Clauzel, qui le remet au Louvre, 1799.
Villot II 122 - Demonts 2349, p. 139.

INV. 1215

L'Epicière de village, avec le portrait du peintre à l'arrière-plan.
B. cintré. H.0,385 ; L.0,290.
S.h.d. sur la deuxième étagère : *Gdou.* D. sur le mortier : *1647.*
(Hofstede de Groot I 189. Martin 138).
Coll. de Louis XVI : acquis en 1784.
Villot II 123 - Demonts 2350, p. 154.

INV. 1216

Le Joueur de trompette avec à l'arrière-plan une scène de festin à intention moralisatrice.
B. H.0,38 ; L.0,29.
S.b.d. sur la baslustrade : *Gdou.*
Pendant de la « Fille à la fenêtre » (Hofstede de Groot I 174), Waddesdon Manor, Grande-Bretagne.
(Hofstede de Groot I 155. Martin 84).
Coll. de Louis XVI : acquis en 1783.
Villot II 124 - Demonts 2351, p. 142.

INV. 1217

Femme versant de l'eau dans un récipient, dit aussi **La Cuisinière hollandaise.**
B. H.0,360 ; L.0,274.
(Hofstede de Groot I 179. Martin 146).
Saisie révolutionnaire de la coll. du duc de Brissac.
Villot II 125 - Demonts 2352, p. 155.

INV. 1218

Femme accrochant un coq à sa fenêtre, dit aussi **La Ménagère hollandaise.**
B. H.0,265 ; L.0,205.
S.D.b.m. : *G. Dou 1650.*
(Hofstede de Groot I 176. Martin 128).
Coll. de Louis XV : acquis en 1742 ; volé en 1777 et racheté par Louis XVI en 1788.
Villot II 126 - Demonts 2353, p. 132.

INV. 1219

Le Peseur d'or.
B. H.0,285 ; L.0,225.
S.D.b.d. : *G. Dou 1664.*
(Hofstede de Groot I 49. Martin 35).
Coll. de Louis XV : acquis en 1741.
Villot II 127 - Demonts 2354, p. 135.

INV. 1220

L'Arracheur de dents.
B. H.0,320 ; L.0,265.
(Hofstede de Groot I 65. Martin 39).
Coll. de Louis XIV (entré entre 1684 et 1715).
Villot II 128 - Demonts 2355, p. 138.

INV. 1221

La Lecture de la Bible, ou **Anne et Tobie.**
B. cintré. H.0,605 ; L.0,460.
(surface peinte originale H.0,512 ; L.0,395).
(Hofstede de Groot I 95. Martin 132).
Coll. de Louis XIV (entré entre 1684 et 1715).
Villot II 129 - Demonts 2356, p. 141.

INV. 1222

Portrait de l'artiste avec une palette à la main.
B. cintré. H.0,315 ; L.0,210 (surface peinte originale : H.0,225 ; L.0,160).
S.b.g. : *G Dou* (les deux premières lettres entrelacées).
Pendant de « La servante au pot d'œillets » (Hofstede de Groot I 170), jadis dans la coll. Ashburton à Londres (disparu dans un incendie).
(Hofstede de Groot I 275. Martin 55. Van Hall 34 p. 82).
Saisie révolutionnaire de la coll. de la duchesse de Noailles.
Villot II 130 - Demonts 2359, p. 121.

INV. 1223

Femme âgée : la mère de Rembrandt.
B. H.0,125 ; L.0,095.
S.h.d. : *G. Dou.*
Sans doute mis en pendant entre 1777 et 1784 avec un tableau de Schalcken (INV. 1832).
(Hofstede de Groot I 354. Martin 93).
Coll. de Louis XVI : acquis en 1784.
Villot II 131 - Demonts 2358, p. 146.

M.I. 915

Ermite lisant.
B. cintré. H.0,230 ; L.0,185 (surface peinte originale : H.0,153 ; L.0,120).
S.D.b.d. (sur la partie agrandie par le peintre lui-même) : *G. Dou 1661.*
Répétition du tableau (Hofstede de Groot I 39), de Brunswick, Herzog Anton Ulrich Museum. (Hofstede de Groot I 41. Martin 27).
Legs du Dr Louis La Caze, 1869 (cat. 54).
Demonts 2357, p. 106.

DROST Willem
Vers 1630 - Après 1680. Seulement connu comme élève de Rembrandt.

R.F. 1349

Bethsabée recevant la lettre de David.
T. H.1,03 ; L.0,87.
S.D.b.g. : *Drost F. 1654.*
Don de M. de Vandeul, 1902.
Demonts 2359 A, p. 153 (Jacob ou Cornelis Drost).

R.F. 1751

Portrait d'homme feuilletant un livre.
T. H.0,83 ; L.0,645. Le tableau a été coupé anciennement sur tous les côtés sauf en hauteur, comme le prouve une gravure ancienne du tableau.
(Hofstede de Groot VI 824 b : Rembrandt ; H.0,988 ; L.0,836.).
Acquis en 1909.
Demonts s.n., p. 149 (éc. hollandaise, XVIIe s. ; proche de B. Fabritius).

DUBBELS Hendrick
Amsterdam, 1620/21 - id., 1676.

R.F. 3718

Les Dunes.
T. H.0,495 ; L.0,475.
S.b.d. : *Dubbels* (presqu'effacé).
Coll. du comte de l'Espine ; donné par sa fille, la princesse Louis de Croÿ, sous réserve d'usufruit, 1930 ; entré au Louvre en 1932.

DUCHATEL François
Bruxelles, 1625 - id., 1694.

INV. 1227

Gentilhomme à cheval et carrosse devant une porte monumentale.
T. H.0,715 ; L.0,560.
Ancienne collection.
Villot II 133 - Demonts 1960, p. 32.

DUCK Jacob
Utrecht, vers 1600 - ?, 1667.

INV. 1228

Le Dépôt du butin : intérieur d'un corps de garde dans une ancienne église romane.
B. H.0,555 ; L.0,845.
Coll. de Louis XVI : acquis en 1784.
Villot II 134 (Jan le Ducq) - *Demonts 2360, p. 131.*

DUCK Jacob (d'après)

M.N.R. 678

Une Joyeuse compagnie.
T. H.0,46 ; L.0,71.
Copie du tableau provenant du Musée de l'Ermitage à Léningrad et aujourd'hui au Worcester Art Museum (Mass.).
Attribué au Musée du Louvre par l'Office des Biens privés, 1951.

DUCQ Joseph-François
Ledeghem, 1762 - Bruges, 1829.

INV. 4275

L'Aurore.
T. H.1,64 ; L.3,10.
S.D.b.d. : *J. Ducq invt an° XII* (1803-1804).
Le pendant, la *Nuit*, peint aussi par Ducq pour Saint-Cloud, semble avoir disparu. Il est gravé dans les *Annales du Musée* de Landon.
Ancien plafond du Salon de l'Aurore, au château de Saint-Cloud.

DUJARDIN Karel
Amsterdam, 1621/22 - Venise, 1678.

INV. 1393

Le Calvaire.
B. H.0,97 ; L.0,84.
S.D.b.m. : *K. Dujardin fe 1661.*
(Hofstede de Groot IX 23).
Coll. de Louis XVI : acquis en 1786.
Villot II 242 - Demonts 2426, p. 111.

INV. 1397

Le Bocage. Vaches, âne et moutons près d'un ruisseau.
T. H.0,52 ; L.0,43.
S.D.b.d. : *K. Dujardin fe 1656* (et non 1646).
(Hofstede de Groot IX 192).
Coll. de Louis XVI : acquis en 1783.
Villot II 246 (1646) - Demonts 2430, p. 144.

INV. 1394

Les Charlatans italiens.
T. H.0,445 ; L.0,520.
S.D.b.d. : *K. Dujardin fec. 1657* (le troisième chiffre est difficile à lire).
(Hofstede de Groot IX 343).
Coll. de Louis XVI : acquis en 1783.
Villot II 243 - Demonts 2427, p. 148.

INV. 1398

Paysage d'Italie avec cavalier et mendiant.
T. H.0,66 ; L.0,58.
S.b.g. sur un tronc d'arbre : *K. Dujardin.*
(Hofstede de Groot IX 260).
Saisie révolutionnaire de la coll. du marquis d'Autichamp.
Villot II 247 - Cat. somm. 2431.

INV. 1395

Le Gué. Site d'Italie.
B. H.0,23 ; L.0,30.
S.b.d. : *K. Dujardin f.*
(Hofstede de Groot IX 191).
Coll. de Louis XVI : acquis en 1784.
Villot II 244 - Demonts 2428, p. 119.

INV. 1399

Paysage d'Italie avec pâtres et cheval pie.
B. H.0,328 ; L.0,270.
(Hofstede de Groot IX 79).
Saisie révolutionnaire de la coll. du baron de Breteuil.
Villot II 248 - Demonts 2432, p. 115.

INV. 1396

Le Pâturage. Chevaux, vaches et brebis dans un pré.
T. H.0,515 ; L.0,467.
S.b.g. : *K. Dujardin fec.*
(Hofstede de Groot IX 78).
Coll. de Louis XVI : acquis en 1784.
Villot II 245 - Demonts 2429, p. 160.

INV. 1401

Portrait d'homme, dit autrefois : Portrait de l'artiste.
C. H.0,233 ; L.0,190.
S.D.b.d. : *K. Dujardin fe 1657.*
(Hofstede de Groot IX 372. Van Hall 3, p. 87).
Coll. de Louis XVI : acquis en 1785.
Villot II 250 - Demonts 2434, p. 113.

M.I. 935

Cheval blanc dans un paysage italien.
T. H.0,535 ; L.0,443.
S.b.g. : *K. Dujardin.*
(Hofstede de Groot IX 80).
Legs du Dr Louis La Caze, 1869 (Cat. 74).
Demonts 2435, p. 103.

DUSART Cornelis
Haarlem, 1660 - id., 1704

R.F. 3716

Intérieur de cabaret : le danseur au pichet.
T. H.0,345 ; L.0,300.
S.D.b.d. : *Corn. Dusart fe 1685.*
Coll. du comte de l'Espine ; donné par sa fille, la princesse Louis de Croÿ, sous réserve d'usufruit, 1930 ; entré au Louvre en 1932.

DUYSTER Willem Cornelisz.
Amsterdam, 1599 - id., 1635.

INV. 1229

Les Maraudeurs.
B. H.0,368 ; L.0,505.
Provient de l'abbaye de Saint-Martin à Tournai, 1794.
Villot II 135 (Jan le Ducq) - *Demonts 2361, p. 139.*

DUYTS Gustave den
Gand, 1850 - id., 1897.

R.F. 848

Les Bûcherons.
T. H.1,43 ; L.2,25.
S.D.b.d. : *Gustave Den Duyts 1893.*
Acquis au Salon des Artistes français de 1893.
Bénédite 103.

DYCK Antoon van
Anvers, 1599 - Blackfriar's, (Angleterre), 1641.

INV. 1230

La Vierge, l'Enfant Jésus et les trois repentants (David, La Madeleine, et le Fils prodigue).
T. H.1,17 ; L.1,57.
(Guiffrey 69. Cust II A 21. Glück 221).
Coll. de Louis XIV (entré avant 1683).
Villot II 136 - Demonts 1961, p. 31.

INV. 1231

La Vierge aux donateurs.
T. H.2,50 ; L.1,91 (surface peinte originale : H.1,93 ; L.1,91).
(Guiffrey 70. Cust III 45. Glück 245).
Coll. de Louis XIV : acquis en 1685.
Villot II 137 - Demonts 1962, p. 30.

INV. 1233

Saint Sébastien secouru par les anges.
T. H.1,98 ; L.1,45.
(Guiffrey 217. Cust II 47).
Coll. de Louis XIV : acquis de Jabach en 1671.
Villot II 139 - Demonts 1964, p. 13.

INV. 1234

Vénus demande à Vulcain des armes pour Enée.
T. H.2,20 ; L.1,45 (surface peinte originale : H.1,94 ; L.1,45).
(Guiffrey 273. Cust III 106. Glück 267).
Coll. de Louis XIV (entré entre 1684 et 1715).
Villot II 140 - Demonts 1965, p. 12.

INV. 1235

Renaud et l'enchanteresse Armide (Le Tasse, chant XVI de la *Jérusalem délivrée*).
T. H.1,33 ; L.1,09.
(Guiffrey 264. Cust III 95. Glück 363).
Provient de la coll. du Stadhouder à La Haye, 1795.
Villot II 141 - Demonts 1966, p. 33.

INV. 1236

Charles Ier, roi d'Angleterre (1600-1649), à la chasse.
T. H.2,66 ; L.2,07.
S.b.d. : *A. Van Diick. F.*
Commandé par Charles Ier avant ou vers 1635 ; payé en 1638.
(Guiffrey 453. Cust V 5. Glück 377).
Coll. de Louis XVI : acquis en 1775.
Villot II 142 - Demonts 1967, p. 6.

INV. 1238

Portraits des princes palatins Charles-Louis Ier, électeur (1617-1680), et de son frère Robert (1619-1682), l'un et l'autre fils de Frédéric V, roi de Bohême.
T. H.1,32 ; L.1,52.
D.h.d. : *1637.*
(Guiffrey 375 A. Cust V 50. Glück 441).
Coll. de Louis XIV : acquis de Jabach en 1671.
Villot II 144 - Demonts 1969, p. 6.

INV. 1239

Isabelle-Claire-Eugénie d'Autriche (1566-1633), régente des Pays-Bas, en habit de clarisse.
T. H.1,17 ; L.1,02.
(Guiffrey 624 c. Cust IV 55).
Coll. de Louis XIV (entré avant 1683).
Villot II 145 - Demonts 1970, p. 7.

INV. 1240

Portrait équestre de Don Francisco de Moncada (1586-1635), marquis d'Aytona et comte d'Ossuna, ambassadeur de Philippe IV d'Espagne à Bruxelles puis généralissime des troupes espagnoles dans les Pays-Bas après 1630.
T. H.3,05 ; L.2,42.
(Guiffrey 699. Cust 82 et 83. Glück 420).
Provient du Palais Braschi à Rome, 1798.
Villot II 146 - Demonts 1971, p. 31.

INV. 1242

Portrait d'un homme de qualité et d'un enfant, dit autrefois : Portrait du frère de Rubens.
T. H.2,04 ; L.1,37.
Pendant de INV. 1243.
(Guiffrey 968. Cust IV 133. Glück 339).
Coll. de Louis XIV : acquis de Jabach en 1671.
Villot II 148 - Demonts 1973, p. 33.

INV. 1243

Portrait d'une dame de qualité et de sa fille, dit autrefois : Portrait de la femme du frère de Rubens.
T. H.2,04 ; L.1,36.
Pendant du INV. 1242.
(Guiffrey 1092. Cust IV 134. Glück 338).
Coll. de Louis XIV : acquis de Jabach en 1671.
Villot II 149 - Demonts 1974, p. 31.

INV. 1244

Portrait d'un père et son fils, dit aussi : Portrait de Guillaume Richardot et son fils (et non Jean Richardot, père de Guillaume, mort en 1609) ou encore : Portrait de Jan Woverius et son fils.
B. H.1,15 ; L.0,83. (Surface peinte originale H.1,11 ; L.0,82).
Un portrait de femme avec un enfant, aux armes des Woverius, attribué à Van Dyck et parfois

à C. de Vos, et conservé au musée de Dresde, passe sans preuves suffisantes pour le pendant du INV. 1244.
(Guiffrey 786. Cust I B 26. Glück 94).
Coll. de Louis XVI : acquis en 1784.
Villot II 150 (Van Dyck) - *Cat. somm. 1985* (Van Dyck ou Rubens) - *Demonts 1985, p. 5.*

INV. 1246

James Stuart, duc de Lennox (1612-1655), plus tard duc de Richmond.
T. H.1,07 ; L.0,84.
(Guiffrey 789. Cust VI 121. Glück 410).
Coll. de Louis XIV (entré avant 1683).
Villot II 151 - Demonts 1975, p. 34.

INV. 1248

Le gentilhomme à l'épée (le peintre Paul de Vos (1595-1678) ?).
T. H.1,137 ; L.0,920.
(Guiffrey 1024. Cust II b 144. Glück 123).
Saisie révolutionnaire de la coll. de la duchesse de Noailles.
Villot II 153 - Demonts 1976, p. 7.

INV. 1766

Le Christ en croix, la Vierge, saint Jean et sainte Madeleine.
T. H.3,33 ; L.2,82.
Sans doute peint dans l'atelier de Rubens.
(Rooses II 302 : Rubens. Oldenbourg p. 150 : Rubens. Glück p. 19 : van Dyck).
Provient du maître-autel de l'église des Jésuites à Bergues-Saint-Winnocq, près de Dunkerque.
Coll. de Louis XV : acquis en 1749.
Villot II 431 (Rubens) - *Demonts 2082, p. 13* (Rubens et ses élèves).

M.I. 916

Tête de vieillard. Etude pour un apôtre ?
B. H.0,605 ; L.0,445.
Composé de plusieurs fragments sans doute accordés par le peintre lui-même ; la partie centrale correspondant au visage proprement dit est peinte sur papier collé sur bois et mesure : H.0,40 ; L.0,27.
(Glück 28).
Legs du Dr Louis La Caze, 1869 (cat. 55).
Demonts 1979, p. 91.

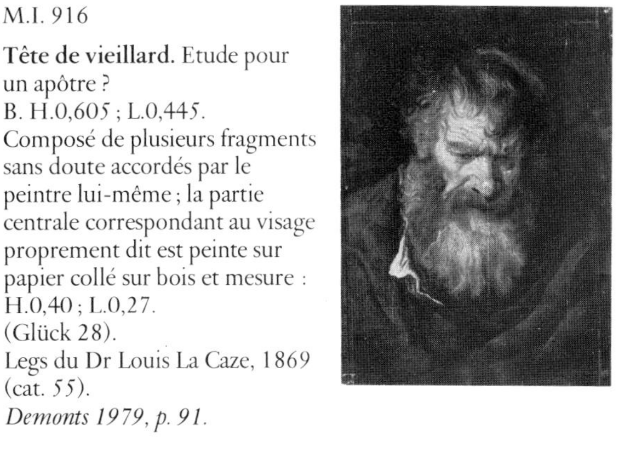

M.I. 918

Le Martyre de saint Sébastien.
T. H.1,44 ; L.1,17.
(Guiffrey 215 c. Glück 5).
Legs du Dr Louis La Caze, 1869 (Cat. 57).
Demonts 1981, p. 94.

R.F. 1942-34

Portrait d'un gentilhomme génois (?), dit à tort Portrait de Livio Odeschalchi.
T. H.1,23 ; L.0,92.
(Guiffrey 726 - Cust II b 108).
Donation de Carlos de Beistegui sous réserve d'usufruit, 1942 ; entré au Louvre en 1953.

R.F. 1949-36

Portrait présumé de la marquise Geromina Spinola-Doria, de Gênes.
T. H.2,39 ; L.1,70.
Don des héritiers du baron Edouard de Rothschild, 1949.

DYCK Antoon van (d'après)

INV. 1232

Le Christ pleuré par la Vierge.
T. H.0,330 ; L.0,463.
Copie réduite et inversée du tableau (Glück 365) de l'Alte Pinakothek de Munich faite d'après la gravure de L. Vosterman (1595-1675).
(Guiffrey 130 : Van Dyck. Cust III 36 : id.).
Coll. de Louis XIV : acquis de Jabach en 1662.
Villot II 138 (Van Dyck) - *Demonts 1963, p. 27* (id.).

INV. 1237

Les Enfants de Charles Ier d'Angleterre.
B. H.0,473 ; L.0,573.
Copie (anglaise XVIIIe s. ?) réduite d'après le tableau (Glück 379) de Windsor Castle.
(Guiffrey 476 : Van Dyck. Cust V 42 c : id.).
Provient de la coll. du Stadhouder à La Haye, 1795.
Villot II 143 (Van Dyck) - *Demonts 1968, p. 1* (école).

INV. 20732

Voir PEDE Jules, Ecole française.

M.I. 804

Henriette de France (1605-1669), reine d'Angleterre en 1625.
B. H.0,350 ; L.0,275.
Copie partielle du tableau (Glück 376) de Windsor Castle.
Donation Charles Sauvageot, 1856 (Cat. 1001 : Peter Lely).

M.I. 1005

Voir TENIERS.

R.F. 2117

Portrait de Rubens et de Van Dyck.
T. H.0,58 ; L.0,74.
Pastiche du XIXe siècle ?
Van Dyck, à gauche : copie d'après l'autoportrait du musée de Strasbourg, lui-même d'une authenticité parfois contestée ; Rubens, à droite : d'après un tableau de l'école de Rubens (National Gallery, Washington).
Legs du baron Basile de Schlichting, 1914.
Demonts s.n., p. 165 (Van Dyck).

R.F. 2118

Sir John Strode.
T. H.1,09 ; L.0,85.
Copie du tableau (Glück 293) de la coll. Crawford à Colinsburgh (Grande-Bretagne).
Legs du baron Basile de Schlichting, 1914.
Demonts s.n., p. 164 (attr. à Van Dyck).

R.F. 2393

Joueur de flûte traversière.
T. H.0,73 ; L.0,56.
Copie d'un original perdu ou pastiche ?
(Glück 118 : Van Dyck).
Don François Flameng, 1923.

R.F. 1961-83

Tête de jeune homme.
B. H.0,410 ; L.0,285.
Copie d'après une figure du tableau de Van Dyck *Le Christ bénissant les enfants* à la Galerie Nationale du Canada, Ottawa.
Donation Hélène et Victor Lyon sous réserve d'usufruit au profit de leur fils Edouard Lyon, 1961 ; entré au Louvre en 1977.
(Inventaire : attr. à van Dyck).

R.F. 1961-84

Le Martyre de saint Sébastien.
B. H.0,37 ; L.0,28.
Copie d'après le tableau (Glück p. 66) de l'Alte Pinakothek, Munich.
Donation Hélène et Victor Lyon sous réserve d'usufruit au profit de leur fils Edouard Lyon, 1961 ; entré au Louvre en 1977.
(Inventaire : attr. à Van Dyck).

DYCK Antoon van (école de)

INV. 1188

Portrait équestre de Ferdinand, infant d'Espagne (1609-1641), archiduc d'Autriche, gouverneur des Pays-Bas, surnommé le Cardinal Infant.
T. H.3,18 ; L.2,43.
(Roy B 18 : entourage de Gaspard de Crayer).
Acquis en 1834.
Villot II 103 (Gaspard de Crayer) - *Demonts 1954, p. 30.*
(attr. à Th. van Thulden).

INV. 1266

Abraham renvoyant Agar et Ismaël.
C. H.0,505 ; L.0,405.
S.D.b.d. : *P. v. Dÿk 17...8.*
Pendant de INV. 1265.
Saisie révolutionnaire de la coll. de la duchesse de Noailles.
Villot II 157 - Demonts 2363, p. 140.

M.I. 208

Saint-Jean-Baptiste enfant dans un paysage.
T. H.0,920 ; L.0,735.
Acquis en 1858.
(Inventaire : éc. flamande, XVIIe s.).

EECKHOUT Gerbrand van den
Amsterdam, 1621 - id., 1674.

INV. 1267

Anne présentant au grand-prêtre Eli son fils Samuel.
T. H.1,17 ; L.1,43.
S.b.g. : *GVDE...* (le reste de la signature est effacé).
Acquis en 1803.
Villot II 158 - Demonts 2364, p. 114.

R.F. 2119

Portrait dit du comte de Montrose.
Etude.
T. H.0,73 ; L.0,39.
Legs du baron Basile de Schlichting, 1914.

EECKHOUT Gerbrand van den (d'après)

R.F. 2384

Tête de vieillard.
B. H.0,21 ; L.0,18.
Copie d'un tableau (Hofstede de Groot VI 433 : Rembrandt), autrefois chez De Boer à Amsterdam et attribué aujourd'hui à Eeckhout (Bredius-Gerson A 228).
Legs de la baronne Salomon de Rothschild, 1922.
(Inventaire : attr. à Rembrandt).

DYCK Philip van
Amsterdam, 1680 - La Haye, 1753.

INV. 1265

Sarah présentant Agar à Abraham.
C. H.0,505 ; L.0,405.
S.b.g. : *P. van Dyck.*
Pendant de INV. 1266.
Saisie révolutionnaire de la coll. de la duchesse de Noailles.
Villot II 156 - Demonts 2362, p. 143.

EGMONT Juste d' (attribué à)
Leyde, 1601 - Anvers, 1674.

INV. 2901

Vénus armant Enée.
T. H.1,60 ; L.2,15.
Pour l'historique, cf. Asselijn, INV. 984.
Coll. de Louis XVI : acquis en 1776 (comme Juste d'Egmont).
Villot III 77 (Le Brun) - *Rosenberg-Reynaud-Compin 958* (éc. française du XVIIe s.).

ELIAS Nicolaes, dit PICKENOY
Amsterdam, 1590/91 - id., entre 1654 et 1656.

INV. 1575

Portrait d'homme.
B. H.1,22 ; L.0,90.
Pendant du INV. 1576 ?
Saisie révolutionnaire de la coll. du comte de Pestre-Senef.
Villot II 337 (Mierevelt) - *Cat. somm. 2467* (id.) - *Demonts 2467, p. 111.*

INV. 1576

Portrait de femme âgée de 34 ans.
B. H.1,22 ; L.0,90.
D.h.d. : *Aetatis Su... 34. Anno. 1634.*
Pendant du INV. 1575 ?
Saisie révolutionnaire de la coll. du comte de Pestre-Senef.
Villot II 336 (Mierevelt) - *Cat. somm. 2466* (id.) - *Demonts 2466, p. 10.*

M.I. 940

Femme tenant un éventail.
B. H.1,075 ; L.0,750.
Legs du Dr Louis La Caze, 1869 (Cat. 79 : Mierevelt).
Cat. somm. 2468 (Mierevelt) - *Demonts 2468, p. 107.*

R.F. 1213

Autoportrait à l'âge de 36 ans.
B. H.0,59 ; L.0,46.
D.h.d. : *AEta 36-1627.*
(Van Hall 1 p. 93).
Don Eugène Rebouleau, 1901.
Cat. somm. 2643 (Ecole hollandaise XVIIe s.) - *Demonts 2643, p. 189.*

R.F. 2134

Portrait d'homme âgé de 27 ans.
B. H.1,24 ; L.0,91.
D.h.d. : *Aetatis. Suae. 27. An°. 1629.*
Legs du baron Basile de Schlichting, 1914.
Demonts s.n., p. 165 (attr. à Elias).

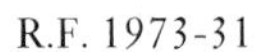

R.F. 1973-31

Voir Annexe II (dons sous réserve d'usufruit).

ENSOR James
Ostende, 1860 - id., 1949.

R.F. 1977-165

« La Dame en détresse ».
T. H.1,004 ; L.0,797.
S.D.b.d. : *James Ensor. 82.*
Don Armilde Lheureux au Musée du Luxembourg, 1932.
Reversement du Musée National d'Art Moderne au Louvre, 1977.

ES Jacob Fopsen van
Anvers, 1596 (?) - id., 1666.

R.F. 1959-28

Apprêts d'un repas.
B. H.0,545 ; L.0,740.
S.b. vers le milieu : *Jacob van...* (toute la signature est aujourd'hui invisible).
Acquis en mémoire d'Edouard Michel († 1953), ancien conservateur au département des peintures du Louvre, grâce à un legs de sa sœur, Mlle Marguerite Michel, 1959.

EVENEPOEL Henri
Nice, 1872 - Paris, 1899.

R.F. 1977-169

Charles Milcendeau, peintre (Soullans, 1872 - id. ; 1919).
T. H.1,20 ; L.0,73.
S.b.d. et dédicacé : *A CH. MILCENDEAU b. Evenepoel.*
Don de Charles Milcendeau au Musée du Luxembourg, 1901.
Reversement du Musée National d'Art Moderne au Louvre, 1977.
Bénédite 105.

EVERDINGEN Allaert van
Alkmaar, 1621 - Amsterdam, 1675.

INV. 1270

Paysage : rivière dans une vallée montagneuse.
T. H.1,72 ; L.2,20.
S.b.m. : *A.V. Everdingen.*
Acquis en 1803.
Villot II 161 - Demonts 2365, p. 17.

M.I. 921

Paysage rocheux avec pêcheurs et chasseurs.
B. H.0,30 ; L.0,43.
S.D.b.g. : *A. Everdingen 164 (7 ?).*
Legs du Dr Louis La Caze, 1869 (Cat. 60).
Demonts 2366, p. 100.

R.F. 3704

Bateaux par grand vent.
T. H.1,025 ; L.1,250.
S.b.g. sur le bateau : *Everdingen.*
Coll. du comte de l'Espine ; donné par sa fille, la princesse Louis de Croÿ, sous réserve d'usufruit, 1930 ; entré au Louvre en 1932.

EYCK Jan van
Maaseyck ? - Bruges, 1441.

INV. 1271

La Vierge du chancelier Rolin.
B. H.0,66 ; L.0,62.
Peint pour Nicolas Rolin (1376-1462), chancelier de Bourgogne. (Friedländer I p. 95. Baldass 10. Faggin 16).
Provient de la collégiale Notre-Dame d'Autun.
Entré au Louvre en 1800.
Villot II 162 - Demonts 1986, p. 47 - Michel 1986, p. 115.

EYCK Jan van (entourage de ?)

R.F. 1938-22

Diptyque en grisaille.
Volet gauche : **Saint Jean-Baptiste**
Volet droit : **La Vierge et l'Enfant.**
B. chaque volet : H.0,375 ; L.0,228 (surface totale) ; H.0,315 ; L.0,173 (surface peinte).
Donation de Mme Walter Gay, 1937.
Michel 4011, p. 64 (d'après P. Christus).

FABRITIUS Barent (d'après)
Midden-Beemster, 1624 - Amsterdam, 1673.

M.N.R. 464

Homme lisant.
T. H.0,67 ; L. 0,585.
Copie (XIXe s. ?) d'après un original attribué autrefois à Rembrandt et dû, selon Gerson, à Barent Fabritius jeune, dont la la meilleure version, faussement signée *Rembrandt* et datée 1645 (Bredius - Gerson 238), est actuellement conservée au Sterling and Francine Clark Art Institute de Williamstown (E.-U.).
Attribué au Musée du Louvre par l'Office des Biens privés, 1950.

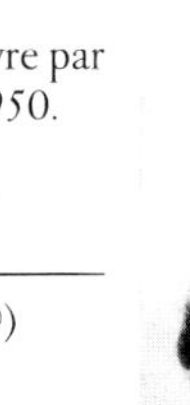

FABRITIUS Carel, frère (?) du précédent
Midden-Beemster, 1622 - Delft, 1654.

R.F. 3834

Portrait d'homme âgé.
B. H.0,240 ; L.0,207.
Acquis en 1934.
Cat. Rés. 412.

FAES Pieter van der

Voir LELY (Ecole anglaise).

FALENS Carel van
Anvers, 1683 - Paris, 1733.

INV. 1281

Rendez-vous de chasse.
T. H.0,45 ; L.0,60.
Selon F. Villot, un monogramme CVF se trouverait sur la cuisse du cheval tenu par l'écuyer (en fait, cette lecture paraît sollicitée et reposer sur un arrangement fortuit).
Pendant de INV. 1282.
Morceau de réception à l'Académie royale de peinture et de sculpture à Paris, 1726.
(Brossel p. 226).
Coll. de l'Académie.
Villot II 166 - Cat. somm. 1987.

INV. 1282

Halte de chasseurs.
T. H.0,45 ; L.0,60.
Pendant de INV. 1281.
Morceau de réception à l'Académie royale de peinture et de sculpture à Paris, 1726.
(Brossel p. 226).
Coll. de l'Académie.
Villot II 167 - Cat. somm. 1988.

FERGUSON William Gouw
Né en Ecosse, vers 1632/1633 - Grande-Bretagne (?), après 1695.

M.I. 712

Coq, gibier et ustensiles de chasse.
T. H.1,075 ; L.0,890.
S.D.m.d. : *W.G. Fergus... f.* [*16*] *62* (la date est difficilement lisible).
Don G. Callou, 1866.

FLEMALLE Bertholet
Liège, 1614 - id., 1675.

INV. 161

Le Sacrifice d'Iphigénie.
T. H.1,60 ; L.1,63.
Pour l'historique, cf. Asselijn, INV. 984.
Coll. de Louis XVI : acquis en 1776.
(Inventaire : B. Campi).

INV. 1288

Les Mystères de l'Ancien et du Nouveau Testament.
T. H.2,65 ; L.1,77.
Provient du couvent des Grands-Augustins à Paris. Saisi à la Révolution.
Villot II 170.

FLINCK Govert
Clèves, 1615 - Amsterdam, 1660.

INV. 1291.
L'annonce aux bergers.
T. H.1,60 ; L.1,96.
S.D.m.d. : *G. Flinck f. 1639.*
(Moltke 44).
Acquis en 1797.
Villot II 171 - Demonts 2372, p. 144.

INV. 1292

Petite fille en bergère.
T. H.0,71 ; L.0,65.
S.D.b.g. : *G. Flinck f. 1641.*
(Moltke 139).
Saisie révolutionnaire de la coll. de la duchesse de Noailles.
Villot II 172 - Demonts 2373, p. 144.

R.F. 1961-69

Flore.
B. ovale. H.0,69 ; L.0,52.
(Hofstede de Groot VI 203 : Rembrandt, avec historique erroné).
Donation Hélène et Victor Lyon sous réserve d'usufruit au profit de leur fils Edouard Lyon, 1961 ; entré au Louvre en 1977.
(Inventaire : attr. à Rembrandt).

FLORIS Frans
Anvers, 1516 - id., 1570.

INV. 20746

Allégorie trinitaire. Dieu rassemblant et protégeant son peuple par la grâce du Crucifié.
B. H.1,65 ; L.2,30.
S.D.b.d. : *FFF 1562.*
Une attribution à Jérôme Francken (1540-1610) a été récemment proposée, mais sans preuve convaincantes.
Provient de l'église Saint-Sulpice à Paris. Saisi à la Révolution.
Mentionné dans l'inventaire MR comme « Franck » [pour Frans Floris] (MR n° 4986) et déposé à l'église de La Courneuve près de Paris, de 1821 à 1977 (comme « Frank Flore »).

FLORIS (et son atelier)

M.N.R. 396

Vénus et l'amour.
B. H.1,02 ; L.1,32.
S.b.d. sous la colonne : *F F F*
(Van de Velde 196 : figures par Floris et paysage par l'atelier).
Attribué au Musée du Louvre par l'Office des Biens privés, 1950.

M.N.R. 276

La Sainte Famille avec sainte Anne, sainte Elisabeth et le petit saint Jean-Baptiste.
B. H.1,34 ; L. 1,165.
S.D.b.d. : *F F. inve. et pxt 1564* (signature retouchée).
(Van de Velde 59 : Floris et atelier).
Attribué au Musée du Louvre par l'Office des Biens privés, 1950.

FRANCHOYS Lucas
Malines, 1616 - id., 1681.

INV. 1249

Portrait d'homme au pourpoint entrouvert.
T. H.1,18 ; L.0,93.
(Guiffrey 1023 : Van Dyck. Cust IV 151 : id. Glück 347 : id. Saligny 45 : Franchoys).
Ancienne collection.
Villot II 154 (Van Dyck) - *Demonts 1977, p. 28* (id.).

FRANCKEN Frans II, le Jeune
Anvers, 1581 - id., 1642.

INV. 1095

Vertumne et Pomone.
B. H.0,49 ; L.0,64.
Paysage peut-être de Jan II Brueghel.
Le tableau a longtemps été attribué à Abraham Govaerts.
Don de Mr. Pierret, 1850.
Villot II 61 (Brueghel de Velours ; figures de l'école de Francken).

INV. 1294

Allégorie de la fortune.
B. H.0,67 ; L.1,05.
S. sur le piédestal de la Fortune : *Do F. Fank (sic) In.*
Coll. de Louis XIV (entré entre 1684 et 1711).

INV. 1295

Parabole de l'enfant prodigue.
Scène centrale encadrée de huit compartiments peints en grisaille.
B. H.0,61 ; L.0,86.
S.D.b.g. du panneau central sur le piédestal : *1633*, et plus loin : D° *ffranck. fct in.*
Saisie révolutionnaire de la coll. du duc de Penthièvre, à Châteauneuf-sur-Loire.
Villot II 174 (attribué à Frans Francken le Jeune) - *Demonts 1990, p. 80.*

INV. 1296

La Passion.
Scène centrale encadrée de huit compartiments peints en grisaille. Aux quatre angles, les Evangélistes.
B. H.0,645 ; L.0,485.
S.b.g. : *Ffranck. in.*
Provient de l'église des Chartreux à Liège, 1794.
Villot II 175 (attribué à Frans Francken le Jeune) - *Demonts 1991, p. 81.*

INV. 1297

Salomon au trésor du temple (?).
B. H.0,73 ; L.1,06.
S.D.b.g. sur le tabouret : *A° 1633*, et un peu plus bas : D° *franck in et f.*
Acquis en 1844.
Villot II 176 (attribué à Frans Francken le Jeune).

INV. 1412

Sainte Famille entourée d'une guirlande de fleurs. Aux quatre angles, les Evangélistes.
B. H.0,72 ; L.0,53.
La guirlande de fleurs est de l'atelier de Jan Brueghel I (Jan Brueghel II ?).
Provient sans doute d'Allemagne, 1806.
Villot II 260 (Jan van Kessel) - *Cat. somm. 2018* (id.).

M.N.R. 419

Les cinq Sens.
B. H.0,560 ; L.0,865.
S.b.g. : *F. Franck in...*
Paysage par Govaerts ou son atelier.
Attribué au Musée du Louvre par l'Office des Biens privés, 1950.

FRANCKEN Frans II (atelier de)

R.F. 1535

Ulysse reconnaissant Achille parmi les filles de Lycomède.
B. H.0,74 ; L.1,05. Traces de signature b.g.
Don Ernest Grandidier, 1904.
Demonts 1991 A, p. 78 (F. Francken le jeune).

FRANCKEN Frans II (d'après)

INV. 1990

Vierge à l'Enfant avec deux anges musiciens.
C. H.0,49 ; L.0,41.
Médaillon central : imitation ancienne d'après F. Francken le Jeune.
Fleurs dans le genre de Jan I Brueghel.
Collection de Louis XIV (entré entre 1684 et 1715).
Villot II 612 (éc. flamande : sans doute de l'éc. des Franck).

M.N.R. 582

Le Festin de Balthazar.
C. H.0,360 ; L.0,525.
Copie ancienne (XVIIe s.)
Attribué au Musée du Louvre par l'Office des Biens privés, 1951.

FRÉDÉRIC Léon
Bruxelles, 1856 - id., 1940.

R.F. 1152

Les Ages de l'ouvrier.
Triptyque.
Partie centrale : T. H.1,63 ; L.1,87.
S.D.b.d. : *Léon Frédéric 1896.*
Volet droit : T. H.1,630 ; L.0,945.
S.D.b.d. : *Léon Frédéric 1895.*
Volet gauche : T. H.1,630 ; L.0,945.
S.D.b.d. : *Léon Frédéric 1897.*
Acquis au Salon de la Société Nationale des Beaux-Arts de 1898.
Bénédite 109.

R.F. 1330

Vieille servante.
T. H.1,077 ; L.1,01.
S.D.b.g. : *L. Frédéric 1884.*
Au revers : Etude de nu.
Acquis en 1901.
Bénédite 108.

L'Age d'or.
Triptyque.

R.F. 1492

Volet gauche. **Le Matin.**
T. H.1,265 ; L.1,170.
S.D.b.d. : *Léon Frédéric 1901.*

R.F. 1493

Partie centrale (cintrée).
La Nuit. T. H.1,175 ; L.1,175.
S.D.b.d. : *Léon Frédéric 1900.*

R.F. 1494

Volet droit. **Le Soir.**
T. H.1,265 ; L.1,170.
S.D.b.d. : *Léon Frédéric 1901.*
Don de Georges Michonis par l'intermédiaire de Léonce et de Georges Bénédite, 1903.
Bénédite 110 à 112.

R.F. 1977-439

Paysage des Ardennes.
T. sur B. H.0,385 ; L.1,11.
S.D.b.d. : *L. Frederic 1894.*
Don de Georges Michonis par l'intermédiaire de Léonce et de Gorges Bénédite, 1903.
Reversement du Musée national d'Art Moderne au Louvre, 1977.
Bénédite 113.

FYT Jan
Anvers, 1611 - id., 1661.

INV. 1298

Gibier et corbeille de raisins observés par un chat.
T. H.1,00 ; L.1,40.
S.h.m. sur une moulure : *Joannes Fyt.*
(Greindl p. 161).
Provient sans doute de la Galerie de Munich, 1806.
Villot II 177 - Cat. somm. 1922.

INV. 1299

Etalage de gibier mort dans un garde-manger avec un chat et deux singes.
T. H.1,38 ; L.1,76.
(Greindl p. 166 : attribué à Fyt).
Ancienne collection.
Villot II 178 - Cat. somm. 1993.

INV. 1300

Chien auprès d'un étalage de gibier mort.
T. H.0,86 ; L.1,19.
S.D.b.g. : *Joannes Fyt 1651.*
(Greindl p. 161).
Ancienne collection.
Villot II 179 - Demonts 1994, p. 29.

M.I. 922

Gibier et attirail de chasse découverts par un chat.
T. H.0,95 ; L.1,22.
(Greindl p. 166 : attribué à Fyt).
Legs du Dr Louis La Caze, 1869 (Cat. 61).
Demonts 1995, p. 88.

M.N.R. 863

Aigles attaquant des canards.
T. H.1,33 ; L.1,96.
S.b.d. : *Joannes Fyt.*
Attribué au Musée du Louvre par l'Office des Biens privés, 1951.

GALLAIT Louis
Tournai, 1810 - Bruxelles, 1887.

R.F. 1976-2

Le Triomphe des arts et la victoire du bien et du vrai,
ou
Les Fruits du bon gouvernement.
T. Diam.0,575.
S.b.m. : *L. Gallait.*
Esquisse pour un plafond (non exécuté) du Sénat du Royaume de Belgique à Bruxelles.
Acquis en 1976.

GASSEL Lucas
Helmont, avant 1500 - Bruxelles, vers 1570.

M.N.R. 377

Vue d'une ville fortifiée avec un port.
B. H.0,195 ; L.0,490.
Attribué au Musée du Louvre par l'Office des Biens Privés, 1950.
Cat. Rés. 105 (Gassel ?).

GEERTGEN TOT SINT JANS, dit GÉRARD DE SAINT-JEAN
Leyde ?, 1460/65 - Haarlem, 1488/93.

R.F. 1285

La Résurrection de Lazare.
B. H.1,27 ; L.0,97.
(Friedländer V 5).
Acquis en 1902.
Demonts 2563 A, p. 61 - Michel 2563 A, p. 120.

GEEST Wybrand Symonsz. de
Leeuwarden, 1592 - id., après 1667.

M.N.R. 424

Portrait d'enfant âgé de douze ans.
B. H.1,585 ; L.1,020.
D.b.g. : *Aetatis 12. An° 1645 (ou 1641 ?). fe...*
Attribué au Musée du Louvre par l'Office des Biens privés, 1950.

GELDER Aert de
Dordrecht, 1645 - id., 1727.

R.F 2610

Portrait de famille.
T. H.1,07 ; L.0,62.
S.h.d. : *A. De Gelder F.*
(Les deux premières lettres entrelacées).
Le tableau peut avoir été coupé sur la gauche.
Acquis en 1926.

GILLIG Jacob
Utrecht, v. 1636 - id., 1701.

R.F. 3720

Nature morte aux poissons.
B. H.0,39 ; L.0,32.
Coll. du comte de l'Espine ; donné par sa fille, la princesse Louis de Croÿ, sous réserve d'usufruit, 1930 ; entré au Louvre en 1932.

GILSOUL Victor
Bruxelles, 1867 - Woluwes Saint-Lambert, 1939.

INV. 20676

Intérieur.
L'atelier du peintre Albert Roelofs (1877-1920) à Scheveningen.
Carton. H.0,375 ; L.0,460.
S.D.b.g. : *Victor Gilsoul. 14.*
Acquis en 1916 pour le Musée du Luxembourg.
Bénédite 116.

R.F. 1314

Soir en Brabant.
T. H.1,06 ; L.2,02.
S.b.g. : *Victor Gilsoul.*
Salon de la Société Nationale des Beaux-Arts, 1899.
Acquis en 1900 pour le Musée du Luxembourg.
Bénédite 114.

R.F. 1977-412

Soir en Brabant.
Contreplaqué. H.0,357 ; L.0,55.
Esquisse du R.F. 1314.
Sans doute acquis avec le précédent. Reversement du Musée National d'Art Moderne au Louvre, 1977.

GLAUBER Johannes,
dit POLIDORO.
Utrecht, 1646 - Schoonhoven,
vers 1726.

INV. 1301

**Paysage avec bergers
et joueur de flûte.**
T. H.1,95 ; L.2,49.
S.D.b.d. : *J. Glauber 168* (*0* ou *6*).
Acquis en 1795.
Villot II 180 (figures peintes par
Gérard de Lairesse) -
Cat. somm. 2374.

GOES Hugo van der (d'après)
Gand ?, vers 1440 -
Roode Kloster, près Bruxelles,
1482.

R.F. 1505

Déposition de croix.
B. H.0,543 ; L.0,715.
Copie d'un tableau perdu
(Friedländer IV 23), connu
par de nombreuses répliques.
Acquis en 1903.
*Demonts 2199, p. 48 -
Michel 2199, p. 123.*

GOGH Vincent van

Voir ÉCOLE FRANÇAISE

GOLTZIUS Hendrick
Mühlbrecht (près de Venlo),
1558 - Haarlem, 1617.

R.F. 2125

Jupiter et Antiope.
T. H.1,00 ; L.1,33.
S.D.b.g. : *HG* (monogramme)
A° 1616.
Legs du baron Basile
de Schlichting, 1914.
*Demonts s.n., p. 166 -
Michel 4107, p. 126.*

GORTER Arnold
Almélo, 1866 - Amsterdam, 1933.

R.F. 1979-35

Chemin dans les bruyères.
T. H.1,40 ; L.1,80.
Acquis pour le Musée
du Luxembourg au Salon des
Artistes français, 1904.
Reversement du Musée National
d'Art Moderne au Louvre, 1979.
Bénédite 272.

GOSSAERT Jan, dit MABUSE
Maubeuge ?, vers 1478 -
Middelburg, 1532.

INV. 1442-1443

Diptyque Carondelet.

Volet gauche :
Jean Carondelet
(1469-1545), doyen de l'église
de Besançon, conseiller de
Charles Quint. Revers : Blason,
chiffre et devise de
Jean Carondelet.
D.b. sur le cadre : *Fait l'an 1517.*

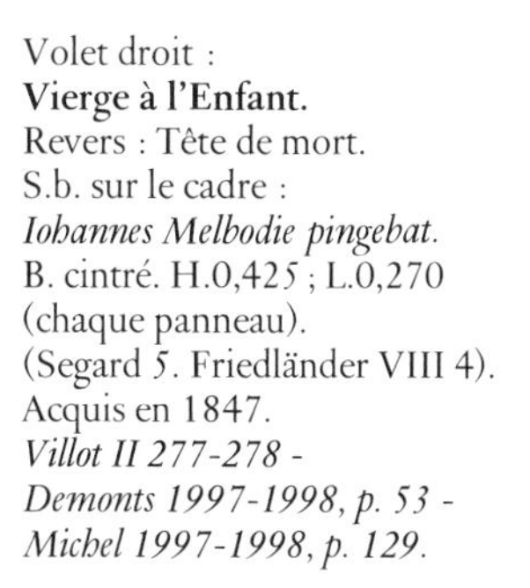

Volet droit :
Vierge à l'Enfant.
Revers : Tête de mort.
S.b. sur le cadre :
Iohannes Melbodie pingebat.
B. cintré. H.0,425 ; L.0,270
(chaque panneau).
(Segard 5. Friedländer VIII 4).
Acquis en 1847.
*Villot II 277-278 -
Demonts 1997-1998, p. 53 -
Michel 1997-1998, p. 129.*

R.F. 23

Portrait d'un bénédictin.
B. H.0,37 ; L.0,25.
S.mi-h.d. :
Ioañes Malbod' Pingeb.
D.h. : *Etatis 40.1526.*
(Segard 14. Friedländer VIII 72).
Don Jean-Baptiste Foucart, 1872.
Demonts 1999, p. 57 - Michel 1999, p. 131.

GOSSAERT Jan (d'après)

R.F. 3051

Portrait d'homme.
B. H.0,50 ; L.0,34.
D.mi-h.d. : *1450...o..A.C.* (apocryphe).
Faux moderne inspiré, pour le visage et les mains, du *Portrait de Jean Carondelet* par Gossaert, conservé au Louvre (INV. 1442). Sous cette couche picturale moderne, les radiographies ont révélé un tableau espagnol (?) du XVIIe siècle, *San Diego d'Alcala ressuscitant l'enfant brûlé dans le four à pain.*
Legs Isidore-Fernand Chevreau, baron de Christiani, 1929.
(Inventaire : éc. florentine, XVe s.).

GOVAERTS Abraham
Anvers, 1589 - id., 1626.

M.N.R. 419

Voir FRANCKEN.

GOYEN Jan van
Leyde, 1596 - La Haye, 1656.

INV. 1303

Deux grandes barques à voiles et bestiaux près de la rive.
B. H.0,395 ; L.0,605.
S.D. sur le voilier de droite :
V G 1647.
(Hofstede de Groot VIII 583. Dobrzycka 182. Beck 531).
Saisie révolutionnaire de la coll. du comte de Pestre-Senef.
Villot II 182 - Demonts 2376, p. 138.

INV. 1304

Paysage fluvial avec moulin et château en ruines.
T. H.0,970 ; L.1,335.
S.D.b.g. sur le bateau :
V.G. 1644.
(Hofstede de Groot VIII 849 ; Beck 667).
Coll. de Louis XVI : acquis vers 1784.
Villot II 183 - Demonts 2377, p. 152.

INV. 1305

Vue de Dordrecht en aval de la Grote Kerk.
B. H.0,74 ; L.1,08.
S.D.b. sur la barque :
V. Goyen 1647.
(Hofstede de Groot VIII 51 ; Dobrzycka 184 ; Beck 305).
Ancienne collection.
Villot II 184 - Demonts 2378, p. 132.

M.I. 924

Paysage avec charrette sur une digue.
B. H.0,345 ; L. 0,475.
S.D.b.m. sur le bateau :
V.G. 1646.
(Hofstede de Groot VIII 585. Dobrzycka 174. Beck 516).
Legs du Dr Louis La Caze, 1869 (Cat. 63).
Demonts 2379, p. 106.

R.F. 3151

Vue de Nimègue.
T. H.1,10 ; L.1,61.
S.D.b.g. sur le bac :
V. Goyen 1643.
(Hofstede de Groot VIII 192. Beck 354).
Legs de Mme Hélène Porgès, 1930.
Cat. Rés. 415.

R.F. 3726

Scène de patinage près des ruines de la Huis Te Merwede devant Dordrecht.
B. H.0,520 ; L.0,725.
S.D.b.g. : *V.G. 1649.*
(Hofstede de Groot VIII 82 et 1178. Dobrzycka 85. Beck 80).
Coll. du comte de l'Espine ; donné par sa fille, la princesse Louis de Croÿ, sous réserve d'usufruit, 1930 ; entré au Louvre en 1932.

R.F. 1961-85

Paysans sur un talus.
B. H.0,320 ; L.0,515.
S.D.b.g. : *VG 1632.*
(Hofstede de Groot VIII 390.
Beck 1107).
Donation Hélène et Victor Lyon
sous réserve d'usufruit au profit
de leur fils Edouard Lyon,
1961 ; entré au Louvre en 1977.

R.F. 1961-86

Vue de Rhenen.
B. H.0,735 ; L.1,075.
S.D.b.g. sur la barque :
V. Goien 1647.
(Hofstede de Groot VIII 212 et
226. Beck 389).
Donation Hélène et Victor Lyon
sous réserve d'usufruit au profit
de leurs fils Edouard Lyon,
1961 ; entré au Louvre en 1977.

R.F. 1961-87

**Patineurs devant
un château médiéval.**
B. ovale. H.0,425 ; L.0,575.
S.D.mi-h.d. sur le mur :
V. Goyen 1637.
(Hofstede de Groot VIII 1207.
Beck 21 : 1627 ?).
Donation Hélène et Victor Lyon
sous réserve d'usufruit au profit
de leur fils Edouard Lyon,
1961 ; entré au Louvre en 1977.

M.N.R. 438

Plage près d'Egmond.
B. H.0,435 ; L.0,650.
S.D.b.g. : *VG 1646.*
(Hofstede de Groot VIII 100.
Dobrzycka 166. Beck 956).
Attribué au Musée du Louvre
par l'Office des Biens privés,
1950.

GREBBER Pieter Fransz. de
Haarlem, v. 1600 - id., 1652/53.

R.F. 2136

La Leçon de tatouage.
B. H.0,620 ; L.0,565.
Legs du baron Basile
de Schlichting, 1914.
Demonts s.n., p. 166.

GRYEF Adriaen de
Anvers, vers 1670 -
Bruxelles ?, 1715.

INV. 1308

**Gibier près d'un arbre et
chasseur sonnant de la trompe.**
B. H.0,21 ; L.0,29.
S.b.m. : *A. Gryëff.*
(Greindl p. 169).
Saisie révolutionnaire de la coll.
du comte de Pestre-Senef.
Villot II 185 - Cat. somm. 2000.

GIJSELS Pieter
Anvers, 1621 - id., 1690/91.

INV. 1090

**Village de Flandre traversé
par une rivière avec charrettes
sur la route.**
B. H.0,130 ; L.0,175.
Pendant de INV. 1091.
Collection de la Couronne ?
Villot II 56 (Pieter Brueghel I)
Cat. somm. 1918 (id.) -
Demonts 1918, p. 82. (attr. à
Pieter Gÿsels).

INV. 1091

**Danse de paysans
dans un village.**
B. H.0,115 ; L.0,165.
Pendant de INV. 1090.
Collection de la Couronne ?
Villot II 57 (Pieter Brughel I) -
Cat. somm. 1918 A (id.) -
Demonts 1918 A, p. 81
(attr. à Pieter Gijsels).

HAAG Tethart-Philip-Christian
Kassel, 1737 - La Haye, 1812.

M.N.R. 363

Course de chevaux.
T. H.0,84 ; L.1,17.
S.D.b. centre : *P. Haag 1780.*
Attribué au Musée du Louvre
par l'Office des Biens privés,
1950.

HAAN

Voir MEYER DE HAAN

HAGEN Joris van der
Arnhem ?, vers 1615 -
La Haye, 1669.

INV. 1315

Le Gué.
T. sur B. H.0,245 ; L.0,320.
(Van der Haagen 191).
Saisie révolutionnaire de la coll. du comte de Pestre-Senef.
Villot II 189 - Demonts 2381, p. 119 (attr. à Van der Hagen).

M.I. 925

Ilpendam vu du sud-est, avec le château d'Ilpenstein.
T. H.0,37 ; L.0,46.
(Van der Haagen 109).
Legs du Dr Louis La Caze, 1869 (cat. 64).
Demonts 2382, p. 104.

HALS Frans
Anvers, vers 1581/1585 -
Haarlem, 1666.

M.I. 926

La Bohémienne.
B. H.0,58 ; L.0,52.
(Hofstede de Groot III 119.
Grimm, 1972, 46. Slive 62.
Montagni 70).
Legs du Dr Louis La Caze, 1869 (Cat. 65).
Demonts-2384, p. 21.

M.I. 927

Portrait de femme.
T. H.1,08 ; L.0,80.
(Hofstede de Groot III 389.
Grimm, 1972, 142. Slive 171.
Montagni 174).
Legs du Dr Louis La Caze, 1869 (Cat. 66).
Demonts 2385, p. 26.

R.F. 424

Paulus van Beresteyn
(1588-1636), juge à Haarlem, à l'âge de 40 ans.
T. H.1,395 ; L.1,025.
Dh.d. : *Aetat. suae 40 1629*
(4 et 9 repeints ; la date originelle pouvait être : 1628).
Pendant du R.F. 425 ?
(Hofstede de Groot III 154.
Grimm, 1972, 15. Slive 12.
Montagni 18).
Provient du Hofje (béguinage) Van Beresteyn à Haarlem ;
cf. R.F. 425 et Soutman R.F. 426.
Acquis en 1885 des régents de cet hospice.
Demonts 2386, p. 21.

HALS Frans (entourage de)

R.F. 425

Catherine Both van der Eem,
troisième femme de Paulus van Beresteyn.
T. H.1,39 ; L.1,02.
D.h.g. (sous le blason) :
Aeta suae 38, 1629 (38 et 2 repeints — mais sans doute d'après les chiffres d'origine).
Peut-être copie de l'original de F. Hals, disparu, qui devait faire pendant au R.F. 424.
(Hofstede de Groot III 155 :
Hals. Grimm 1972 p. 214 :
Soutman. Slive 13 : Hals.
Montagni 19 : Hals et atelier).
Provient du Hofje (béguinage) van Beresteyn à Haarlem ;
cf. R.F. 424 et Soutman R.F. 426.
Acquis en 1885 des régents de cet hospice.
Demonts 2387, p. 22 (Hals).

HALS Frans (d'après)

INV. 1317

René Descartes (1596-1650),
philosophe.
T. H.0,775 ; L.0,685.
Copie d'un original perdu, sans doute peint en 1649 et gravé en 1650 par Jonas Suyderhoef (Haarlem, vers 1613 - id., 1686).
(Hofstede de Groot III 173 :
d'après Hals. Grimm, 1972,
A 31 c : id. Slive 175-1 : id.
Montagni 173 c : id.
Ancienne collection.
Villot II 190 (Hals) -
Demonts 2383, p. 24 (id.).

R.F. 1949-1

L'Enfant à la bulle de savon.
B. Diam. 0,30.
S.b.g. : *FH.* (très effacé).
(Hofstede de Groot III 37 : Hals. Slive D 7-1 : dérive d'un original perdu ? Montagni 281 : attr. à Hals).
Donation André Pereire sous réserve d'usufruit, 1949 ; entré au Louvre en 1974.
(Inventaire : attr. à F. Hals).

HALS Frans (imitation de)

R.F. 2130

Le Peintre ambulant.
T. H.0,850 ; L. 0,695.
S.D.m.d. (à l'angle de la toile sur le chevalet) : *F.H. 1640* (apocryphe).
Imitation du XIXe siècle ?
(Hofstede de Groot III 306 : Frans Hals. Grimm, 1971, p. 162 nº 4 : Frans Hals le jeune. Slive D 22-1 : œuvre rejetée. Montagni 344 : attr. à F. Hals).
Legs du baron Basile de Schlichting, 1914.
Demonts, s.n., p. 167 (Frans Hals) - *Cat. Rés. 419* (attr. à F. Hals).

HALS Dirck, frère du précédent.
Haarlem, 1591 - id. 1656.

INV. 2184

Voir BASSEN.

R.F. 302

Festin champêtre.
T. sur B. H.0,690 ; L. 0,775.
S.D.b.d. : *D. Hals fe 16..0* (date très effacée).
Don de la revue « L'Art », 1881.
Demonts 2389, p. 147

M.N.R. 484

Réunion galante.
B. H.0,30 ; L.0,46.
Réplique autographe avec légères variantes d'un tableau signé et daté 1623 (ou 1625), dans le commerce parisien en 1978.
Attribué au Musée du Louvre par l'Office des Biens privés, 1950.

HANNEMAN Adriaen
La Haye, 1604 - id. 1671.

M.I. 910

Portrait de femme sur un fond de parc.
T. H.1,25 ; L.0,99.
Legs du Dr Louis La Caze, 1869 (Cat. 49 : Janson van Ceulen).
Demonts 2339, p. 174 (Janson van Ceulen).

HECK Claes-Dircksz. van der
Alkmaar, vers 1585 - id., 1649.

M.N.R. 500

Paysage avec la prédication de saint Jean Baptiste.
B. H.0,97 ; L.1,42.
S.D.b.d. : *C. Heck fecit 1629.*
Attribué au Musée du Louvre par l'Office des Biens privés, 1950.

HEDA Willem Claesz., père de Gerret Heda.
Haarlem, 1594 - id., 1680.

INV. 1319

Un Dessert.
B. H.0,44 ; L.0,55.
S.D. sur le gobelet d'étain : *Heda 1637.*
(Vroom 196).
Provient sans doute de la Galerie impériale de Vienne, 1809.
Villot II 191 - Demonts 2390, p. 155.

HEDA Willem Claesz. (d'après)

M.N.R. 439

Nature morte au crabe.
B. H.0,68 ; L.0,81.
S.D.b.g. (dans les plis de la nappe) : *Heda 1647* (apocryphe).
Faux moderne. Sans doute copié d'après le tableau de Willem Claesz. Heda (Vroom 139 : Gerret Willemsz Heda, fils de Willem Claesz. Heda) exposé chez Müller à Amsterdam en 1906.
Attribué au Musée du Louvre par l'Office des Biens privés, 1950.

HEEM David II de, frère de Jan I et oncle de Jan II.
Membre de la guilde de Saint-Luc à Utrecht en 1668.

M.N.R. 794

Nature morte au panier de fruits.
C. H.0,62 ; L.0,75.
S.D.b.m. sur le rebord de la table : *D. de Heem f.1650.*
Attribué au Musée du Louvre par l'Office des Biens privés, 1951.

HEEM Jan II de, fils de Jan I et neveu de David II.
Anvers, 1650 ? - 1695 ?

R.F. 1939-10

Nature morte aux fleurs. Vanité.
T. H.0,69 ; L.0,58.
S.D.b.d. : *Johannes de Heem f A° 1685*
(Greindl p. 173 : Jan Davidsz. de Heem).
Don Otto Anninger, 1939.
(Inventaire : Jan de Heem, daté 1635, (sic !).

HEEM Jan Davidsz. de (Jan I), frère de David II et père de Jan II.
Utrecht, 1606 - Anvers, 1683/84.

INV. 1320

Nature morte au citron pelé.
B. H.0,59 ; L.0,42.
S.mi-h.g. sur le rebord de la table : *J. De heem. f.*
(Greindl p. 174 : attr. à J.D. de Heem).
Provient sans doute d'Allemagne, 1806.
Villot II 192 - Demonts 2391, p. 152.

INV. 1321

Un Dessert.
T. H.1,49 ; L.2,03.
S.D.h.d. sur la mappemonde : *Johannes de Heem F. A° 1640*
et monogrammé sur le manche du couteau : *D H*
(Greindl p. 173).
Collection de Louis XIV (entré avant 1683).
Villot II 193 - Demonts 2392, p. 159.

HEEM Jan Davidsz. de (attribué à)

M.N.R. 441

Nature morte au jambon.
B. H.0,55 ; L.0,95.
Attribué au Musée du Louvre par l'Office des Biens privés, 1950.

HEEMSKERCK Egbert van Haarlem, 1634/35 - Londres, 1704.

M.I. 928

Scène d'intérieur. Femme allaitant son enfant et homme accoudé à une fenêtre.
B. H.0,465 ; L.0,355.
S.b.g. : *Heems Kerck.*
Legs du Dr Louis La Caze, 1869 (Cat. 67).
Demonts 2393, p. 107.

HELST Bartholomeus van der
Haarlem, 1613 - Amsterdam, 1670.

INV. 1332

Les Syndics des arbalétriers de saint Sébastien à Amsterdam.
T. sur B. h.0,49 ; L.0,68.
S.D.b.d. sur l'ardoise :
Bartholomeus van der Helst fecit 1653.
Réplique réduite du tableau de Van der Helst (Gelder 838) au Rijksmuseum d'Amsterdam.
(Gelder 838-1 : copie par Lundens ?).
Coll. de Louis XVI : acquis en 1784.
Villot II 197 - Demonts 2394, p. 21.

INV. 1333

Portrait d'homme.
T. H.1,01 ; L.0,79.
S.d.b.d. : *Van der helst 1655.*
(Gelder 228).
Pendant de INV. 1334.
Acquis en 1817.
Villot II 198 - Demonts 2395, p. 115.

INV. 1334

Portrait de femme.
T. H.1,00 ; L.0,79.
S.D.b.g. : *Van der. helst 1655.*
(Gelder 564).
Pendant de INV. 1333.
Acquis en 1817.
Villot II 199 - Demonts 2396, p. 114.

R.F. 2129

La Famille Reepmaker.
Anthonie Reepmaker (1634-1691), sa femme Suzanna Gommers (1633-1698) et leurs deux enfants.
T. H.1,90 ; L.1,45.
S.D.b.g. : *B. Van der. helst. f. 1669.*
(Gelder 868).
Legs du baron Basile de Schlichting, 1914.
Demonts s.n., p. 166.

HELT Nicolaes van, dit STOCADE
Nimègue, 1614 - Amsterdam, 1669.

M.I. 929

Portrait de Hendryck Heuck (ou Huyck), ingénieur, **et de sa femme Catharina Brouwers,** avec, dans le fonds, la ville de Nimègue.
T. H.1,80 ; L.1,96.
(Gelder 869 : attribution à Van der Helst rejetée).
Legs du Dr Louis La Caze, 1869 (Cat. 68 : attr. à Van der Helst).
Demonts 2397, p. 104.

HEMESSEN Jan Sanders van
Hemiksen (près d'Anvers), vers 1500 - Haarlem, 1563/1567.

INV. 1335

Le jeune Tobie rend la vue à son père.
B. H.1,40 ; L.1,72.
S.D.b.g. : *Ioannes De Hemmessen Inventor et pictor. 1555.*
(Friedländer XII 182).
Saisie révolutionnaire de la coll. du duc de Penthièvre à Châteauneuf-sur-Loire.
Villot II 200 - Demonts 2001, p. 54 - Michel 2001, p. 135.

HEUSCH Willem de
Utrecht, 1625 - id., 1692.

INV. 1336

Paysage avec paysans conduisant un troupeau.
C. H.0,350 ; L.0,445.
S.b.d. : *G.D. Heusch f.*
Acquis en 1801.
Villot II 201 - Demonts 2398, p. 141.

HEYDEN Jan van der
Gorkum, 1637 - Amsterdam, 1712.

INV. 1337

Le Dam avec le nouvel Hôtel de Ville à Amsterdam.
T. H.0,730 ; L.0,865.
S.D.b.g. sur un banc de pierre :
JVD. Heyd. A° 1668.
Figures d'Adriaen van de Velde.
(Hofstede de Groot VIII 20.

Wagner 2).
Coll. de Louis XVI : acquis en 1783.
Villot II 202 - Demonts 2399, p. 146

INV. 1338

Place et église Saint-Victor à Xanten (Allemagne).
B. H.0,45 ; L.0,56.
S.b.g. : *I.V. Heyden.*
Figures d'Adriaen Van de Velde.
(Hofstede de Groot VIII 113. Dattenberg 229. Wagner 77).
Provient de la coll. du Stadhouder à La Haye, 1795 ?
Villot II 203 - Demonts 2400, p. 25.

INV. 1339

Le Rhin à Emmerich (Allemagne) **avec l'église Saint-Martin.**
B. H.0,44 ; L.0,55.
Figures de Johannes Lingelbach.
(Hofstede de Groot VIII 248 : pas de participation des Velde. Dattenberg 221. Wagner 41 : figures de Lingelbach).
Coll. de Louis XVI : acquis avant 1785.
Villot II 204 (barques de Willem van de Velde et figures d'Adriaen van de Velde) - *Demonts 2401, p. 25* (id.).

M.I. 930

Paysage avec une famille de paysans devant un oratoire.
B. H.0,175 ; L.0,210.
Figures d'Adriaen van de Velde.
(Hofstede de Groot VIII 280. Wagner 187).
Legs du Dr Louis La Caze, 1869 (Cat. 69).
Demonts 2402, p. 102 (figures attr. à A. van de Velde).

R.F. 2340

Le Herengracht à Amsterdam.
B. H.0,365 ; L.0,440.
(Hofstede de Groot VIII 33 et 206. Wagner 12).
Legs de Mme Jacques Chatry de La Fosse, 1921.
Demonts s.n., p. 190.

R.F. 3723

La Demeure des Harteveld près du Vecht dans la région d'Utrecht.
B. H.0,47 ; L.0,59.
S.b.d. : *J.V.D. Heyden.*
Figures d'Adriaen van de Velde.
(Wagner 131).
Coll. du comte de l'Espine ; donné par sa fille, la princesse Louis de Croÿ sous réserve d'usufruit, 1930 ; entré au Louvre en 1932.

R.F. 1950-41

Vue de l'ancien château des ducs de Bourgogne à Bruxelles.
B. H.0,500 ; L.0,625.
S.b.d. : *V.Heyde* (les deux premières lettres entrelacées).
Figures d'Adriaen van de Velde.
(Hofstede de Groot VIII 48. Wagner 25).
Acquis en 1950.

R.F. 1961-88

L'église Sainte-Aldegonde à Emmerich (Allemagne).
B. H.0,26 ; L.0,34.
S.b.d. : *V Heyden.*
Figures d'Adriaen van de Velde.
(Hofstede de Groot VIII 184. Wagner 42).
Donation Hélène et Victor Lyon sous réserve d'usufruit au profit de leur fils Edouard Lyon, 1961 ; entré au Louvre en 1977.
(Inventaire : attr. à Heyden).

HOBBEMA Meindert
Amsterdam, 1638 - id., 1709.

INV. 1342

La Forêt de chênes.
B. H.0,60 ; L.0,80.
(Hofstede de Groot IV 172. Broulhiet 317).
Acquis en 1850.
Villot II 205 - Demonts 2403, p. 22.

M.I. 270

Le Moulin à eau.
T. H.0,80 ; L.0,66.
S.b.d. sur la barrière : *m. Hobbema.*
(Hofstede de Groot IV 89. Broulhiet 441).
Acquis en 1861.
Suppl. Tauzia 674 (figures par A. Storck) - *Demonts 2404, p. 20* (figures par Hobbema lui-même).

R.F. 1526

La ferme.
T. H.0,82 ; L.1,03.
S.D.b.g. sur le tronc d'arbre : *Hobbema F. 1662.*
(Hofstede de Groot IV 173. Broulhiet 192).
Legs du baron Arthur de Rothschild, 1904.
Demonts 2404 A, p. 24.

HOBBEMA Meindert (d'après)

R.F. 1961-47

Le Moulin à eau
B. H.0,725 ; L.1,105.
Copie du tableau (Hofstede de Groot IV 90. Broulhiet 40) de la coll. Dutuit au musée du Petit-Palais, Paris.
Donation Hélène et Victor Lyon sous réserve d'usufruit au profit de leur fils Edouard Lyon, 1961 ; entré au Louvre en 1977.
(Inventaire : Hobbema).

HOECKE Jan van den (attribué à)
Anvers, 1611 - Anvers ou Bruxelles, 1651.

M.N.R. 691

Vertumne et Pomone.
T. H.1,39 ; L.1,80.
Le paysage est peut-être de Jan Wildens.
Attribué au Musée du Louvre par l'Office des Biens privés, 1951.

HONDECOETER Gijsbert Gillisz. de
Utrecht, 1604 - id., 1653.

M.N.R. 813

Animaux de basse-cour.
B. H.0,675 ; L.0,860.
S.D.b.d. : *F.M. dhondec... 1644.*
(signature ajoutée ou retouchée).
Attribué au Musée du Louvre par l'Office des Biens privés, 1951.

HONDECOETER Melchior de
Utrecht, 1636 - Amsterdam, 1695.

M.I. 931

Le Dindon blanc.
T. H.1,34 ; L.1,70.
Legs du Dr Louis La Caze, 1869 (Cat. 70).
Demonts 2406, p. 174.

R.F. 707

Aigles attaquant des poules.
T. H.2,07 ; L.2,52.
S.D.mi-h.d. : *M. Hondecoeter 1673.*
Legs Léon Moreaux, 1891.
Cat. somm. 2405.

HONDIUS Abraham
Rotterdam, 1625 - Londres, 1695.

R.F. 656

Le Marchand de Pigeons.
T. H.0,36 ; L.0,26.
S.b.d. : *A. Hondius.*
(Hentzen 83).
Acquis en 1891.
Demonts 2407 A, p. 113.

HONTHORST Gerrit van
Utrecht, 1590 - id., 1656.

INV. 1364.

Le Concert.

T. H.1,68 ; L.1,78.
S.D.b.g. : *G. Honthorst Fe. 1624.*
Peint pour l'un des palais de Frédéric-Henri d'Orange-Nassau à La Haye (inventaire du palais de la Nordeinde en 1632).
Le tableau décorait le manteau supérieur d'une cheminée.
(Judson 189).
Provient de la coll. du Stadhouder à La Haye, 1795.
Villot II 216 - Demonts 2409, p. 152.

INV. 1366

Maurice de Bavière (1621-1652), prince palatin, quatrième fils de Frédéric V, roi de Bohême, dit autrefois : Portrait de Charles-Louis Ier de Bavière.
B. H.0,745 ; L.0,600 (surface peinte ovale : H.0,687 ; L.0,544).
S.D.b.d. : *G. Honthorst 1640.*
Saisie révolutionnaire de la coll. de Louis-Joseph de Bourbon, prince de Condé, au château d'Ecouen.
Villot II 218 - Demonts 2410, p. 151.

INV. 1367

Edouard de Bavière, prince palatin (1624-1665), sixième fils de Frédéric V, roi de Bohême, dit autrefois : Portrait de Rupert de Bavière.
B. H.0,745 ; L.0,600 (surface peinte ovale H.0,682 ; L.0,533).
Sans doute saisie révolutionnaire de coll. de Louis-Joseph de Bourbon, prince de Condé, au château d'Ecouen.
Villot II 219 - Demonts 2411, p. 152.

R.F. 2852

L'arracheur de dents.
T. H.1,37 ; L.2,00 (surface peinte originale : H.1,30 ; L.1,86).
S.D.h.d. : *G Honthorst fe 162 (8 ?).*
(Judson 192 : 1627).
Coll. du comte de l'Espine donné par sa fille la princesse Louis de Croÿ, 1930.

HONTHORST Gerrit van (d'après)

R.F. 2856

Frédéric-Henri de Nassau, prince d'Orange et Stadhouder (1584-1647).
T. H.1,10 ; L.0,91.
Coll. du comte de l'Espine donné par sa fille, la princesse Louis de Croÿ, 1930.
(Inventaire : Honthorst ou Jonson van Ceulen).

HOOCH Horatius de
Actif à Utrecht de 1652 à 1686.

M.N.R. 884

Paysage avec promeneurs au bord d'une rivière.
B. H.0,515 ; L.0,710.
Attribué au Musée du Louvre par l'Office des Biens privés, 1951.

HOOCH Pieter de
Rotterdam, 1629 - Amsterdam, 1684.

INV. 1372.

Arrière-cour d'une maison hollandaise.
B. H.0,60 ; L.0,49.
S.b.g. : *P.D. Hooch.*
(Hofstede de Groot I 36. Valentiner 42. Sutton 18).
Acquis en 1805.
Villot II 223 - Demonts 2414, p. 123.

INV. 1373

Les Joueurs de cartes.
T. H.0,67 ; L.0,77.
S.b.g. : *P.D. Hooch.*
(Hofstede de Groot I 255. Valentiner 77. Sutton 58).
Acquis en 1801.
Villot II 224 - Demonts 2415, p. 118.

R.F. 1974-29

La Buveuse.
T. H.0,69 ; L.0,60.
S.D.b.g. (sur le banc) : *PDH 1658.*
(Hofstede de Groot I 195. Valentiner 33. Sutton 26).
Don de Mme Gregor Piatigorsky, née Rothschild, 1974.

HOOGSTRATEN Samuel van
Dordrecht, 1626 - id., 1678.

R.F. 3722

Les Pantoufles.
T. H.1,03 ; L.0,70.
(Hofstede de Groot 15 : P. Janssens ? Hofstede de Groot I 108 : Pieter de Hooch. Valentiner 63 : id.).
Coll. du comte de l'Espine ; donné par sa fille, la princesse Louis de Croÿ, sous réserve d'usufruit, 1930 ; entré au Louvre en 1932.
(Inventaire : Vermeer de Delft).

HOUCKGEEST Gerrit
La Haye, vers 1600 - Bergen-op-Zoom, 1661.

INV. 1374

Un Portique de palais Renaissance. Messager devant un prince.
B. H.0,695 ; L.0,975.
S.b.d. : *G. Houckgeest fecit.*
Provient de la coll. du Stadhouder à La Haye, 1795.

HUCHTENBURG Jan van
Haarlem, 1647 - Amsterdam, 1733.

INV. 1375

Choc de cavalerie entre Turcs et Impériaux.
T. H.0,645 ; L.0,860.
S.D.b.d. : *J.V. Huchtenburgh. 1...* (la date est effacée).
Ancienne collection.
Villot II 225.

HULLE Anselm van (attribué à)
Gand, 1601 - id., 1674.

M.I. 920

Portrait d'un homme de qualité.
T. H.2,03 ; L.0,97.
Legs du Dr Louis La Caze, 1869 (Cat. 59 : éc. de Van Dyck).
Demonts 1984, p. 175 (éc. de Van Dyck).

HULST Frans de
Haarlem, vers 1610 - id., 1661.

D.L. 1973-19.

Voir Annexe I (tableaux en dépôt au Louvre).

HUYS Pieter
Anvers ?, vers 1519 - id. ?, vers 1581.

R.F. 3936

La Tentation de saint Antoine.
B. H.0,695 ; L.1,025.
S.D.b. vers le centre : *Peeter Huys fecit 1547.*

Don de la comtesse Durrieu et de ses enfants en souvenir de Paul Durrieu, ancien conservateur au département des peintures du Louvre, 1935.
Michel 4108, p. 139.

HUYSMANS Cornelis
Anvers, 1648 - Malines, 1727.

INV. 1377

Lisière de forêt avec bergers et femmes trayant des vaches.
T. H.1,67 ; L.2,34.
Fait partie d'une série de quatre tableaux (cf. INV. 1378 à 1380) qui décoraient peut-être la maison de la fille du peintre (à Malines ?).
Acquis en 1822.
Villot II 227 - Cat. somm. 2002.

INV. 1378

Forêt avec des chasseurs.
T. H.1,65 ; L.2,34.
Cf. INV. 1377.
Acquis en 1822.
Villot II 228 - Cat. somm. 2003.

INV. 1379

Lisière de forêt avec bûcherons.
T. H.1,60 ; L.2,31.
Cf. INV. 1377.
Acquis en 1822.
Villot II 229 - Cat. somm. 2004.

INV. 1380

Lisière de forêt avec paysans et troupeaux.
T. H.1,60 ;.L.2,32.
Cf. INV. 1377.
Acquis en 1822.
Villot II 230 - Demonts 2005, p. 28.

R.F. 50

Troupeaux dans un paysage vallonné.
T. H.0,77 ; L.0,97.
Legs Armand Godard-Desmarets, 1873.

R.F. 51

Paysage avec voyageurs se reposant au bord d'un chemin.
T. H.0,69 ; L.0,85.
Legs Armand Godard-Desmarets, 1873.
Suppl. Tauzia 676 - Cat. somm. 2007.

R.F. 52

Paysage avec bergers et troupeaux dans un chemin forestier.
T. H.0,610 ; L.0,715.
Legs Armand Godard-Desmarets, 1873.

R.F. 53

Paysage avec bergers et troupeaux au bord d'une mare et près d'un talus fortement éclairé.
T. H.0,617 ; L.0,705.
Legs Armand Godard-Desmarets, 1873.
Suppl. Tauzia 675 - Demonts 2006, p. 78.

R.F. 54

Paysage avec une ruine.
Bergers et troupeaux au bord d'un ruisseau.
T. H.0,375 ; L.0,470.
Legs Armand Godard-Desmarets, 1873.
Suppl. Tauzia 677 - Cat. somm. 2008.

HUYSMANS Cornelis
(atelier de)

M.I. 934

Paysage avec pêcheurs au bord d'un torrent.
T. H.0,49 ; L.0,59.
Réplique d'atelier sinon copie ancienne.
Legs du Dr. Louis La Caze, 1869 (Cat. 73 : Huysmans).
Cat. somm. 2009 (Huysmans).

HUYSUM Jan van
Amsterdam, 1682 - id., 1749.

INV. 1381

Paysage avec des nymphes autour d'un tombeau.
T. H.0,55 ; L.0,65.
S.D.b.g. : *Jan van Huÿsum 1717.*
Faisait sans doute partie d'une série de douze tableaux sur les mois de l'année.
(Hofstede de Groot X 16).
Coll. de Louis XVI : acquis en 1785.
Villot II 231 - Cat. somm. 2416.

INV. 1382

Paysage animé avec ruine et pont.
B. H.0,23 ; L.0,29.
S.b.d. : *Jan v. Huÿsum fecit.*
Pendant du INV. 1383.
(Hofstede de Groot X 17).
Saisie révolutionnaire de la coll. du baron de Breteuil.
Villot II 232 - Demonts 2417, p. 133.

INV. 1383

Paysage avec baigneurs.
B. H.0,235 ; L.0,292.
S.b.g. : *Jan v. Huÿsum fec.*
Pendant du INV. 1382.
(Hofstede de Groot X 18).
Saisie révolutionnaire de la coll. du baron de Breteuil.
Villot II 233 - Demonts 2418, p. 135.

INV. 1385

Corbeille de fleurs avec papillons.
B. H.0,53 ; L.0,41.
S.b.g. : *Jan van Huysum fecit.*
(Hofstede de Groot X 156.
Grant 117).
Coll. de Louis XVI : acquis en 1784.
Villot II 235 - Demonts 2420, p. 151.

INV. 1386

Corbeille de fleurs avec piédestal sur fond de parc.
B. H.0,63 ; L.0,53.
S.b.g. : *Jan van Huysum fecit.*
Pendant du INV. 1387.
(Hofstede de Groot X 157.
Grant 118).
Coll. de Louis XVI.
Villot II 236 - Cat. somm. 2421.

INV. 1387

Fruits et fleurs près d'un vase orné d'amours.
B. H.0,63 ; L.0,53.
S.b.d. : *Jan van Huysum fecit.*
Pendant du INV. 1386.
(Hofstede de Groot X 190 et 234. Grant 150).
Coll. de Louis XVI.
Villot II 237 - Cat. somm. 2422.

INV. 1388

Fruits et fleurs avec corbeille renversée sur fond de parc.
B. H.0,80 ; L.0,61.
S.b.g. : *Jan van Huysum fecit.*
(Hofstede de Groot X 179.
Grant 139).
Coll. de Louis XVI.
Villot II 238 - Demonts 2423, p. 158.

INV. 1389

Vase de fleurs sur fond de parc avec statue.
B. H.0,80 ; L.0,60.
S.b.g. : *Jan Van Huÿsum fecit.*
(Hofstede de Groot X 66.
Grant 26).
Coll. de Louis XVI.
Villot II 239 - Demonts 2424, p. 147.

R.F. 708

Vase de fleurs dans une niche.
B. H.0,80 ; L.0,61.
S.b.g. : *Jan van Huysum fecit.*
(Hofstede de Groot X 129.
Grant 90).
Legs Léon Moreaux, 1891.
Demonts 2425 A, p. 160.

HUYSUM Jan van (genre de)

R.F. 2191

Paysage italianisant composé : bateaux au bord d'un lac dans un site montagneux.
T. H.0,74 ; L.0,97.
Legs Edmond Ployer, 1917.
(Inventaire : attribué à J. Both).
Voir p. 163 la nouvelle attribution du tableau R.F. 2191 au peintre A.F. Bargas.

ISRAELS Jozef
Groningue, 1824 - La Haye, 1911.

R.F. 2550

Intérieur de chaumière.
La ravaudeuse.
T. H.1,04 ; L.1,34.
S.b.d. : *Jozef Israels.*
Don Abraham Preyer, 1926.

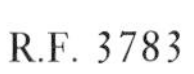

R.F. 3783

Femme préparant son dîner.
T. sur B. H.0,280 ; L.0,385.
S.b.d. : *Jozef Israels.*
Don de Mme David-Nillet, 1933.

JACOB CORNELISZ. VAN OOSTSANEN, dit Jacob d'Amsterdam
Oostsanen, vers 1470 - Amsterdam, 1533.

R.F. 1945-20

Jan Gerritsz. van Egmond, bailli de Nieuwburg († 1523).
B. cintré. H.0,465 ; H.0,350.
(Friedländer XII 293).
Exemplaire similaire avec légères variantes au Rijksmuseum à Amsterdam.
Acquis en 1945.
Michel 4100, p. 91.

JACOB d'UTRECHT
Jacob Claesz., dit
Actif à Anvers entre 1506 et 1524/1532.

R.F. 2091

Jeune femme à l'œillet.
B. H.0,396 ; L.0,277.
S.b.d. : *Jacobus Claess. Trajectensis.*
Donation de la marquise Arconati-Visconti, 1914.
Demonts s.n., p. 176 - Michel 4109, p. 141.

JACOBSZ. Dirck

Voir DIRCK JACOBSZ.

JAGER J. de
Artiste hollandais actif dans la deuxième moitié du XVIIe siècle.

M.N.R. 687

Portrait d'une petite fille avec son chien.
T. H.1,108 ; L.0,930.
S.D.mi-h.d. : *J. Jager fecit 1660.*
Attribué au Musée du Louvre par l'Office des Biens privés, 1951.

JANSON

Voir JONSON.

JANSSENS Jan
Gand, 1590 - id., après 1650.

M.N.R. 477

Le Couronnement d'épines.
T. H.1,34 ; L.0,99.
(Slatkes E 13 : peintre anonyme du Sud de la Hollande).
Attribué au Musée du Louvre par l'Office des Biens privés, 1950.

JANSSENS Hieronymus, dit le Danseur.
Anvers, 1624 - id., 1693.

INV. 1392

Le Jeu de la main chaude.
T. H.0,58 ; L.0,83.
S.b.g. : *h. Janssen fecit.*
Ancienne collection.
Villot II 241 (Victor-Honoré Janssens) - *Cat. somm. 2010* (id.).

JANSSENS ELINGA Pieter (d'après)
Bruges, 1623 - Amsterdam, avant 1682.

R.F. 1961-14

La Balayeuse.
T. H.0,73 ; L.0,63.
(Hofstede de Groot 9 : P. Janssens).
Copie d'un original dont il existe deux versions à Léningrad (Musée de l'Ermitage) et à Paris (Musée du Petit-Palais).
Legs de Mme Snappers, 1961.

JONGHE Gustave De

Voir DE JONGHE.

JONSON VAN CEULEN
Cornelis I
Londres, 1593 - Utrecht ou Amsterdam, 1661/62.

INV. 1122

Portrait d'homme.
T. H.1,12 ; L.0,89.
Acquis en 1819.
Villot II 75 - Demonts 2338, p. 128.

JORDAENS Jacob
Anvers, 1593 - id., 1678.

INV. 1402

Jésus chassant les marchands du temple.
T. H.2,88 ; L.4,36.
Coll. de Louis XV : acquis en 1751 par l'entremise du peintre Natoire.
Villot II 251 - Demonts 2011, p. 32.

INV. 1403

Le Jugement dernier.
T. H.3,91 ; L.3,00.
S.D.b.m. : *J. Jor Fec 1653.*
Peint en 1653 pour l'Hôtel de Ville de Furnes (Belgique).
Provient de l'Hôtel de Ville de Furnes, 1794.
Villot II 252 - Demonts 2011 A, p. 98.

INV. 1404

Les Quatre Evangélistes.
T. H.1,34 ; L.1,18.
Coll. de Louis XVI : acquis en 1784.
Villot II 253 - Demonts 2012, p. 12.

INV. 1405

Jupiter enfant nourri par la chèvre Amalthée.
T. H.1,47 ; L.2,03.
Acquis en 1817.
Villot II 254 - Demonts 2013, p. 7.

INV. 1406

«Le Roi boit» ou **Le Tirage de la fève de l'Epiphanie.**
T. H.1,52 ; L.2,04.
Pendant du INV. 1407, «Les Jeunes piaillent comme chantent les vieux», déposé par Le Louvre au musée de Valenciennes.
Acquis en 1793.
Villot II 255 - Demonts 2014, p. 8.

INV. 1408

Portrait d'homme, dit autrefois : Portrait de l'amiral Michel-Adrien Ruyter.
T. H.0,94 ; L.0,73.
Acquis en 1824.
Villot II 257 - Demonts 2016, p. 14.

JUAN DE FLANDES
Connu en Castille depuis 1496 - Palencia, 1519.

R.F. 2557

Le Christ et la Samaritaine.
B. H.0,240 ; L.0,175.
Fait partie d'une suite de 47 tableaux de la vie du Christ et de la Vierge (dont 28 conservés et dispersés), peints pour Isabelle la Catholique, reine de Castille († 1504), par Juan de Flandes et Michel Sittow. Cf. Sittow, R.F. 1966-11.
Acquis en 1926.
Michel 4110, p. 144.

JUSTE D'EGMONT

Voir EGMONT.

JUSTE DE GAND
Connu à Urbino de 1473 à 1475 (sans doute JOOS VAN WASSENHOVE, connu à Anvers puis à Gand de 1460 à 1468).

M.I. 644 à 657

Les Hommes illustres.
14 panneaux faisant partie d'une série de 28 portraits peints vers

1475, avec la collaboration de Pedro Berruguete († 1504), pour le *Studiolo* de Federigo da Montefeltro (1422-1482), au Palais Ducal d'Urbino. Les autres panneaux sont conservés à Urbino, Galleria Nazionale delle Marche.
(Friedländer III 103).
Coll. Campana, Rome ; acquis en 1861, Musée Napoléon III (Cornu 380 à 393 : Melozzo da Forli).
Entré au Louvre en 1863 (Reiset 263 à 276 : éc. flamande).

M.I. 644

Sixte IV, pape (1414-1484).
B. H.1,160 ; L.0,564.
Cat. somm. 1626 (Italie XVᵉ s.) - *Hautecœur 1626.*

M.I. 645

Vittorino da Feltre (1378-1446), pédagogue et humaniste.
B. H.0,943 ; L.0,632.
Cat. somm. 1628 (Italie XVᵉ s.) - *Hautecœur 1628.*

M.I. 646

Le Cardinal Bessarion (1402-1472), humaniste et écrivain byzantin.
B. H.1,160 ; L.0,561.
Cat. somm. 1627 (Italie XVᵉ s.) - *Hautecœur 1627 - Michel 1627 p. 146.*

M.I. 647

Pietro d'Abano (vers 1246-vers 1330), médecin.
B. H.0,96 ; L.0,63.
Cat. somm. 1629 (Italie XVᵉ s.) - *Hautecœur 1629.*

M.I. 648

Dante Alighieri (1265-1321), poète.
B. H.1,115 ; L.0,645.
Cat. somm. 1630 (Italie XVᵉ s.) - *Hautecœur 1630.*

M.I. 649

Saint Jérôme (347-420), Père de l'Eglise.
B. H.1,167 ; H.0,686.
Cat. somm. 1631 (Italie XVᵉ s.) - *Hautecœur 1631 - Michel 1631 p. 146.*

M.I. 650

Saint Augustin (354-430), Père de l'Eglise.
B. H.1,185 ; L.0,626.
Cat. somm. 1632 (Italie XVᵉ s.) - *Hautecœur 1632 - Michel 1632 p. 146.*

M.I. 651

Saint Thomas d'Aquin (1225-1274), Docteur de l'Eglise.
B. H.1,146 ; L.0,763.
Cat. somm. 1633 (Italie XVe s.) - *Hautecœur 1633 - Michel 1633 p. 146.*

M.I. 655

Platon (429-347 av. J.-C.), philosophe grec.
B. H.1,014 ; L.0,690.
Cat. somm. 1637 (Italie XVe s.) - *Hautecœur 1637.*

M.I. 652

Virgile (70-19 av. J.-C.), poète latin.
B. H.0,93 ; L.0,75.
Cat. somm. 1634 (Italie XVe s.) - *Hautecœur 1634.*

M.I. 656

Aristote (384-322 av. J.-C.), philosophe grec.
B. H.1,04 ; L.0,68.
Cat. somm. 1638 (Italie XVe s.) - *Hautecœur 1638.*

M.I. 653

Solon (640-558 av. J.-C.), législateur d'Athènes.
B. H.0,950 ; L.0,585.
Cat. somm. 1635 (Italie XVe s.) - *Hautecœur 1635.*

M.I. 657

Ptolémée (IIe s. ap. J.-C.), astronome grec.
B. H.0,980 ; L.0,663.
Cat. somm. 1639 (Italie XVe s.) - *Hautecœur 1639.*

M.I. 654

Sénèque (2 ap. J.-C. - 65), philosophe romain.
B. H.0,990 ; L.0,777.
Cat. somm. 1636 (Italie XVe s.) - *Hautecœur 1636.*

KALF Willem
Rotterdam, 1619 - Amsterdam, 1693.

INV. 1411

Intérieur d'une cuisine rustique.
B. H.0,40 ; L.0,52.
(Grisebach 30).
Coll. de Louis XVI : acquis en 1784.
Villot II 259 - Demonts 2436, p. 143.

M.I. 938

Ustensiles de cuisine.
B. H.0,135 ; L.0,160.
(Grisebach 11).
Legs du Dr Louis La Caze, 1869 (Cat. 77).
Demonts 2438, p. 106.

R.F. 796

Nature morte au vase de Chine.
T. H.0,58 ; L.0,71.
(Grisebach 137).
Don Ch. Sedelmeyer, 1893.
Demonts 2436 A, p. 137.

KESSEL Jan van
Anvers, 1626 - id., 1679.

INV. 1892

Les Bulles de savon. Guirlande de fleurs entourant un médaillon représentant un jeune homme soufflant des bulles de savon.
T. H.0,675 ; L.0,515.
Pour le médaillon, voir TENIERS.
(Greindl p. 177. Hairs p. 394).
Provient de l'église des Petits-Pères à Paris, 1792.
Villot II 525 - Demonts 2169, p. 82.

M.N.R. 731

Voir TENIERS.

KEY Willem
Breda, vers 1520 - Anvers, 1568

R.F. 216

Antonio del Rio († 1586), **et ses fils.**
Conseiller de Philippe II et chef du Fisc royal pour le Portugal.
A l'arrière-plan, la Résurrection du Christ.
B. H.1,66 ; L.0,82.
Volet gauche de triptyque.
Cf. R.F. 217.
Provient du couvent des Trinitaires à Burgos.
Legs de la comtesse Duchâtel, 1878.
Suppl. Tauzia 683 (Antonio Moro) - *Demonts 2480, p. 170* (id.) - *Michel 2480, p. 152.*

R.F. 217

Léonor Lopez de Villanueva († 1602), femme d'Antonio del Rio. A l'arrière-plan, l'Ascension du Christ.
B. H.1,66 ; L.0,82.
Volet droit de triptyque. Cf. R.F. 216.
Provient du couvent des Trinitaires à Burgos.
Legs de la comtesse Duchâtel, 1878.
Suppl. Tauzia 684 (Antonio Moro) - *Demonts 2481, p. 170* (id.) - *Michel 2481, p. 152.*

KEY Willem (attribué à)

INV. 2004

Mars, Vénus et l'Amour.
B. H.0,955 ; L.1,270.
Ancienne collection.
(Inventaire : éc. flamande, XVIIe s.).

KEYSER Thomas de
Amsterdam, 1596 - id., 1667.

INV. 1413

Portrait d'un homme âgé (peut-être l'un des régents de l'hospice des vieillards d'Amsterdam).
B. H.0,670 ; L.0,505.
S.D.h.g. près de la tête : *T.D.K.* (monogramme) *1631 January Aet. Suae 72.*
(Oldenbourg 103).
Acquis en 1838.
Soulié III 4226 - Cat. somm. 2438 A (attribué à Keyser) - *Demonts 2438 B, p. 145* (id.). *Cat. Rés. 424* (Keyser).

R.F. 1560

Portrait d'homme.
B. H.0,79 ; L.0,53.
La signature mentionnée par d'anciens catalogues est aujourd'hui invisible.
Pendant d'un portrait de femme daté 1626 (Oldenbourg 111), dans une coll. privée à Washington (D.C.) en 1975.
(Oldenbourg 104).
Legs Rodolphe Kann, 1905.
Demonts 2438 A, p. 139.

KNUPFER Nicolaus
Leipzig (?), vers 1603 - Utrecht, 1655.

M.N.R. 472

Portrait allégorique d'un couple avec joueuse d'orgue (Sainte Cécile ?). Allégorie du mariage.
B. H.0,50 ; L.0,67.
S.D.b.g. vers le milieu : *N. Knupfer f. 1655.*
(Kuznetzow 145).
Attribué au Musée du Louvre par l'Office des Biens privés, 1950.

KONINCK Salomon (attribué à)
Amsterdam, 1609 - id., 1656.

INV. 1741

Philosophe au livre ouvert.
B. H.0,280 ; L.0,335 (surface peinte originale : H.0,240 ; L.0,335).
(Hofstede de Groot VI 234 : Rembrandt. Bauch 126 : id. Bredius-Gerson sous le n° 431 : S. Koninck).
Coll. de Louis XVI : acquis en 1874 comme pendant du Rembrandt INV. 1740.
Villot II 409 (Rembrandt) - *Demonts 2541, p. 121* (id.) - *Cat. Rés. 466* (éc. de Rembrandt).

LAEMEN Christoph Jacobsz. van der
Anvers, vers 1606 - id., avant 1652.

INV. 20384

L'Enfant prodigue chez les courtisanes.
B. H.0,715 ; L.1,040.
S.h.g. : *Van der Lamen...* [*fecit*].
Provenance indéterminée.

LAER Pieter van, dit IL BAMBOCCIO
Haarlem, 1592/95 - id., 1642.

INV. 1417

Le Départ de l'hôtellerie.
B. ovale. H.0,32 ; L.0,43.
Pendant du INV. 1418.
(Janeck B^1 9).
Saisie révolutionnaire de la coll. du duc de Brissac.
Villot II 261 - Cat. somm. 2439.

INV. 1418

Les Pâtres.
B. ovale. H.0,32 ; L.0,43.
Pendant du INV. 1417.
(Janeck B^1 8).
Saisie révolutionnaire de la coll. du duc de Brissac.
Villot II 262 - Cat. somm. 2440.

LAERMANS Eugène
Molenbeek-Saint-Jean, 1864 - Bruxelles, 1940.

R.F. 1324

L'Aveugle.
T. H.1,20 ; L.1,50.
S.D.b.g. : *Eug. Laermans 1899.*
Acquis à l'Exposition Universelle de 1900 pour le Musée du Luxembourg.
Bénédite 118.

LAIRESSE Gérard de
Liège, 1641 - Amsterdam, 1711.

INV. 1419

L'Institution de l'Eucharistie.
T. H.1,37 ; L.1,55.
S.b.g. sur le bassin : *GL* (lettres entrelacées).
Coll. de Louis XVI : acquis en 1784.
Villot II 263.

INV. 1420

Débarquement de Cléopâtre à Tarse.
T. H.0,60 ; L.0,67.
S.h.g. sur la voile de la galère : *GL.*
Coll. de Louis XVI : acquis en 1783.
Villot II 264 - Cat. somm. 2441.

INV. 1422

Hercule entre le vice et la vertu.
T. H.1,12 ; L.1,81.
Saisie révolutionnaire de la coll. de la duchesse de Noailles.
Villot II 266 - Cat. somm. 2443.

R.F. 1964-8

Abraham et les trois anges.
T. H.1,20 ; L.1,64.
S.b.g. : *G. Lairesse.*
Acquis en 1964.

LASTMAN Pieter
Amsterdam, 1583 - id., 1633.

R.F. 920

Le Sacrifice d'Abraham.
B. H.0,36 ; L.0,42.
S.D.b.m. : *PL. 1616* (initiales faisant monogramme).
(Freise 11).
Acquis en 1895.
Demonts 2443 A, p. 115.

LELY Pieter

Voir ECOLE ANGLAISE.

LE PETIT Alexandre

Voir PETIT.

LEYS Henri
Anvers, 1815 - id., 1869.

R.F. 1977-226

Femme plumant une volaille dans une cour.
B. H.0,495 ; L.0,404.
S.b.d. : *H. Leys.*
Reversement du Musée National d'Art Moderne au Louvre, 1977.

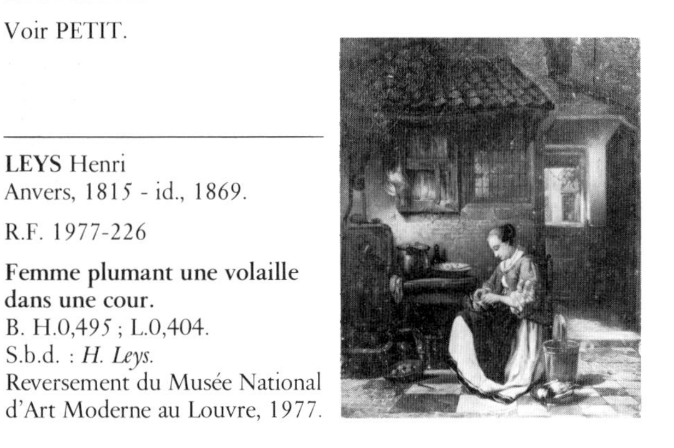

LEYSTER Judith
Haarlem (?), 1600/10 - Heemstede, 1660.

R.F. 2131

La Joyeuse compagnie.
B. H.0,68 ; L.0,57 (surface peinte originale : H. 0,68 ; L.0,54).
S.D.b.g. : *J. Ly 1630* (les lettres *Ly* sont suivies d'une étoile à cause de la dénomination hollandaise de ce mot : *ster*).
(Harms 11).
Legs du baron Basile de Schlichting, 1914.
Demonts s.n., p. 165.

LIEVENS Jan
Leyde, 1607 - Amsterdam, 1674.

INV. 1431

La Visitation.
T. H.2,80 ; L.1,98 (surface peinte cintrée à l'origine).
S.b.d. sur le seuil de la porte : *JL.*
Provient de l'église des Jésuites à Bruxelles.
(Schneider 24).
Coll. de Louis XVI : acquis en 1777.
Villot II 267 - Demonts 2444, p. 23.

LIMBORCH Hendrik van
La Haye, 1681 - id., 1759.

INV. 1433

Les Plaisirs de l'âge d'or.
T. H.0,64 ; L.0,84.
S.b.g. au-dessus du vase : *H.V. Limborch F.*
Coll. de Louis XVI : acquis en 1783.
Villot II 269 - Demonts 2446, p. 160.

LINGELBACH Johannes
Francfort, 1622 - Amsterdam, 1674.

INV. 1339.

Voir HEYDEN.

INV. 1434

Le Marché aux herbes à Rome.
T. H.0,695 ; L.0,875.
S.d.b.d. : *I Lingelbach 167...*
(date très effacée).
Saisie révolutionnaire de la coll. Bourgeois-Vialard de Saint-Maurice.
Villot II 270 - Demonts 2447, p. 110.

INV. 1436

Un Port de mer en Italie.
T. H.0,70 ; L.0,84.
S.b.g. sur la pierre ronde :
J. Lingelbach fecit.
Provient sans doute de Vienne, 1809.
Villot II 271 - Demonts 2448, p. 116.

INV. 1437

Paysans italiens buvant à la porte d'une hôtellerie romaine.
T. H.0,365 ; L.0,475.
Acquis en 1824.
Villot II 272 - Cat. somm. 2449.

INV. 1438

Halte de paysans allant au marché.
T. H.0,70 ; L.0,62.
S.b.g. sous l'arbre : *J. Wynants, en Lingelbach f.*
Paysage par Jan Wijnants.
Saisie révolutionnaire de la coll. d'Argentré.
Villot II 273 - Cat. somm. 2450.

LISSE Dirck van der
Bréda, ? - La Haye, 1669.

R.F. 1969-3

Paysage italianisant avec cascades.
T. H.1,37 ; L.1,63.
S.b.g. : *Both* (peu visible ; apocryphe).
Don de Mlle Dreyfus, 1969.
(Inventaire : J. Both).

LOO Jacob van
Sluis, 1614 - Paris, 1670.

INV. 1439

Michel Corneille le père (1601-1664), peintre et recteur de l'Académie royale de peinture à Paris.
T. H.1,168 ; L.0,867.
Morceau de réception à l'Académie royale de peinture et de sculpture, 1663.
Coll. de l'Académie.
Villot II 274 - Demonts 2451, p. 131.

INV. 1440

Etude de femme à demi dévêtue.
T. H.1,05 ; L.0,80.
Saisie révolutionnaire de la coll. du comte de Pestre-Senef.
Villot II 275 - Demonts 2452, p. 138.

M.N.R. 498

Bethsabée au bain (plutôt que Vertumne et Pomone).
T. H.0,815 ; L.0,68.
Attribué au Musée du Louvre par l'Office des Biens privés, 1950.

LUCAS VAN LEYDEN
Leyde, 1494 - id., 1533.

R.F. 1962-17

La Tireuse de cartes.
B. H.0,240 ; L.0,305.
(Friedländer X, suppl. 172).
Legs de Mme Pierre Lebaudy, née Marie-Marguerite Luzarche d'Azay, 1962.

LUNDENS Gerrit
Amsterdam, 1622 - id. ?, après 1683.

M.I. 905

L'Opération.
B. H.0,32 ; L.0,28.
(Hofstede de Groot III 34 : Brouwer ?).
Copie présumée d'un original perdu de Brouwer.
Une version identique, signée *Gerrit Lundens 1649*, a été vendue à Paris à l'Hôtel Drouot en 1926.
Legs du Dr Louis La Caze, 1869 (Cat. 44 : Brouwer).
Demonts 1915, p. 101 (d'après Brouwer).

MABUSE

Voir GOSSAERT.

MAES Nicolaes

Dordrecht, 1634 - Amsterdam, 1693.

R.F. 2132

La Baignade.
T. H.0,725 ; L.0,915.
S.b.d. (illisible).
(Hofstede de Groot VI 97).
Legs du baron Basile de Schlichting, 1914.
Demonts s.n., p. 164 (éc. de Dordrecht, XVIIe s. ; Hoogstraten ou Schalken jeune ?).

R.F. 2859

Portrait présumé de Catherine de Vogelaar, femme de Hermanus Amija, fille d'un secrétaire de la ville d'Amsterdam.
T. H.0,650 ; L.0,535.
Pendant de R.F. 2858.
Coll. du comte de l'Espine ; donné par sa fille, la princesse Louis de Croÿ, 1930.

R.F. 2858

Portrait présumé de Hermanus Amija.
T. H.0,650 ; L.0,535.
S.b.g. : *Maes.*
Pendant de R.F. 2859.
Coll. du comte de l'Espine ; donné par sa fille, la princesse Louis de Croÿ, 1930.

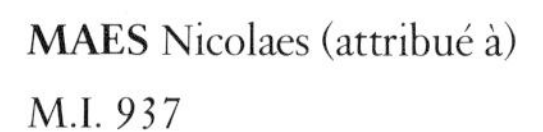

MAES Nicolaes (attribué à)

M.I. 937

Nature morte.
T. H.0,82 ; L.1,01 (surface peinte originale : H.0,82 ; L.0,90).
Legs du Dr Louis La Caze, 1869 (Cat. 76 : Willem Kalf).
Cat. somm. 2437 (Kalf) - *Demonts 2437, p. 100* (Juriaen van Streek).

MAITRE B.

Voir RIJCKERE Bernaert de

MAITRE C V

Voir ANVERS. Deuxième moitié du XVIe siècle.

MAITRE DE DELFT
(entourage du)
Actif à Delft à la fin du XVe siècle.

M.N.R. 444

Le Portement de croix.
B. H.0,33 ; L.0,26.
Attribué au Musée du Louvre par l'Office des Biens privés, 1950.

MAITRE DES DEMI-FIGURES
Actif à Bruges ou à Anvers, première moitié du XVIe siècle.

INV. 2156

Sainte Madeleine lisant.
B. H.0,54 ; L.0.42.
(Friedländer XII 85).
Acquis en 1834.
Demonts 2203 B, p. 60 - Michel 2203 B, p. 161.

MAITRE DES DEMI-FIGURES (atelier)

R.F. 1973-32

Voir Annexe II (dons sous réserve d'usufruit).

MAITRE DE FRANCFORT
(attribué au)
Actif à Anvers, fin du XVe et début du XVIe siècle.

R.F. 1958-5

Vierge à l'Enfant dans un paysage.
B. cintré. H.0,765 ; L.0,460.
Legs de Mlle Elisabeth Mège, 1958.

MAITRE AU FEUILLAGE EN BRODERIE
Actif en Flandres (Bruxelles ?) à la fin du XVe et au début du XVIe siècle.

R.F. 1973-35 et 36

Voir Annexe II (dons sous réserve d'usufruit).

MAITRE DE LA LÉGENDE DE SAINTE MADELEINE.
Actif à Bruxelles entre 1480 et 1525.

R.F. 2259

Marguerite d'Autriche (1480-1530), archiduchesse d'Autriche, plus tard gouvernante des Pays-Bas.
B. H.0,31 ; L.0,22 (surface peinte : H.0,247 ; L.0,152).
(Friedländer XII 53).
Legs Maurice Sulzbach, 1922.
Michel 4113, p. 175.

MAITRE DE LA MADELEINE MANSI (attribué au)
Actif à Anvers au début du XVIe siècle.

R.F. 2250

Le Christ couronné d'épines et la Vierge de douleur.
B. H.0,546 ; L.0,720.
Legs Paul Leprieur, 1919.
Demonts s.n., p. 54 (éc. hollandaise, début du XVIe s.) - *Michel 4115, p. 179* (Maître de la Madeleine Mansi) - *Cat. Rés. 119* (Maître de la Madeleine Mansi ou atelier).

MAITRE DE LA MADELEINE MANSI (d'après)

R.F. 2176

La Vierge à l'Enfant.
B. H.0,49 ; L.0,34.
Copie libre du groupe de gauche de la *Vierge à l'Enfant avec sainte Anne* (Bruxelles, coll. part. : Friedländer VII 99).
Legs du Dr Weber, 1916.
Demonts s.n., p. 55 (éc. flamande, début du XVIe s. : genre du Maître de la Madeleine Mansi) - *Michel 4116, p. 180.*

MAITRE DU MARTYRE DE SAINT JEAN
Actif à Anvers vers 1525.

R.F. 2128

Le Martyre de saint Jean l'Evangéliste.
B. cintré. H.1,17 ; L.0,67.
(Friedländer XI 59).
Legs du baron Basile de Schlichting, 1914.
Demonts s.n., p. 163 (Cornelis Engelbrechtsen) - *Michel 4118, p. 189.*

MAITRE MICHEL

Voir SITTOW.

MAITRE DE LA MORT DE MARIE

Voir CLEVE.

MAITRE DE LA VUE DE SAINTE-GUDULE
Actif à Bruxelles entre 1470 et 1490.

INV. 1991

Prédication de saint Géry (?), dit L'Instruction pastorale, avec l'église Sainte-Gudule de Bruxelles à l'arrière-plan.
B. H.0,98 ; L.0,69.
(Friedländer IV 70).
Acquis en 1822.
Villot II 589 (éc. flamande, XVe s.) - *Demonts 2198, p. 46* (éc. de Brabant, XVe s.) - *Michel 2198, p. 185.*

MAITRE DE 1499
Actif à Bruges ou à Gand à la fin du XVe siècle.

R.F. 2370

La Vierge et l'Enfant. entre deux donateurs.
B. H.0,71 ; L.0,55.
(Friedländer IV 41).
Don E. M. Bancel, 1884.
Cat. somm. 1048 (Inconnu de l'école française : attr. de façon contestable à J. Perréal) - *Demonts 998 D, p. 49* (éc. de Gand, vers 1490) - *Michel 998 D, p. 170.*

MAITRE DE 1518
(Jan van Dornicke ?)
Actif à Anvers dans le premier tiers du XVIe siècle.

R.F. 1973-38

Voir Annexe II (dons sous réserve d'usufruit).

MARCETTE Alexandre
Spa, 1853 - Bruxelles, 1929.

R.F. 1979-36.

« En route ». Bateaux sur la mer du Nord.
T. collée sur carton. H.0,67 ; L.0,95.
S.b.d. : *Alex Marcette.*
Acquis pour le Musée du Luxembourg, 1910.
Reversement du Musée National d'Art Moderne au Louvre, 1979.

MARINUS van Reymerswaele

Voir REYMERSWAELE.

MARIS Jacob Hendricus
La Haye, 1837 - Carlsbad, 1899.

R.F. 2551

Ville hollandaise au bord de l'eau.
T. H.0,73 ; L.1,27.
S.b.g. : *J.Maris.*
Peint en 1883.
Don Abraham Preyer, 1926.

MARMION Simon (entourage de)
Connu à Amiens de 1449 à 1454, à Valenciennes depuis 1458 - Valenciennes, 1489.

R.F. 1490

Le Miracle de la Vraie Croix.
B. H.0,682 ; L.0,587.
(Peint par un disciple flamand de Marmion).
(Sterling XVe A 124 : élève de Marmion. Ring 175 : Marmion).
Acquis en 1903.
Brière 1001 D (éc. du Nord de la France, vers 1480).

MARSEUS VAN SCHRIECK
Otto
Nimègue, 1619/20 - Amsterdam, 1678.

R.F. 3711

Serpents et papillons.
T. H.0,70 ; L.0,55.
S.D.b.g. : *Otho Marseus : De S* (pour Schrieck ?) *1670 8-9* (sans doute pour indiquer que le tableau a été exécuté en août ou septembre 1670).
Coll. du comte de l'Espine ; donné par sa fille, la princesse Louis de Croÿ, sous réserve d'usufruit, 1930 ; entré au Louvre en 1932.

MARTSZEN DE JONGE Jan
Haarlem,1609 ? - ?, après 1647.

M.I. 812

Un jeune gentilhomme.
B. H.0,45 ; L.0,29.
S.b.d. du monogramme : *JMT* (la dernière lettre est peut-être un J.).
Donation Charles Sauvageot, 1856 (Cat. 1021 : Palamedes).

MASEREEL Frans
Blankenberghe, 1889 - Avignon, 1972.

INV. 20709

Romain Rolland (1866-1944), écrivain.
T. H.1,93 ; L.0,935.
S.D.b.d. : *F. M. 1938.*
Provient du Dépôt des œuvres d'art de l'Etat à Paris, 1969.

MASSYS Jan, fils de Quinten Massys (ou Metsys).
Anvers, vers 1509, id., vers 1575.

INV. 1446

David et Bethsabée.
B. H.1,62 ; L.1,97.
S.D.h.g. : *1562 Ioânes Massiis pingebat* (signature refaite ?).
(Friedländer XIII 13).
Don du comte de Morny, 1852.
Villot II 281 - Demonts 2030 B, p. 57 - Michel 2030 B, p. 191.

R.F. 2123

Judith tenant la tête d'Holopherne.
B. H.1,06 ; L.0,75.
(Friedländer XIII 17).
Legs du baron Basile de Schlichting, 1914.
Demonts s.n., p. 168 (attr. à Massys) - *Michel 4119, p. 193* (réplique d'atelier).

MATHIEU Paul
Saint-Josse-ten-Noode, 1872 - Ostende, 1932.

R.F. 1979-37

Les Canots, temps gris.
T. H.0,71 ; L.1,00.
S.D.b.g. : *P. Matthieu Paris 21.*
Acquis pour le musée du Luxembourg, 1922.
Reversement du Musée national d'Art Moderne au Louvre, 1979.
Bénédite 120.

MAUVE Anton
Zaandam, 1838 - Arnhem, 1888.

R.F. 2552

Le Ramassage du goémon.
T. H.0,51 ; L.0,71.
S.b.d. : *A Mauve f.*
Don Abraham Preyer, 1926.

MEER Jan II van der, ou Vermeer de Haarlem
Haarlem, 1628 - id., 1691.

R.F. 2862

Les Blanchisseries d'Overveen près de Haarlem.
T. H.0,80 ; L.1,01.
S.d.b.g. : *Meer fc. 1675.*
(Bode 31).
Coll. du comte de l'Espine ; donné par sa fille, la princesse Louis de Croÿ, 1930.

MEER Jan van der, ou Vermeer d'Utrecht
Schoonhoven, ? - ?, après 1692.

INV. 1452

Entrée d'une auberge.
Conversation galante.
T. H.0,70 ; L.0,66.
S.D.b.g. : *1653 J. van der Meer.*
Ancienne collection.
Villot II 287 (Jan van der Meer le Vieux, dit Vermeer de Haarlem ou Jan van der Meer, dit Vermeer d'Utrecht : Villot semble confondre leurs biographies) - *Demonts 2455, p. 127* (Jan van der Meer II, dit le Vieux, soit Vermeer de Haarlem) - *Cat. Rés. 427* (Jan van der Meer le Jeune, [c'est-à-dire Jan Van der Meer III, fils de Jan van der Meer II]).

MEMLING Hans
Seligenstadt am Main, v. 1435 - Bruges, 1494.

INV. 1453 et 1454

Saint Jean-Baptiste.
Sainte Madeleine.
B. cintré. H.0,48 ; L.0,16 (chaque panneau).
Friedländer VI 17. Faggin 31).
Faces intérieures des volets d'un triptyque, cintrées postérieurement. Les faces extérieures des deux volets (*Saint Christophe* et *Saint Etienne :* Friedländer VI 18, Faggin 32) se trouvent au Cincinnati Art Museum. Le panneau central (*La Vierge à l'Enfant dans la fuite en Egypte :* Friedländer VI 31, Faggin 41) a été donné au Louvre sous réserve d'usufruit par Mme Bethsabée de Rothschild, 1974 (R.F. 1974-30).
Acquis en 1851.
Villot II 288-289 - Demonts 2024-2025, p. 48-49 - Michel 2024-2025, p. 195.

M.I. 247 à 249

Triptyque de la Résurrection.
Panneau central :
La Résurrection.
B. H.0,615 ; L.0,445.
Volet gauche : **Le Martyre de saint Sébastien.**
Volet droit : **L'Ascension.**
B. H.0,615 ; L.0,185 (chaque volet).
Friedländer VI 7. Faggin 23).
Acquis en 1860.
Demonts 2028, p. 50 - Michel 2028, p. 203.

R.F. 215

La Vierge et l'Enfant entre saint Jacques et saint Dominique présentant les donateurs et leur famille, dit **La Vierge de Jacques Floreins.**
B. H.1,30 ; L.1,60.
Peint pour Jacob Floreins († 1489), marchand d'épices à Bruges.
(Friedländer VI 66. Faggin 83).
Legs de la comtesse Duchâtel, 1878.
Demonts 2026, p. 170 - Michel 2026, p. 201.

R.F. 309

La Vierge et l'Enfant entourés de saintes.
B. cintré. H.0,252 ; L.0,152.
Volet gauche d'un diptyque.
Cf. R.F. 886.
(Friedländer VI 15. Faggin 30).
Legs Edouard Gatteaux, 1881.
Demonts 2027, p. 51 - Michel 2027, p. 199.

R.F. 886

Donateur présenté par saint Jean-Baptiste, dit autrefois : Jean du Cellier et saint Jean-Baptiste.
B. cintré. H.0,253 ; L.0,160.
Volet droit d'un diptyque.
Cf. R.F. 309.
(Friedländer VI 15. Faggin 30).
Don de Mme Edouard André au nom et en mémoire de son mari, 1894.
Demonts 2027 A, p. 51 - Michel 2027 A, p. 199.

R.F. 1723

Portrait d'une femme âgée.
B. H.0,350 ; L.0,292.
Partie droite d'un panneau coupé. Partie gauche *(Portrait d'un homme âgé)* à Berlin-Dahlem, Staatliche Museen.
(Friedländer VI 76. Faggin 92).
Acquis en 1908.
Demonts 2028 B, p. 47 - Michel 2028 B, p. 197.

R.F. 1974-30

Voir Annexe II (dons sous réserve d'usufruit).
Cf. aussi supra, INV. 1453-1454.

MESDAG Hendrik-Willem
Groningue, 1831 - La Haye, 1915.

R.F. 497

Soleil couchant.
T. H.1,40 ; L.1,80.
S.b.d. : *H.W. Mesdag.*
Acquis au Salon de 1887 pour le Musée du Luxembourg.
Bénédite 279.

METSU Gabriel
Leyde, 1629 - Amsterdam, 1667.

INV. 1459

Le Christ et la femme adultère.
T. H.1,34 ; L.1,65.
S.D.b.d. : *G. Metsu A° 1653.*
(Hofstede de Groot I 9. Robinson 4).
Séquestre de la coll. Milliotty, 1799.
Villot II 291 - Demonts 2457, p. 146.

INV. 1460

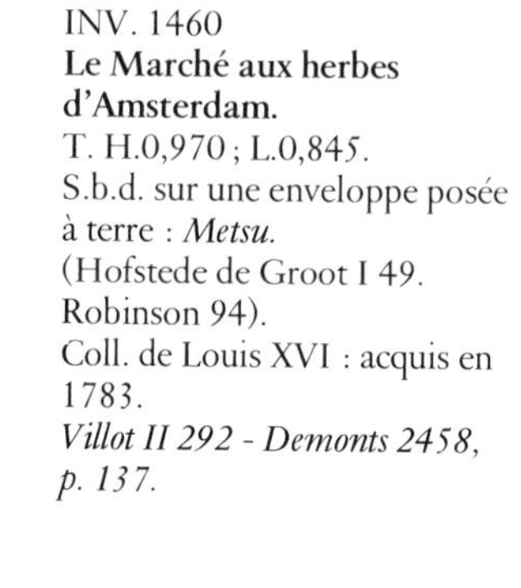

Le Marché aux herbes d'Amsterdam.
T. H.0,970 ; L.0,845.
S.b.d. sur une enveloppe posée à terre : *Metsu.*
(Hofstede de Groot I 49. Robinson 94).
Coll. de Louis XVI : acquis en 1783.
Villot II 292 - Demonts 2458, p. 137.

INV. 1461

Militaire rendant visite à une jeune femme.
B. H.0,645 ; L.0,475.
(Hofstede de Groot I 172. Robinson 142).
Coll. de Louis XV.
Villot II 293 - Demonts 2459, p. 138.

INV. 1462.

La leçon de virginal.
B. H.0,320 ; L.0,245.
S.mi-h.-g. sur la partition :
G. Metsu.
(Hofstede de Groot I 158).
Acquis en 1817.
Villot II 294 - Demonts 2460, p. 157.

R.F. 373

Le Déjeuner de harengs.
T. H.0,53 ; L.0,44.
S.b.d. : *G. Mets[u].*
(Hofstede de Groot I 250.
Robinson 125).
Acquis en 1883.
Demonts 2464 A, p. 158.

INV. 1463

L'Apothicaire, dit aussi
Le Chimiste.
B. H.0,270 ; L.0,235.
S.mi-h.d. sur le dos d'un livre :
Metsu.
(Hofstede de Groot I 209.
Robinson 80).
Coll. de Louis XVI : acquis en 1784.
Villot II 295 - Demonts 2461, p. 136.

METSYS Quentin, père de
Jan Metsys (ou Massys).
Louvain, 1465/66 - Anvers, 1530.

INV. 1444

Le prêteur et sa femme.
B. H.0,705 ; L.0,670.
S.D.h.d. (sur un dossier posé sur l'étagère) : *Quinten Matsys schilder 1514.*
(Friedländer VII 53. Bosque p. 190).
Acquis en 1806.
Villot II 279 - Demonts 2029, p. 58.

INV. 1464

La Riboteuse.
B. H.0,28 ; L.0,27.
S.h.g. : *G. Metsu.*
Pendant de INV. 1465.
(Hofstede de Groot I 200.
Robinson 20).
Saisie révolutionnaire de la coll. du duc de Brissac.
Villot II 296 - Demonts 2462, p. 130.

R.F. 817

Pietà.
B. H.0,367 ; L.0,507.
(Friedländer VII 16. Bosque p. 148).
Acquis en 1893 sur les arrérages du legs Sevène.
Cat. somm. 2203 (Inconnu de l'école flamande, début du XVIe s.) - *Demonts 2203, p. 57* (attr. à Metsys) - *Michel 2203, p. 210.*

INV. 1465

La peleuse de pommes.
B. H.0,28 ; L.0,26.
S.h.g. : *G. Metsu.*
Pendant de INV. 1464.
(Hofstede de Groot I 125.
Robinson 21).
Saisie révolutionnaire de la coll. du duc de Brissac.
Villot II 297 - Demonts 2463, p. 129.

R.F. 1475

La Vierge et l'Enfant.
B. cintré. H.0,68 ; L.0,51.
S.D.h. sur la fenêtre : *Q.M. (15)29* (les deux premiers chiffres presque effacés).
(Friedländer VII 24. Bosque p. 218).
Legs Jean-Joseph Rattier, sous réserve d'usufruit en faveur de son frère, Victor Léon Rattier ; entré au Louvre en 1903.
Demonts 2030 A, p. 59 - Michel 2030 A, p. 211.

METSYS Quentin (d'après)

R.F. 1730

Portrait présumé du médecin Paracelse (1493-1541).
B. H.0,72 ; L.0,54.
Copie ancienne d'un original perdu.
(Friedländer VII 78. Bosque 246).
Legs du baron Marie-Adolphe de La Coste, 1907.
Demonts 2567 A, p. 60 (attr. à Scorel) - *Michel 2567 A, p. 212.*

MEULEN Frans van der

Voir ECOLE FRANÇAISE.

MEULENER Pieter
Anvers, 1602 - id., 1654.

INV. 1578

Choc de cavalerie.
B. H.0,50 ; L.0,64.
S.D.b.d. : *PM 1643* (lettres entrelacées).
Ancienne collection.
Villot II 339 (Pieter Molyn le vieux).

MEIJER Hendrick de
Actif à Rotterdam entre 1637 et 1683.

R.F. 1939-16

Siège de la ville d'Hulst (1645), alors en possession des Espagnols.
B. H.0,89 ; L.1,53.
S.D.b.d. : *A. Cuyp f. 1645* (apocryphe) et D.mi-h.g. : *5 november 1645.*
Don de Mme Henry Candé sous réserve d'usfruit, 1939 ; abandon de l'usufruit, 1944.
Cat. Rés. 396 (A. Cuyp).

M.N.R. 710

Le Camp militaire.
B. H.0,74 ; L.1,07.
S.D.b.g. (2 fois) : *H. De Meüer 1638* (l'une des signatures est apocryphe).
Attribué au Musée du Louvre par l'Office des Biens privés, 1951.

MEYER DE HAAN Jacob
Amsterdam, 1852 - Amsterdam, 1895.

R.F. 1977-260

Nature morte aux carottes.
T H.0,60 ; L.0,73.
Acquis pour le Musée National d'Art Moderne, 1954.
Reversement du Musée National d'Art Moderne au Louvre, 1977.

MEYSSENS Jan

Voir BRUEGHEL J.I. (genre de)

MIEL Jan
Anvers, 1599 - Turin, 1663.

INV. 1447

Le Mendiant
Etain. H. 0,150 ; L.0,255.
Pendant de INV. 1448.
(Hoogewerff 13 : T. Helmbreker).
Saisie révolutionnaire de la coll. du baron de Breteuil.
Villot II 282 - Demonts 2019, p. 85.

INV. 1448

Le Barbier napolitain.
Etain. H.0,150 ; L.0,255.
Pendant de INV. 1447.
(Hoogewerff 14 : T. Helmbreker)
Saisie révolutionnaire de la coll. du baron de Breteuil.
Villot II 283 - Demonts 2020, p. 85.

INV. 1450

La Halte militaire, avec une diseuse de bonne aventure.
C. ovale. H.0,40 ; L.0,52.
Pendant de INV. 1451.
Coll. de Louis XV : acquis en 1742.
Villot II 285 - Cat. somm. 2022.

INV. 1451

La Dinée des voyageurs.
C. ovale. H.0,390 ; L.0,515.
Pendant de INV. 1450.
Coll. de Louis XV : acquis en 1742.
Villot II 286 - Cat. somm. 2023.

R.F. 1949-25

Les Joueurs de boules.
T. H.0,66 ; L.0,49.
S.D.b.g. : *Gio Mole fecit 1633.*
Pendant du *Savetier* (R.F. 1949-26, déposé au musée des Beaux-Arts de Besançon).
Acquis en 1949.
Rosenberg-Reynaud - Compin 579 (Jean-Baptiste Mole ?)

R.F. 2133

Elisabeth Stuart (1596-1662), reine de Bohême et femme de Frédéric V.
B. H.0,635 ; L.0,480.
Quoique d'atelier lui aussi, le tableau est d'une qualité supérieure au précédent.
Legs du baron Basile de Schlichting, 1914.
Demonts s.n., p. 168 (attr. à Miereveld).

MIEREVELD
Michiel Jansz. van
Delft, 1567 - id., 1641.

INV. 1574

Jan van Oldenbarneveld (1547-1619), Conseiller pensionnaire de Hollande et diplomate, à l'âge de 69 ans.
B. H.0,635 ; L.0,505.
D.mi-h.g. : *Aetatis 69. A° 1617.*
Ancienne collection.
Villot II 335 - Demonts 2465, p. 127 - Michel 2465, p. 214.

MIEREVELD
Michiel Jansz. van (atelier de)

M.I. 805

Frederic Henri de Nassau (1584-1647), prince d'Orange, Stadhouder des Pays-Bas.
T. sur B. H.0,46 ; L.0,36.
Donation Charles Sauvageot, 1856 (Cat. 1006 : Miereveld).

M.I. 806

Portrait de femme,
dit autrefois : Portrait d'Elisabeth Stuart (1596-1662), reine de Bohême.
B. H.0,645 ; L.0,485.
Donation Charles Sauvageot, 1856 (Cat. 1005 : Miereveld).

MIERIS Frans van, le Vieux
Leyde, 1635 - id., 1681.

INV. 1546

Portrait d'homme à la canne.
B. H.0,25 ; L.0,20.
S.b.g. sur la balustrade : *F. van Mieris.*
(Hofstede de Groot X 337).
Coll. de Louis XVI : acquis entre 1779 et 1785.
Villot II 322 - Cat. somm. 2469.

INV. 1547

Femme à sa toilette
B. H.0,27 ; L.0,22.
S.D.h.g. : *F. van Mieris fe A° 1678.*
(Hofstede de Groot X 82).
Coll. de Louis XVI : acquis en 1773.
Villot II 323 - Demonts 2470, p. 153.

MIERIS Willem van, fils du précédent.
Leyde, 1662 - id., 1747.

INV. 1548

Le Thé.
B. H.0,42 ; L.0,34.
(Hofstede de Groot X 107 : Frans van Mieris le Vieux).
Saisie révolutionnaire de la coll. Quentin Crawford.
Villot II 324 (Frans Mieris le Vieux) - *Demonts 2471, p. 159* (id.).

INV. 1550

Les Bulles de savon.
H. H.0,320 ; L.0,265 (autrefois H.0,310 ; L.0,245).
S.h.g. : *F. van Mieris* (signature apocryphe).
Pendant de INV. 1551.
(Hofstede de Groot X 335).
Coll. de Louis XV : acquis en 1742 ; volé en 1775 ; racheté par Louis XVI en 1786.
Villot II 326 (Willem Mieris) - *Demonts 2473, p. 134* (id.) - *Cat. Rés. 433* (Frans Mieris le Jeune).

INV. 1551

Le Marchand de gibier.
B. H.0,310 ; L.0,265.
S.h.d. : *W. van Mieris.*
Pendant de INV. 1550.
(Hofstede de Groot X 205).
Coll. de Louis XV : acquis en 1742 ; volé en 1775 ; racheté par Louis XVI en 1786.
Villot II 327 - Demonts 2474, p. 133.

INV. 1552

La Cuisinière.
B. H.0,47 ; L.0,37.
S.D.h.g. : *W. van Mieris fe. 1715.*
Pendant de la *Boutique d'épicier* (Hofstede de Groot X 193), du Mauritshuis, La Haye.
(Hofstede de Groot X 178).
Provient de la coll. du Stadhouder, La Haye, 1795.
Villot II 328 - Cat. somm. 2475.

MIGNON Abraham
Francfort/Main, 1637 - Utrecht, 1679.

INV. 1553

Le Nid de pinsons. Poissons, reptiles et écureuil mort au milieu de plantes et d'arbres.
T. H.0,82 ; L.1,00.
S.b.d. : *Ab. Mignon Fec.*
(Kraemer-Noble A 53).
Coll. de Louis XVI (entré après 1684).
Villot II 329 - Demonts 2724, p. 71.

INV. 1554

Fleurs, oiseaux, insectes et reptiles.
B. H.0,48 ; L.0,42.
S.b. au centre : *A. Mignon F.*
(Kraemer-Noble A 54).
Saisie révolutionnaire de la collection de Philippe d'Orléans au Palais-Royal ?
Villot II 330 - Cat. Somm. 2725.

INV. 1555

Fleurs dans une carafe de cristal, avec une branche de pois et un escargot.
B. H.0,48 ; L.0,42.
S.b.d. : *A. Mignon.*
(Kraemer - Noble A 55).
Saisie révolutionnaire de la coll. de Philippe d'Orléans au Palais-Royal ?
Villot II 331 - Cat. somm. 2726.

INV. 1556

Fleurs dans une carafe de cristal placée sur un piédestal en pierre, avec une libellule.
T. H.0,88 ; L.0,68.
S.b.g. : *A. Mignon Fe.*
(Kraemer-Noble A 56).
Coll. de Louis XIV : donné au roi par le marquis de Beringhem entre 1683 et 1696.
Villot II 332 - Cat. Somm. 2727.

INV. 1557

Fleurs, fruits, oiseaux et insectes dans un paysage avec ruines.
T. H.0,99 ; L.0,84.
S.b.m. au-dessous de l'escargot : *A. Mignon Fec.*
(Kraemer-Noble A 57).
Ancienne collection.
Villot II 333 - Demonts 2728, p. 66.

MILLET Francisque

Voir ÉCOLE FRANÇAISE.

MOL Pieter van
Anvers, 1599 - Paris, 1650.

INV. 1577

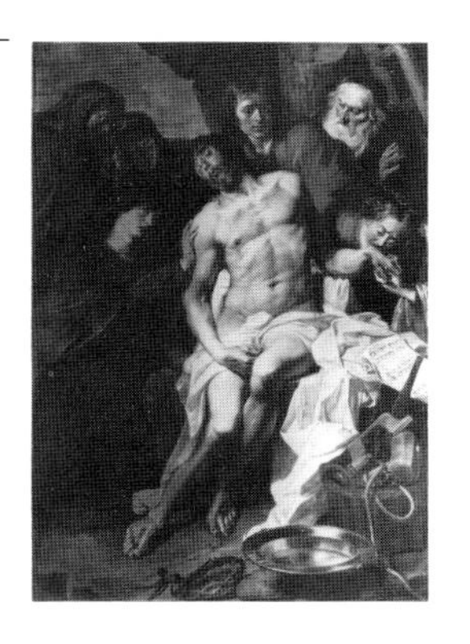

Le Christ déposé de la croix.
T. H.2,04 ; L.1,45.
S.b.d. : *Peeter van Mol inventor fecit.*
Sans doute peint à Paris où l'artiste se trouvait depuis 1631 au moins.
Provient de l'église du couvent des Petits-Pères, Paris.
Saisi à la Révolution.
Villot II 338 - Demonts 2054, p. 11.

M.I. 941

Jeune homme à la mitre.
B. H.0,555 ; L.0,465 (autrefois : H.0,480 ; L.0,415).
Legs du Dr Louis La Caze, 1869 (Cat. 80).
Demonts 2055, p. 89.

MOLENAER Jan Miense
Haarlem, 1609/10 - id., 1668.

M.N.R. 443

Scène pastorale (histoire de Granida et Daifilo ?).
Scène sans doute tirée de la pièce **de théâtre de P.C. Hooft,** *Granida*, 1615.
T. H.0,71 ; L.0,84.
S.D.b.d. : *IMR 1632* (lettres entrelacées).
Attribué au Musée du Louvre par l'Office des Biens privés, 1950.

M.N.R. 771

Le Jeu de colin-maillard.
B. H.0,78 ; L.0,69.
S.D.b.g. vers le m. : ... *[1] 647.*
Paysage peint par J. van Ruisdael ?
Attribué au Musée du Louvre par l'Office des Biens privés, 1951.

MOMMERS Hendrick
Haarlem ?, vers 1623 - Amsterdam, 1693.

INV. 2161

Vue de Paris avec le Louvre, prise du pont Henri IV.
T. H.0,98 ; L.1,45.
Acquis en 1843.
(Inventaire : éc. flamande, XVIIe s.).

MOMPER Joos de
Anvers, 1564 - id., 1635.

INV. 1096

Paysage montagneux avec deux coches et un cavalier.
T. H.1,35 ; L.1,55 (autrefois : H.1,13).
Coll. de Louis XIV ? (mentionné dans un inventaire de 1733).
Michel 4122, p. 219.

INV. 1097

Paysage traversé par une rivière, avec quatre mulets chargés et trois bohémiennes.
T. H.1,29 ; L.1,60.
Coll. de Louis XIV ? (mentionné dans un inventaire de 1733).
Michel 4123, p. 220.

INV. 1104

Paysage montagneux, avec un pont et quatre cavaliers.
T. H.1,35 ; L.1,56.
Coll. de Louis XIV ? (mentionné dans un inventaire de 1733).
Demonts 2206 B, p. 56 (fig. de F. Francken le jeune).
Michel 2206 B, p. 221.

INV. 1116

Ermitage de moines dans les rochers.
B. H.0,46 ; L.0,75.
Coll. de Louis XIV (entré avant 1683).
Michel 4121, p. 218.

M.N.R. 418

Paysage montagneux, avec famille de paysans se reposant au bord d'un chemin.
B. H.0,585 ; L.1,055.
Figures de l'atelier de Brueghel de Velours (Jan Brueghel II ?).
Attribué au Musée du Louvre par l'Office des Biens privés, 1950.

MONI Louis de
Breda, 1698 - Leyde, 1771.

INV. 1580

Scène familière. Couple et enfant apparaissant à une fenêtre.
B. H.0,33 ; L.0,27.
S.b.d. : *L. de Moni inv.*
Saisie révolutionnaire de la coll. du comte de Pestre-Senef.
Villot II 340 - Cat. somm. 2476.

MONOGRAMMISTE DE BRUNSWICK
(sans doute Jan van Amstel et non Jan van Hemessen).
Actif à Anvers. Première moitié du XVIe siècle.

INV. 1980

Le Sacrifice d'Abraham.
B. H.0,40 ; L.0,32.
(Friedländer XII 226. Schubert 7).
Coll. de Louis XIV (entré avant 1683).
Villot II 598 (éc. allemande XVIe s.) - *Cat. somm. 2300* (attr. à Aertgen van Leyden) - *Demonts 2300, p. 62* (Monogrammiste de Brunswick) - *Michel 2300, p. 134* (Jan van Hemessen).

R.F. 773

Montée au calvaire.
B. H.0,70 ; L.0,84.
(Friedländer XII 230. Schubert 17).
Acquis en 1893.
Cat. somm. 2299 (attr. à Aertgen van Leyden) - *Demonts 2299, p. 65* (Monogrammiste de Brunswick). *Michel 2299, p. 137* (Jan van Hemessen).

MOOR Karel de
Leyde, 1656 - id., 1738.

INV. 1581

Mercure et l'Abondance ou **Portrait d'un marchand déguisé en Mercure et de sa famille.**
T. H.0,60 ; L.0,77.
S.mi-h.g. : *C.D. Moor.*
Provient de la coll. du Stadhouder à La Haye, 1795.
Villot II 341 - Cat. somm. 2477.

MOR Anthonis van Dashorst, dit aussi Antonio MORO
Utrecht, 1519 - Anvers, 1575.

INV. 1582

Portrait d'homme désignant une pendule.
B. H.1,00 ; L.0,80.
S.D.h.g. : *Ant. mor. pingebat 1565.*
(Friedländer XIII 369. Marlier, 1934, 29).
Provient d'Allemagne, 1806 ?
Villot II 342 - Demonts 2478, p. 65 - Michel 2478, p. 224.

INV. 1583

Le Nain du cardinal de Granvelle (Antoine Perrenot de Granvelle, 1517-1586, ministre de Charles-Quint).
B. H.1,26 ; L.0,92.
(Friedländer XIII 377. Marlier, 1934, 24).
Coll. de Louis XIV (entré avant 1683).
Villot II 343 - Demonts 2479, p. 65 - Michel 2479, p. 222.

MOR Anthonis (d'après)

INV. 1721

Elisabeth de Valois (1545-1568), femme de Philippe II, roi d'Espagne.
B. H.0,45 ; L.0,34.
Copie partielle d'un original (Friedländer XIII 397. Marlier 52) conservé autrefois dans la coll. Philips à Eindhoven.
Ancienne collection.
(Inventaire : Ecole de Frans Pourbus le Jeune).

MOREELSE Paulus
Utrecht, 1571 - id., 1638.

R.F. 1959-29

Portrait d'homme âgé de 45 ans.
B. H.1,03 ; L.0,81.
S.D.mi-h.d. sur la base de la colonne : *Aeta. 45. An° 1612 P. Moreelse fe.*
Acquis en 1959.
Cat. Rés. 226.

MOTTE Emile
Mons, 1860 - Schaerbeek/ Bruxelles, 1931.

R.F. 1979-38.

« Etude autopsychique. » Portrait de l'artiste.
T. H.0,94 ; L.0,565.
D.b.d. : *A° 1895.*
Acquis pour le Musée du Luxembourg à l'Exposition de la Société Nationale des Beaux-Arts, 1896.
Reversement du Musée National d'Art Moderne au Louvre, 1979.
Bénédite 123.

MOSTAERT Gillis
Hulst, près d'Anvers, 1534 - Anvers, après 1598.

M.N.R. 545

Scène de guerre et d'incendie.
B. H.0,42 ; L.0,69.
S.D.b.d. (sur une écuelle) : *Gm. 1569.*
Attribué au Musée du Louvre par l'Office des Biens privés, 1950.
Cat. Rés. 127.

MOUCHERON Frederick de
Emden, 1633 - Amsterdam, 1686.

INV. 1586

Le Départ pour la chasse.
T. H.0,79 ; L.0,655.
Figures et animaux d'Adriaen van de Velde.
Coll. de Louis XVI : acquis en 1785.
Villot II 344 - Demonts 2482, p. 112.

MOSTAERT Gillis (atelier de)

M.N.R. 399

La Charette de foin. Allégorie de la vanité du monde.
B. H.1,04 ; L.1,39.
Attribué au Musée du Louvre par l'Office des Biens privés, 1950.

MOUCHERON Frederick de (attribué à)

R.F. 1970-48

Bestiaux dans un paysage italianisant avec fontaine.
B. H.0,20 ; L.0,26.
Les animaux sont dans le genre d'Adriaen van de Velde.
Legs de Mlle Macquart-Barbier, 1970.
(Inventaire : attr. à Adriaen van de Velde).

MOSTAERT Jan (atelier de)
Haarlem, vers 1475 - id., 1555/56.

M.I. 802

Jan van Wassenaer (1483-1523), vicomte de Leyde, gouverneur de Frise.
B. H.0,47 ; L.0,33.
(Friedländer X 29).
Donation Charles Sauvageot, 1856 (Cat. 1007 : Martin Cranach).
Demonts 2481 B, p. 62 (Jan Mostaert) - *Michel 2481 B, p. 226* (réplique d'atelier).

NAUWINCX Herman
?, 1624 - ?, après 1651.

R.F. 2855

Le Baptême de l'eunuque éthiopien par le diacre Philippe.
B. H.0,74 ; L.0,76.
S.b.g. : *H. Nauwjncx Me F.*
Coll. du comte de l'Espine, donné par sa fille, la princesse Louis de Croÿ, 1930.

NAVEZ François-Joseph
Charleroi, 1787 - Bruxelles, 1869.

R.F. 3939

Portrait d'un jeune garçon songeur.
T. H.0,445 ; L.0,563.
S.D.b.d. : *F.J. Navez 1831.*
Don de la comtesse Philippe de Vilmorin, 1935.

INV. 20372

Cortège d'un baptême dans une église.
B. H.0,335 ; L.0,480.
S.b.d. : *Nefs.*
Legs de Mme Adolphe Thiers, 1881 (Cat. 264).
Demonts s.n., p. 177.

R.F. 1975-16

Portrait d'homme écrivant une lettre.
T. H.0,81 ; L.0,63.
Legs de Mlle Lequime, 1975.

NEEFS Pieter I (atelier ou école de)

INV. 1598

Effet de nuit dans un bas-côté d'église.
T. H.0,33 ; L.0,26.
S.mi-h.g. : *Peeter Neeffs* (apocryphe).
Figure (homme à genoux disant le chapelet) de David Teniers I.
Ouvrage d'un des deux fils de Pieter Neefs I, soit Pieter II, soit Lodewyck (Anvers, 1617 - ?), travaillant dans l'atelier du père ou l'imitant après sa mort.
(Jantzen 241 : Lodewyck Neefs).
Saisie révolutionnaire de la coll. du baron de Breteuil.
Villot II 352 (Pieter Neefs le Vieux) - *Demonts 2063, p. 80 (id.).*

NEEFS Pieter I, le Vieux
Anvers, vers 1578 - id., 1657/1661.

INV. 1591

Saint Pierre délivré de prison.
B. H.0,485 ; L.0,645.
S.mi-h.d. : *Peeter Neefs.*
(Jantzen 289).
Coll. de Louis XIV (entré avant 1683).
Villot II 345 - Cat. somm. 2056.

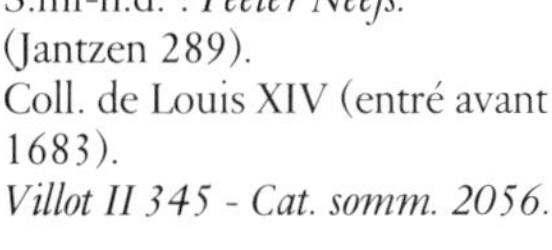

INV. 1594

Vue intérieure d'église, inspirée par la cathédrale d'Anvers.
B. H.0,89 ; L.1,12.
S.D.b.m. : *P. Neefts* et daté sur un pilier à gauche : *1644.*
(Jantzen 292).
Ancienne collection.
Villot II 348 - Cat. somm. 2059.

INV. 1595

Intérieur d'église : Groupe de personnages conversant à l'entrée d'une nef.
B. H.0,245 ; L.0,350.
S.b.d. : *Peeter Neefts.*
(Jantzen 290).
Provient de la coll. du Stadhouder à La Haye, 1795.
Villot II 349 - Cat. somm. 2060.

NEEFS Pieter II le Jeune, fils de Pieter I.
Anvers, 1620 - id., après 1675.

INV. 1596

Intérieur d'église. Effet de jour.
C. ovale. H.0,067 ; L.0,091.
S.mi-h.d. sur un pilier : *P.N.*
Pendant du INV. 1597.
(Jantzen 22 : Hans van Baden ?).
Saisie révolutionnaire de la coll. Clermont d'Amboise.
Villot II 350 (Peeter Neefs le Vieux) - *Cat. somm. 2061* (id.).

INV. 1597

Intérieur d'église. Effet de nuit.
C. ovale : H.0,065 ; L.0,090.
S.mi-h.g. : *P.N.*
Pendant du INV. 1596.
(Jantzen 23 : Hans van Baden ?).
Saisie révolutionnaire de la coll. Clermont d'Amboise.
Villot II 351 (Peeter Neefs le Vieux) - *Cat. somm. 2062* (id.).

NEER Aert van der
Amsterdam, 1603/04 - id., 1677.

INV. 1600

Bord d'un canal en Hollande.
B. H.0,49 ; L.0,81.
S.d.b. : *AV . DN* (deux monogrammes).
(Hofstede de Groot VII 64).
Les animaux ont été parfois attribués à Albert Cuyp, mais sans doute à tort.
Saisie révolutionnaire de la coll. du comte de Pestre-Senef.
Villot II 354 - Demonts 2483, p. 123 - Cat. Rés. 435 (animaux par A. Cuyp).

INV. 1601

Village traversé par une route.
T. H.0,69 ; L.0,61.
S. au pied d'un arbre à droite : *AV . DN* (deux monogrammes).
(Hofstede de Groot VII 250).
Acquis en 1853.
Villot II 355 - Demonts 2484, p. 19.

NEER Eglon Hendrick van der, fils du précédent.
Amsterdam, 1634 - Düsseldorf, 1703.

INV. 1602

Paysage rocheux, avec des paysans se rendant vers un château.
T. H.0,34 ; L.0,40.
S.D.b.g. : *Eglon van der Neer 1680.*
(Hofstede de Groot V 176).
Coll. de la Couronne.
Villot II 356.

INV. 1603

La Marchande de poissons.
B. H.0,215 ; L.0,165 (surface peinte originale : H.0,195 ; L.0,15).
S.b.g. : *Eglon Hendrick neer* (très effacé).
(Hofstede de Groot V 35).
Saisie révolutionnaire de la coll. du duc de Brissac.
Villot II 357 - Demonts 2485, p. 142.

NETSCHER Caspar
Heidelberg, 1639 - La Haye, 1684.

INV. 1604

La Leçon de chant.
B. H.0,48 ; L.0,38 (surface peinte originale : H.0,41 ; L.0,38).
S. au bas du papier tenu par la femme assise (illisible).
Pendant du INV. 1605.
(Hofstede de Groot V 118).
Coll. de Louis XV : acquis en 1741.
Villot II 358 - Demonts 2486, p. 135.

INV. 1605

La Leçon de basse de viole.
B. cintré. H.0,450 ; L.0,355.
S. sur la partition que tient le maître de musique : *C. Netscher f.* (les deux premières lettres entrelacées).
Pendant du INV. 1604.
(Hofstede de Groot V 119).
Coll. de Louis XV : acquis en 1741.
Villot II 359 - Demonts 2487, p. 133.

M.N.R. 696

Nicolaes Hartsoeker (1656-1725), physicien, désignant un bâteau dans la tempête.
T. H.0,49 ; L.0,40.
S.D.mi-h.d. : *G. Netscher 1682.*
(Hofstede de Groot V 204 : cette mention peut s'appliquer soit au tableau du Louvre, soit à un exemplaire identique conservé dans une coll. privée à Vienne (Autriche) qui semble n'être toutefois qu'une réplique d'atelier).
Attribué au Musée du Louvre par l'Office des Biens privés, 1951.

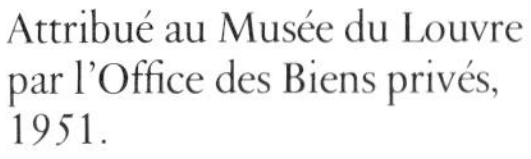

NETSCHER Constantijn, fils du précédent.
La Haye, 1668 - id., 1723.

INV. 1608

Vénus pleurant Adonis transformé en anémone.
T. H.0,41 ; L.0,33.
Coll. de Louis XVI : acquis en 1784.
Villot II 360 - Demonts 2488, p. 159.

NEYN Pieter de
Leyde, 1597 - id., 1639.

R.F. 1167

Bac traversant un cours d'eau.
B. H.0,315 ; L.0,595.
Don François Kleinberger, 1899.
Cat. somm. 2327 A (P. de Bloot) - *Demonts 2327 B* (attr. à P. de Bloot).

NICASIUS

Voir BERNAERTS.

NICKELE Isaack van
Actif à Haarlem, vers 1660 - Haarlem, 1703.

INV. 1668

Vestibule d'un palais.
T. H.0,65 ; L.0,60.
S.b.g. : *Isack van Nickelle.*
(Jantzen 387).
Acquis en 1840.
Villot II 363 - Demonts 2490, p. 128.

NOOMS Reinier, dit ZEEMAN
Amsterdam, 1623 - id., 1667/68.

INV. 1977

Vue de l'ancien Louvre et du Petit-Bourbon, prise de la Seine.
T. H.0,45 ; L.0,77.
S.D.b. au milieu sur une planche : *R. Zeeman 165...*
Acquis en 1846.
Villot II 586 - Demonts 2491, p. 111.

R.F. 3727

Marine. Barque accostant un gros voilier.
C. H.0,19 ; L.0,24.
S.b.d. sur la barque : *R. Zeeman.*
Coll. du comte de l'Espine ; donné par sa fille, la princesse Louis de Croÿ, sous réserve d'usufruit, 1930 ; entré au Louvre en 1932.

R.F. 1939-18

Vue de la Seine avec la façade sud de la grande galerie du Louvre.
T. H.0,26 ; L.0,41.
S.D.b.g. : *R. Zeeman A° 1660.*
Legs de Madame Adolphe Schloss, 1940.

NOORDT Jan van
Actif à Amsterdam entre 1644 et 1676.

R.F. 1973-3

Junon confiant Io à Argus.
T. H.1,33 ; L.1,08.
Don Adolphe Stein, 1973.

NIJMEGEN Elias van
Nijmegen, 1667 - Rotterdam, 1755.

M.I. 1018

Panneau décoratif avec guirlande de fleurs tombant d'un vase et tenue par deux amours.
T. H.0,90 ; L.1,40.
S.D.b.g. : *E.V. Nÿmegen 1716* (les 3 premières lettres entrelacées).
Legs du Dr Louis La Caze, 1869 (Cat. 157 : éc. flamande ou hollandaise, XVIIe s.).
Cat. somm. 2210 (inconnu de l'école flamande, XVIIe siècle) - *Demonts 2210, p. 106.*

OCKERS Adriaen Jansz.
(attribué à)
Amsterdam, 1621/22 - id. ?, 1689.

M.N.R. 747

Paysage avec cascade.
T. H.0,59 ; L.0,73.
Attribué au Musée du Louvre par l'Office des Biens privés, 1951.

OMMEGANCK Balthazar-Paul
Anvers, 1755 - id., 1826.

INV. 1670

Troupeaux dans une prairie près d'une rivière.
T. H.1,00 ; L.1,24.
S.D.b.g. : *B.P. Ommeganck f 1781.*
Provient de la coll. du Stadhouder à La Haye, 1795.
Villot II 364 - Cat. somm. 2065.

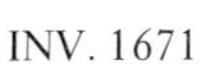

INV. 1671

Paysage avec chèvres et moutons.
B. H.0,680 ; L.0,935.
S.D.b.g. : *B.P. Ommeganck ft l'an 10* [1801-1802].
Acquis avant 1810.
Villot II 365 - Cat. somm. 2066.

OOST Jacob I van, le Vieux (attribué à)
Bruges, 1601 - id., 1671.

INV. 1930 bis

Portrait de jeune homme.
T. H.0,80 ; L.0,62.
Provient de Rome, 1803.
Suppl. Tauzia 696 (Hendrick van Vliet) - *Demonts 2605, p. 143* (id.). *Cat. Rés. 259* (Flamand travaillant à Rome au XVIIe s.).

OOST Jacob II van, le Jeune, fils du précédent.
Bruges, 1637 - id., 1713.

INV. 1672

Saint Macaire de Gand secourant les pestiférés, dit autrefois : Saint Charles Borromée.
T. H.3,50 ; L.2,57.
S.D.b.d. : ... *OS ... 673.*
Saisie révolutionnaire de la coll. du prince de Conti.
Villot II 366 (J.V. Oost le Vieux) - *Demonts 2067, p. 99* (id.).

OOSTSANEN Jacob van

Voir JACOB CORNELISZ.

ORLEY Barend van
Bruxelles, vers 1488 - id., 1541.

R.F. 1473

La Sainte famille.
B. H.1,07 ; L.0,89.
S.D.b.d. : *Bern. Orleyn Pingebat. Anno Verbi 1521.*
(Friedländer VIII 139).
Acquis en 1902.
Demonts 2067 A, p. 59 - Michel 2067 A, p. 230.

R.F. 1976-11

Voir Annexe II (dons sous réserve d'usufruit).

ORLEY Barend van (d'après)

INV. 2031

Charles Quint jeune (1500-1558).
B. H.0,375 ; L.0,270.
Copie d'un portrait aujourd'hui disparu, peut-être peint en 1515.
(Friedländer VIII 142 A).
Acquis en 1828.
Demonts 2205 B, p. 58 (éc. flamande, 1re moitié du XVIe s.) - *Michel 2205 B, p. 233.*

R.F. 2120

Charles Quint jeune (1500-1558).
B. H.0,365 ; L.0,265.
Copie d'un portrait aujourd'hui disparu, peut-être peint en 1515.
(Friedländer VIII 142 C).
Legs du baron Basile de Schlichting, 1914.
Demonts s.n., p. 163 (éc. flamande, 1re moitié du XVIe s.) - *Michel 4125, p. 235.*

OS Jan van
Middelharnis, 1744 - La Haye, 1808.

INV. 1676

Fleurs dans un vase et nid d'oiseau.
B. H.0,84 ; L.0,64.
S.b.g. au-dessous du nid : *J. Van Os Fecit.*
Pendant du INV. 1677 (dépôt du Louvre au musée de Roanne).
Provient de la coll. du Stadhouder à La Haye, 1795.
Suppl. Tauzia 685 - Demonts 2493, p. 158.

INV. 1678

Fleurs et fruits sur une corniche de pierre.
B. H.0,720 ; L.0,565.
S.D.b. au milieu : *J. van Os fecit 1771.*
Provient de la coll. du Stadhouder à La Haye, 1795.
Villot II 368 - Cat. somm. 2492.

R.F. 3707

Marine.
B. H.0,52 ; L.0,73.
S. sur le drapeau : *I Van Os.*
Coll. du comte de l'Espine ; donné par sa fille, la princesse Louis de Croÿ sous réserve d'usufruit, 1930 ; entré au Louvre en 1932.

OSTADE Adriaen van, frère d'Isaack.
Haarlem, 1610 - id., 1685.

INV. 1679

Portrait de famille, dit autrefois : La famille du peintre.
B. H.0,70 ; L.0,88.
S.D.b.d. près du bouquet : *Ostade 1654* (signature retouchée ?).
(Hofstede de Groot III 879. Van Hall 9 p. 239).
Coll. de Louis XVI : acquis en 1785.
Villot II 369 - Demonts 2495, p. 138.

INV. 1680

Le Maître d'école.
B. H.0,400 ; L.0,325.
S.D. sur le bureau du maître : *A.v. Ostade 1662* (difficilement lisible).
(Hofstede de Groot III 383).
Coll. de Louis XVI : acquis en 1784.
Villot II 370 - Demonts 2496, p. 119.

INV. 1681

Le Marché aux poissons.
T. H.0,415 ; L.0,365.
S.D.b. vers le centre : *A.v. Ostade 165(9 ?).*
(Hofstede de Groot III 115).
Acquis en 1801.
Villot II 371 - Demonts 2497, p. 111.

INV. 1682

Intérieur de chaumière avec famille près de l'âtre.
B. H.0,345 ; L.0,440.
S.D.b.d. : *A. v. Ostade 1642* (les deux premières lettres entrelacées).
(Hofstede de Groot III 468).
Coll. de Louis XVI : acquis en 1784.
Villot II 372 - Demonts 2498, p. 156.

INV. 1683

Un Homme d'affaires dans son cabinet.
B. H.0,335 ; L.0,280.
(Hofstede de Groot III 71).
Coll. de la Couronne.
Villot II 373 - Demonts 2499, p. 111.

INV. 1684

Le Fumeur dans une taverne.
B. H.0,28 ; L.0,23.
S.D.b.d. : *A.v. Ostade 1645* (date difficilement lisible).
(Hofstede de Groot III 197).
Saisie révolutionnaire de la coll. du comte de Pestre-Senef.
Villot II 374 - Demonts 2500, p. 137.

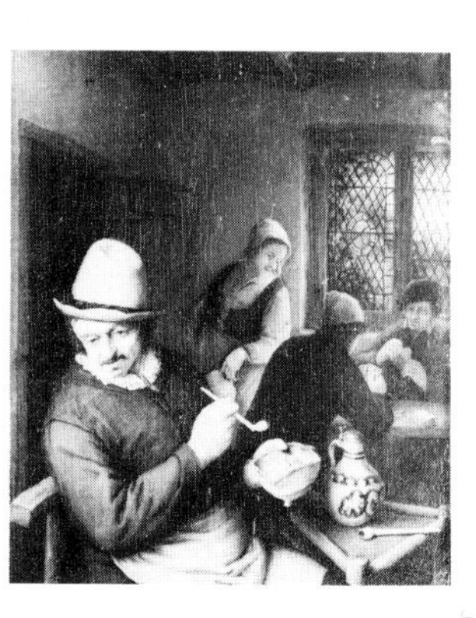

INV. 1685

Le Buveur.
B. H.0,182 ; L.0,144.
S.D.b.d. : *A.v. Ostade 166* [*8* ?].
(Hofstede de Groot III 145).
Saisie révolutionnaire de la coll. du duc de Cossé-Brissac.
Villot II 375 - Demonts 2501, p. 141.

M.I. 943

Le Buveur à la fenêtre.
B. H.0,275 ; L.0,220.
S.b.g. : *Av Ostade* (les deux premières lettres entrelacées).
(Hofstede de Groot III 41).
Pendant du M.I. 944.
Legs du Dr. Louis La Caze, 1869 (Cat. 82).
Demonts 2502, p. 104.

M.I. 944

Le Liseur à la fenêtre.
B. H.0,27 ; L.0,22.
S. au bas du papier : *Av. ostade* (les deux premières lettres entrelacées).
(Hofstede de Groot III 42).
Pendant du M.I. 943.
Legs du Dr. Louis La Caze, 1869 (Cat. 83).
Demonts 2503, p. 105.

M.I. 945

La Lecture.
B. H.0,185 ; L. 0,157.
S.D.h.d. : *A.v. ... de 65* (date peu lisible).
(Hofstede de Groot III 85).
Legs du Dr Louis La Caze, 1869 (Cat. 84).
Demonts 2504, p. 103.

M.I. 946

La Lecture de la gazette.
B. H.0,234 ; L.0,202.
S.D.b.d. : *AV. Ostade* [*16*] *53*.
(Hofstede de Groot III 232).
Legs du Dr Louis La Caze, 1869 (Cat. 85).
Demonts 2505, p. 103.

M.I. 947

Intérieur de cabaret.
B. H.0,21 ; L.0,29.
S.D.b.d. sur le banc renversé : *A.v. Ostade 163(6 ?)*, (plutôt que 1631, 1641, 1645, dates précédemment lues).
(Hofstede de Groot III 570).
Legs du Dr Louis La Caze, 1869 (Cat. 86).
Demonts 2506, p. 108.

M.I. 948

Intérieur d'école.
B. H.0,197 ; L.0,203.
S.D.b. au milieu : *A.v. Ostade 1641* (difficilement lisible).
(Hofstede de Groot III 384).
Legs du Dr Louis La Caze, 1869 (Cat. 87).
Demonts 2507, p. 109.

M.I. 949

Scène d'intérieur avec joueur de cornemuse.
B. H.0,246 ; L.0,193.
(Hofstede de Groot III 354).
Legs du Dr Louis La Caze, 1869 (Cat. 88 : Isaack van Ostade).
Cat. somm. 2512 (Is. van Ostade) - *Demonts 2512, p. 101.*

M.I. 951

Scène d'intérieur avec couple âgé.
B. ovale. H.0,105 ; L.0,145.
(Hofstede de Groot III 292).
Legs du Dr Louis La Caze, 1869 (Cat. 90 : Isaack van Ostade).
Cat. somm. 2514 (Is. van Ostade) - *Demonts 2514, p. 109.*

R.F. 1518

Ermite lisant.
B. H.0,59 ; L.0,46.
S.D.b.d. : *RHL 1630* (apocryphe).
Œuvre de jeunesse de l'artiste peinte dans l'imitation de Rembrandt, vers 1630-35.
(Hofstede de Groot VI 192 : Rembrandt. Bredius 605 : id. Bauch 126 : id. Bredius-Gerson 605 : A. van Ostade. Lecaldano 51 : Rembrandt douteux).
Don Albert Kaempfen, 1904.
Demonts 2541, p. 122 (Rembrandt).

M.N.R. 989

L'Abattage du porc.
B. H.0,210 ; L.0,185.
S.b.m. : *A.v. Ostade.*
Attribué au Musée du Louvre par l'Office des Biens privés, 1967.

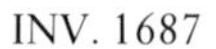

OSTADE Isaack van, frère du précédent.
Haarlem, 1621 - id., 1649.

INV. 1686

Halte de voyageurs et cavaliers dans un village.
B. H.0,58 ; L.0,84.
S.b.g. sur l'abreuvoir : *Isack van Ostade.*
(Hofstede de Groot III 27).
Saisie révolutionnaire de la coll. du comte d'Artois.
Villot II 376 - Demonts 2508, p. 119.

INV. 1687

Carriole en arrêt devant une taverne.
B. H.0,554 ; L.0,455.
(Hofstede de Groot III 28).
Saisie révolutionnaire de la coll. du baron de Breteuil.
Villot II 377 - Demonts 2509, p. 144.

INV. 1688

Canal gelé avec couple patinant.
T. H.1,010 ; L.1,495.
S.b.d. sur la barque : *Isack Ostade* (peu lisible).
(Hofstede de Groot III 258).
Coll. de Louis XVI : acquis en 1784.
Villot II 378 - Demonts 2510, p. 150.

INV. 1689

Canal gelé avec carriole descendant un chemin.
T. H.1,080 ; L.1,545.
S. au milieu sur le traineau : *Isack. van. Ostade.*
(Hofstede de Groot III 259).
Acquis en 1817.
Villot II 379 - Demonts 2511, p. 154.

M.I. 950

Le Toit à porcs.
B. H.0,390 ; L.0,345.
S.b.m.d. : *Isack Ostad[e].*
(Hofstede de Groot III 308).
Legs du Dr Louis La Caze, 1869 (Cat. 89).
Demonts 2513, p. 108.

M.I. 952

Paysage d'hiver avec couple conversant.
B. H.0,506 ; L.0,413.
S.D.b.d. : *Isack van Ostade, 1644.*
(Hofstede de Groot III 260).
Legs du Dr Louis La Caze, 1869 (Cat. 91).
Demonts 2515, p. 101.

OSTADE Isaack van (d'après)

M.N.R. 512

Paysage d'hiver avec passerelle à l'arrière-plan.
B. H.0,46 ; L.0,63.
Attribué au Musée du Louvre par l'Office des Biens privés, 1950.

PALAMEDESZ. Anthonie
Delft, 1601 - Amsterdam, 1673.
INV. 1868
Voir STEENWYCK.

R.F. 914
Portrait d'un homme âgé de trente-et-un ans.
T. H.0,84 ; L.0,70.
S.D.b.d. : *Aet. 31 A° 1655. A. Palamedes pinxit* (A et P entrelacés).
Don Charles Sedelmeyer, 1895.
Demonts 2515 A, p. 132.

R.F. 2875
Le Goût : femme allaitant un enfant.
B. H.0,355 ; L.0,270.
S.b.d. : *A. Palamedes.*
Fait partie d'une série de cinq tableaux représentant les Cinq sens. Cf. R.F. 2876 à 2879.
Coll. du comte de l'Espine ; donné par sa fille, la princesse Louis de Croÿ, 1930.

R.F. 2876
L'Ouïe : homme jouant de la guitare.
B. H.0,350 ; L.0,265.
S.b.g. : *A. Palamedes.*
Fait partie d'une série de cinq tableaux représentant les Cinq sens. Cf. R.F. 2875 et R.F. 2877 à 2879.
Coll. du comte de l'Espine ; donné par sa fille la princesse Louis de Croÿ, 1930.

R.F. 2877
Le Toucher : paysan tenant une poule.
B. H.0,355 ; L.0,265.
S.b.d. : *A. Palamedes.*
Fait partie d'une série de cinq tableaux représentant les Cinq sens. Cf. R.F. 2875, 2876, 2878 et 2879.
Coll. du comte de l'Espine ; donné par sa fille, la princesse Louis de Croÿ, 1930.

R.F. 2878
La Vue : femme au miroir.
B. H.0,350 ; L.0,265.
S.b.d. : *A. Palamedes.*
Fait partie d'une série de cinq tableaux représentant les Cinq sens. Cf. R.F. 2875 à 2877 et R.F. 2879.
Coll. du comte de l'Espine, donné par sa fille, la princesse Louis de Croÿ, 1930.

R.F. 2879
L'Odorat : homme fumant la pipe.
B. H.0,350 ; L.0,265.
S.b.g. : *A. Palamedes.*
Fait partie d'une série de cinq tableaux représentant les Cinq sens. Cf. R.F. 2875 à 2878.
Coll. du comte de l'Espine ; donné par sa fille, la princesse Louis de Croÿ, 1930.

M.N.R. 695
Voir DELEN.

PATENIER Joachim
Dinant, vers 1480 - Anvers, 1524.

R.F. 2429
Saint Jérôme dans le désert.
B. H.0,78 ; L.1,37.
(Friedländer IX 245. Koch 10).
Don Sir Joseph Duveen, 1923.
Michel 4126, p. 237.

PETIT ou **LE PETIT** Alexander
Peintre mentionné à La Haye depuis 1645 -
La Haye ?, 1659 ou 1660.

INV. 1384
Le Retour des champs.
B. H.0,080 ; L.0,117.
S.b.g. : *A. Petit.*
(Hofstede de Groot X 19 : Jan van Huysum).
Ancienne collection.
Villot II 234 (Huysum) - *Cat. somm. 2419* (id.).

PICKENOY
Voir ELIAS.

PIETERSZ. Pieter
Anvers, vers 1543 - Amsterdam, 1603.

M.N.R. 447

Portrait présumé de Claes Jobsz. Coster (1581-1605), fils du marchand d'Amsterdam Job Cornelisz. Coster, dit autrefois : Portrait de Willem Roels.
B. H.0,815 ; L.0,650.
D.mi-h.g. : *An° 1599. Aet. 17.*
Attribué au Musée du Louvre par l'Office des Biens privés, 1950.

POEL Egbert van der
Delft, 1621 - Rotterdam, 1664.

INV. 1692

Une maison rustique.
B. ovale H.0,60 ; L.0,83.
S.b.g. : *E. van der Poel.*
Saisie révolutionnaire de la coll. de la duchesse de Choiseul.
Villot II 381 - Demonts 2516, p. 131.

M.I. 953

Paysan donnant à manger à des poules.
B. H.0,29 ; L.0,37.
S.b.g. : *E. van der Poel.*
Legs du Dr Louis La Caze, 1869 (Cat. 92).
Demonts 2517, p. 103.

R.F. 1509

Intérieur de grange.
B. H.0,71 ; L.0,59.
Acquis en 1904.
Cat. Rés. 476 (Sorgh : données confondues avec celles de Sorgh, INV. 1754, alors que c'était le R.F. 1509 qui était exposé).
(Inventaire : Sorgh).

R.F. 2884

Incendie dans un village.
B. H.0,38 ; L.0,32.
S.b.g. : *Evander...* [Poel].
Coll. du comte de l'Espine ; donné par sa fille, la princesse Louis de Croÿ, 1930.

M.N.R. 702

Cour de ferme avec une chèvre.
B. H.0,40 ; L.0,34.
S.D.b.g. : *E. van der Poel 1645.*
Attribué au Musée du Louvre par l'Office des Biens privés, 1951.

M.N.R. 733

Incendie d'une maison.
B. H.0,430 ; L.0,345.
S.b.d. : *E. van der Poel.*
Attribué au Musée du Louvre par l'Office des Biens privés, 1951.

POELENBURGH Cornelis van
Utrecht, vers 1586 - id., 1667.

INV. 1082

La Lapidation de saint Etienne.
C. H.0,40 ; L.0,53.
Coll. de Louis XIV : donné au roi par Le Nôtre en 1693 comme Pœlenburgh.
Villot II 51 (B. Breenbergh).

INV. 1083

Vue de fantaisie du Campo Vaccino à Rome avec deux ânes.
B. H.0,540 ; L.0,745.
D.b.g. sur la fontaine : *MDCXX.*
Coll. de Louis XIV (entré après 1683 comme Pœlenburgh).
Villot II 52 (B. Breenbergh).

INV. 1084

Vue de fantaisie du Campo Vaccino à Rome avec un âne.
C. H.0,400 ; L.0,545.
D.b.g. sur la fontaine : *MDCXX.*
Pendant du INV. 1086.
Saisie révolutionnaire de la coll. de la duchesse de Noailles.
Villot II 53 (B. Breenbergh) - *Demonts 2334, p. 160* (id.).

INV. 1086

Ruines de l'ancienne Rome avec un bas-relief représentant le sacrifice de Marc-Aurèle.
C. H.0,44 ; L.0,57.
Pendant du INV. 1084.
Saisie révolutionnaire de la coll. de la duchesse de Noailles.
Villot II 55 (B. Breenbergh) - *Demonts 2335, p. 159* (id.).
Cat. Rés. 448 (Pœlenburgh).

INV. 1693

Sarah engage Abraham à prendre Agar pour femme.
C. H.0,115 ; L.0,085.
S.b.d. : *CP.*
Ancienne collection.
Villot II 382 - Cat. somm. 2518.

INV. 1695
Pâtres et bestiaux.
C. H.0,165 ; L.0,210.
S.b.g. : *C.P.*
Saisie révolutionnaire de la coll. du duc de Brissac.
Villot II 384 - Demonts 2519, p. 129.

INV. 1696

Baigneuses près de ruines antiques.
B. H.0,165 ; L.0,220.
S.b.g. : *CP* (peu lisible).
Saisie révolutionnaire de la coll. du prince de Montmorency-Luxembourg.
Villot II 385 - Demonts 2520, p. 130.

INV. 1697

Paysage aux cinq baigneuses.
C. H.0,16 ; L.0,25.
S.b.g. vers le m. : *C.P.*
Saisie révolutionnaire de la coll. du duc de Brissac.
Villot II 386 - Demonts 2521, p. 130.

INV. 1698

Ruines du palais des empereurs et temple de Minerva Medica à Rome.
B. H.0,17 ; L.0,26.
S.b.d. vers le m. : *C.P.*
Saisie révolutionnaire de la coll. du prince de Montmorency-Luxembourg.
Villot II 387 - Demonts 2522, p. 129.

INV. 1700

Nymphes et satyre à l'entrée d'une caverne.
B. Diam.0,27.
Acquis en 1823.
Villot II 389 - Cat. somm. 2524.

R.F. 1943-9

L'Adoration des bergers.
B. H.0,34 ; L.0,53.
Legs de Mme Cassagnade, 1943.
Cat. Rés. 449.

M.N.R. 506

Orphée jouant du violon à l'entrée des Enfers.
B. H.0,385 ; L.0,475.
Attribué au Musée du Louvre par l'Office des Biens privés, 1950.
Cat. Rés. 455.

POLIDORO

Voir GLAUBER.

POST Frans
Leyde, vers 1612 - Haarlem, 1680.

INV. 1722.

Le Village de Serinhaem au Brésil.
T. H.1,12 ; L.1,45.
S.b. au milieu : *F. Post* (apocryphe).
(Sousa Leâo , 1948, 36. Larsen 22. Sousa Leâo, 1973, 61).
Ce tableau et les sept suivants ont été peints pour le prince Jean-Maurice de Nassau-Siegen, capitaine général des possessions hollandaises au Brésil de 1636 à 1644.
Coll. de Louis XIV ; donné au roi en 1678-1679 par le prince Jean-Maurice de Nassau-Siegen.

INV. 1723

Maison d'un noble portugais au Brésil.
T. H.1,01 ; L.1,36.
S.b.g. : *F. Post.*
(Sousa Leâo (1948) 38. Larsen 21. Sousa Leâo (1973) 63).
Coll. de Louis XIV : cf. INV. 1722.

INV. 1724

Vue d'Engenho Real au Brésil.
T. H.1,17 ; L.1,67.
(Sousa Leâo (1948) 39. Larsen 20. Sousa Leâo (1973) 64).
Coll. de Louis XIV : cf. INV. 1722.

INV. 1725

Une habitation de planteurs près de la rivière Paraïba, au Brésil.
T. H.1,04 ; L.1,30.
S.b.g. vers le milieu : *F. Post* (signature refaite).
(Sousa Leâo (1948) 37. Larsen 23. Sousa Leâo (1973) 62).
Coll. de Louis XIV : cf. INV. 1722.

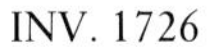

INV. 1726

L'Ancien fort portugais des trois rois mages (ou fort Ceulen) auprès du Rio Grande, au Brésil.
T. H.0,62 ; L.0,95.
S.D.b.g. : *F. Post 1638.8/28* [*28 août*].
(Sousa Leâo (1948) 5. Larsen 7. Sousa Leâo (1973) 4).
Coll. de Louis XIV : cf. INV. 1722.

INV. 1727

Le Rio Sao Francisco et le Fort Maurice, au Brésil.
T. H.0,62 ; L.0,95.
S.D.b.g. : *F. Post AN. 1639.*
(Sousa Leâo (1948) 4. Larsen 4. Sousa Leâo (1973) 2).
Coll. de Louis XIV : cf. INV. 1722.
Cat. Rés. 456.

INV. 1728

Le Char à bœufs. Paysage brésilien.
T. H.0,62 ; L.0,95.
S.D. sur le char : *F. Post 1638. 3/15* [15 mars].
(Sousa Leâo (1948) 3, Larsen 5. Sousa Leâo (1973) 3).
Coll. de Louis XIV : cf. INV. 1722.

INV. 1729

Paysage aux alentours de Porto Calvo, au Brésil.
T. H.0,63 ; L.0,89.
S.D.b.g. : *F. Coreo* [traduction portugaise de Post] *A° 1639. 6/4* [4 juin].
(Sousa Leâo (1948) 2. Larsen 6. Sousa Leâo (1973) 5).
Coll. de Louis XIV : cf. INV. 1722.

POT Hendrick
Haarlem, avant 1585 - Amsterdam, 1657.

INV. 1730

Charles Ier roi d'Angleterre (1600-1649).
B. H.0,33 ; L.0,27.
S.D.b.d. : *H.P. 1632 fesit* (sic).
Prov. de la coll. du Stadhouder à La Haye, 1795.
Villot II 398 - Demonts 2525, p. 125.

POTTER Paulus
Enkhuizen, 1625 - Amsterdam, 1654.

INV. 1731

Deux chevaux de trait devant une chaumière.
B. H.0,235 ; L.0,255.
S.D.h.g. sur la cheminée : *Paulus Potter f. 1649* (et non 1647).
(Hofstede de Groot IV 155).
Saisie révolutionnaire de la coll.

du duc de Brissac.
Villot II 399 - Demonts 2526, p. 117.

INV. 1732

La Prairie.
T. H.0,84 ; L.1,21.
S.D.b.g. : *Paulus Potter f. 1652.*
(Hofstede de Groot IV 52).
Coll. de Louis XVI : acquis en 1784.
Villot II 400 - Demonts 2527, p. 150.

M.I. 199

Le Cheval pie.
B. H.0,305 ; L.0,410.
S.D.b.g. : *Paulus Potter. F. 1653.*
(Hofstede de Groot IV 139).
Acquis en 1858.
Suppl. Tauzia 688 - Demonts 2528, p. 125.

M.I. 777

Le Bois de La Haye.
B. H.0,40 ; L.0,38.
S.D.b.g. : *Paulus Potter F. 1650.*
(Hofstede de Groot IV 82).
Acquis en 1869.
Suppl. Tauzia 689 - Demonts 2529, p. 155.

POTTER Pieter, père du précédent
Enkhuizen, v. 1597 - Amsterdam, 1652.

M.N.R. 451

Portrait de l'artiste en cuirasse et coiffé d'un béret à plume.
B. H.0,625 ; L.0,470.
S.D.h.d. : *P. Potter f. 1634.*
Attribué au Musée du Louvre par l'Office des Biens privés, 1950.

POURBUS Frans I, le Vieux
Bruges, 1545 - Anvers, 1581.

R.F. 3049

Viglius van Aytta (1507-1577), jurisconsulte, président du Conseil secret des Pays-Bas à Bruxelles.
B. H.1,08 ; L.0,84.
(Peltzer 36 : pas de Neufchâtel : attribuable à un maître anversois contemporain).
Legs Isidore-Fernand Chevreau, baron de Christiani, 1929.
Michel 4124, p. 228 (d'après Nicolas Neufchâtel) - *Cat. Rés. 128* (Nicolas Neufchâtel ou d'après).

POURBUS Frans II, le Jeune, fils du précédent.
Anvers, 1569 - Paris, 1622.

INV. 1704

La Cène.
T. H.2,87 ; L.3,70.
S.D.b.g. : *F. Pourbus in. Fac. A° 1618.*
Peint pour le maître-autel de l'église Saint-Leu-Saint-Gilles à Paris.
Saisi à la Révolution.
Villot II 392 - Demonts 2068, p. 7 - Michel 2068, p. 244.

INV. 1705

Saint François d'Assise recevant les stigmates.
T. H.2,27 ; L.1,62.
S.D.b.d. : *F.P.F. A° 1620.*
Peint pour le couvent des Jacobins de la rue Saint-Honoré à Paris.
Saisi à la Révolution.
Villot II 393 - Demonts 2069, p. 10 - Michel 2069, p. 245.

INV. 1707

Henri IV (1553-1610), roi de France, en armure.
T. H.0,43 ; L.0,28.
Coll. de Louis XIV (entré avant 1683).
Villot II 394 - Michel 2070, p. 243.

INV. 1708

Henri IV (1553-1610), roi de France, en costume noir.
B. H.0,39 ; L.0,25.
S.D.b.d. : *F. Porbus Fe. A° 16* [10 ?] (date difficilement lisible).
Coll. de Louis XIV (entré après 1683).
Villot II 395 - Michel 2071, p. 241.

INV. 1710

Marie de Médicis (1573-1642), reine de France.
T. H.3,07 ; L.1,86.
S.mi-h.d. : *F. Pourbus fe.*
Peint pour la Petite Galerie du Louvre vers 1609-1610. Aliéné pendant la Révolution, puis acheté en 1815 par le Sénat pour décorer la Galerie Médicis au Palais du Luxembourg. Transféré au Louvre en 1816 avec les Rubens de cette galerie.
Villot II 396 - Michel 2072, p. 239.

POURBUS Frans II (atelier)

INV. 1712

Guillaume du Vair (1556-1621), garde des sceaux de France sous Louis XIII.
T. H.0,61 ; L.0,51.
Réplique d'atelier.
Provient du couvent des Grands-Augustins à Paris. Saisi à la Révolution.
Villot II 397 (Pourbus) - *Michel 4127 p. 247* (réplique ancienne).

PRINS Joannes-Huibert
La Haye, 1757 - Utrecht, 1806.

M.N.R. 511

L'Oude Gracht à Utrecht.
Vue composite.
B. H.0,36 ; L.0,45.
Attribué au Musée du Louvre par l'Office des Biens privés, 1950.

PROVOST Jan
Mons, vers 1465 - Bruges, 1529.

R.F. 1472

Emérencie, mère de sainte Anne. Revers en grisaille : **sainte Claire.**
B. H.0,80 ; L.0,47 (coupé en bas d'environ 0,43).
Volet d'extrême gauche d'un polyptyque de la *Généalogie de la Vierge.* Volet d'extrême droite : *Zacharie.* (Madrid, Prado).
(Friedländer IX 129).
Ancienne coll. de Philippe II, roi d'Espagne.
Acquis en 1902.
Cat. somm. 1051 (éc. française ou franco-flamande, XVe ou XVIe s.) - *Demonts 2202 c, p. 51* (attr. à Provost) - *Michel 2202 E, p. 249.*

R.F. 1973-44

Allégorie chrétienne.
B. H.0,505 ; L.0,400.
Don Christiane Aulanier, 1973.

PROVOST Jan ?

INV. 1346

Portrait d'homme.
B. H.0,36 ; L.0,28.
Au revers : armes et devise du modèle avec une couronne comtale.
(Friedländer IX 180 : Jan Provost).
Coll. de la Couronne ?
Villot II 209 (Holbein) - *Cat. somm. 2204 A* (Inconnu de

l'Ecole flamande, début du XVIe siècle) - *Demonts 2204 A, p. 48* (attr. à Gossaert) - *Michel 2204 A, p. 232* (B. van Orley).

PYNACKER Adam
Pynacker, près de Delft, 1622 - Delft, 1673.

INV. 1733.

L'Auberge. Vue d'Italie.
T. sur B. H.0,80 ; L.0,78.
S.b.g. : *A. Pynacker.*
(Hofstede de Groot IX 82).
Coll. de Louis XVI : acquis en 1783.
Villot II 401 - Demonts 2530, p. 113.

R.F. 709

Paysage au soleil levant.
T. H.1,22 ; L.1,03.
S.b.d. : *A Pynacker.*
Pendant du « Paysage avec un bouc blanc » (Hofstede de Groot IX 155), Londres, Wallace Collection.
(Hofstede de Groot IX 121 et 160).
Legs Léon Moreaux, 1891.
Cat. somm. 2532 - Demonts 2532 A, p. 161.

PYNACKER Adam (d'après)

M.I. 954

Versant montagneux avec deux baigneurs.
T. H.0,98 ; L.0,81.
(Hofstede de Groot IX 107 : Pynacker).
Legs du Dr Louis La Caze, 1869 (Cat. 93 : Pynacker).
Demonts 2533, p. 109 (Pynacker).

PYNAS Jacob
Amsterdam ou Haarlem ? vers 1585-1590 - ? après 1656.

INV. 1269

Le Bon Samaritain.
C. H.0,21 ; L.0,26.
(Andrews A 13 : Jacob Pynas).
Ancienne collection.
Villot II 160 (A. Elsheimer) - *Demonts 2711, p. 75* (id.).

QUAST Pieter Jansz. (attribué à)
Amsterdam, 1606 - id., 1647.

M.I. 904

Le tailleur de plumes.
B. H.0,195 ; L.0,150.
(Hofstede de Groot III 189 : A. Brouwer).
Legs du Dr Louis La Caze, 1869 (Cat. 43 : Brouwer).
Demonts 1914, p. 108 (Brouwer).

RASSENFOSSE Armand
Liège, 1862 - id., 1934.

R.F. 1979-39

Poyette.
T. sur B. H.0,90 ; L.0,70.
S.b.g. : *Rassenfosse.*
Acquis pour le Musée du Luxembourg, 1913.
Reversement du Musée National d'Art moderne au Louvre, 1979.
Bénédite 124.

RAVESTEYN
Dirck de Quade van

Voir ECOLE ALLEMANDE.

RAVESTEYN Jan Anthonisz. van
La Haye, vers 1570 - id., 1657.

M.I. 955

Portrait d'une femme âgée de 54 ans.
B. H.1,11 ; L.0,82.
S.D.h.d. : *Anno 1633 Aetatis 54 J. Ravestijn.*
Legs du Dr. Louis La Caze, 1869 (Cat. 94).
Demonts 2534, p. 174.

M.I. 956

Anna van Lockhorst, femme de Nicolaas Pauw, seigneur de Bennebroek et Oosterwyck.
B. H.0,706 ; L.0,620.
S.D.h.d. : *Anno 1634 JVRF.*
Pendant du portrait de Nicolaas Pauw (coll. de la famille Pauw van Wieldrecht, Leersum, Pays-Bas).
Legs du Dr Louis La Caze, 1869 (Cat. 95).
Demonts 2535, p. 104.

RAVET Victor
Bruxelles, 1840 - ?

R.F. 1975-15

Cuisinière hollandaise.
B. H.0,380 ; L.0,255.
S.D.h.d. : *V. Ravet 1886.*
Legs de Mlle Lequime, 1975.

REMBRANDT Harmensz. van Rijn
Leyde, 1606 - Amsterdam, 1669.

INV. 1736

L'Archange Raphaël quittant la famille de Tobie.
B. H.0,66 ; L.0,52.
S.D.b.g. : *Rembrandt f. 1637*
(signature peut-être retracée ou rajoutée).
(Hofstede de Groot VI 70. Bredius 503. Bauch 17. Gerson 81. Bredius-Gerson 503. Lecaldano 197).
Coll. de Louis XV : acquis en 1742.
Villot II 404 - Demonts 2536, p. 121.

INV. 1738

Saint Matthieu et l'ange.
T. H.0,96 ; L.0,81.
S.D.m.d. : *Rembrandt f. 1661.*
(Hofstede de Groot VI 173. Bredius 614. Bauch 231. Gerson 359. Bredius-Gerson 614. Lecaldano 407).
Saisie révolutionnaire de la coll. du comte d'Angiviller.
Villot II 406 - Demonts 2538, p. 16.

INV. 1739

Les Pèlerins d'Emmaüs.
B. H.0,68 ; L.0,65.
S.D.b.g. : *Rembrandt f. 1648*
(signature retracée).
(Hofstede de Groot VI 145. Bredius 578. Bauch 82. Gerson 218. Bredius-Gerson 578. Lecaldano 287).
Coll. de Louis XVI : acquis en 1777.
Villot II 407 - Demonts 2539, p. 120.

INV. 1740

Philosophe en méditation.
B. H.0,28 ; L.0,34.
S.D.b.g. : *RHL van Rijn 1632*
(peu lisible - et non 1631 ou 1633).
(Hofstede de Groot VI 233. Bredius 431. Bauch 156. Gerson 91. Bredius-Gerson 431. Lecaldano 57).
Coll. de Louis XVI : acquis en 1784 (avec un tableau en pendant, l'Inv. 1741, aujourd'hui attr. à S. Koninck).
Villot II 408 - Demonts 2540, p. 120.

INV. 1742

Sainte Famille, dite aussi **Le Ménage du menuisier.**
B. H.0,41 ; L.0,34 (autrefois H.0,375 ; L.0,340) ; le tableau paraît avoir été cintré à l'origine.
S.D.b.g. : *Rembrandt F. 1640.*
(Hofstede de Groot VI 93. Bredius 563. Bauch 71. Gerson 205. Bredius-Gerson 563. Lecaldano 227).
Acquis en 1793.
Villot II 410 - Demonts 2542, p. 122.

INV. 1744

Portrait de l'artiste tête nue.
B. ovale. H.0,60 ; L.0,47.
S.D.m.d. : *Rembrandt f. 1633.*
(Hofstede de Groot VI 566. Bredius 18. Bauch 303. Gerson 129. Bredius-Gerson 18. Lecaldano 112).
Ancienne collection.
Villot II 412 - Demonts 2552, p. 25.

INV. 1745

Portrait de l'artiste à la toque et à la chaîne d'or.
B. ovale. H.0,70 ; L.0,53.
S.D.b.d. : *Rembrandt f. 1633.*
(Hofstede de Groot VI 567.
Bredius 19. Bauch 305. Gerson 142. Bredius-Gerson 19.
Lecaldano 153).
Saisie révolutionnaire de la coll. du duc de Brissac.
Villot II 413 - Demonts 2553, p. 23.

INV. 1747

Portrait de l'artiste au chevalet.
T. H.1,11 ; L.0,90.
S.D.b.d. : *Rem... F. 1660* (signature tronquée et peut-être retouchée, sans doute à la suite d'un rentoilage ancien. Selon Gerson, date ajoutée postérieurement mais recopiant la date originale).
(Hofstede de Groot VI 569.
Bredius 53. Bauch 333. Gerson 389. Bredius-Gerson 53.
Lecaldano 380).
Coll. de Louis XIV : acquis en 1671.
Villot II 415 - Demonts 2555, p. 19.

INV. 1751

Hendrickje Stoffels (1625-1663), compagne du peintre.
T. H.0,74 ; L.0,61.
(Hofstede de Groot VI 721.
Bredius 111. Bauch 512. Gerson 311 : original ? Bredius-Gerson 111 : id. Lecaldano 322).
Coll. de Louis XVI : acquis en 1784.
Villot II 419 - Demonts 2547, p. 19.

INV. 1753

Les Pèlerins d'Emmaüs.
T. H.0,50 ; L.0,64.
(Lilienfeld 98 : Aert de Gelder retouché par Rembrandt.
Hofstede de Groot VI 146.
Bredius 597. Gerson 352.
Bredius-Gerson 597. Lecaldano 391 : Rembrandt et Aert de Gelder ?).
Saisie révolutionnaire de la coll. du comte d'Angiviller.
Villot II 420 (éc. de Rembrandt) - *Cat. somm. 2555 A* (attribué à Rembrandt) - *Demonts 2555 A, p. 22* (Rembrandt) - *Cat. Rés. 467* (d'après Rembrandt).

M.I. 169

Le Bœuf écorché.
B. cintré. H.0,94 ; L.0,69.
S.D.b.g. : *Rembrandt f. 1655.*
(Hofstede de Groot VI 972.
Bredius 457. Bauch 562. Gerson 291. Bredius-Gerson 457.
Lecaldano 338).
Acquis en 1857.
Supp. Tauzia 690 - Demonts 2548, p. 23.

M.I. 957

Bethsabée au bain.
T. H.1,42 ; L.1,42.
S.D.b.g. : *Rembrandt ft 1654.*
(Hofstede de Groot VI 41.
Bredius 521. Bauch 31. Gerson 271. Bredius-Gerson 521.
Lecaldano 317).
Legs du Dr Louis La Caze, 1869 (Cat. 96).
Demonts 2549, p. 18.

R.F. 3743

Albert Cuyper (1585-1637), marchand, à l'âge de 47 ans.
B. ovale. H.0,61 ; L.0,45.
S.D.mi-h.d. : *Rembrandt ft 1632.*
Inscr. mi-h.g. : *AE 47.*
Pendant du R.F. 3744.
(Hofstede de Groot VI 668.
Bredius 165. Bauch 356. Gerson 125. Bredius-Gerson 165.
Lecaldano 99).
Donation Henri Pereire sous réserve d'usufruit, 1930 ; entrée au Louvre en 1933.
Cat. Rés. 459.

R.F. 3744

Cornelia Pronck, femme d'Albert Cuyper, à l'âge de 33 ans.
B. ovale. H.0,60 ; L.0,47.
S.D.mi-h.d. : *Rembrandt f. 1633.* Inscr. mi-h.g. : *AET 33.*
Pendant du R.F. 3743.
(Hofstede de Groot VI 669.
Bredius 336. Bauch 471. Gerson 126 (probablement pas de Rembrandt. Bredius-Gerson 336 : id. Lecaldano 100 : œuvre douteuse).
Donation Henri Pereire sous réserve d'usufruit, 1930 ; entré au Louvre en 1933.
Cat. Rés. 460.

R.F. 1948-34

Portrait de Titus (1601-1668), fils de l'artiste.
T. H.0,72 ; L.0,56.
(Hofstede de Groot VI 709. Bredius 126. Bauch 427. Gerson 375. Bredius-Gerson 126. Lecaldano 377).
Don Etienne Nicolas, 1948.
(En dépôt provisoire au Rijksmuseum, Amsterdam).

R.F. 1948-35

Paysage au château.
B. H.0,44 ; L.0,60.
(Hofstede de Groot VI 955 c ? Bredius 450. Bauch 553. Gerson 268. Bredius-Gerson 450. Lecaldano 255).
Don Etienne Nicolas, 1948.

REMBRANDT (atelier ou entourage de)

INV. 1746

Rembrandt à la toque sur fond d'architecture
B. ovale. H.0,80 ; L.0,62.
S.D.b.d. : *Rembrandt f. 1637*.
Sans doute travail d'un imitateur, sinon d'un élève de Rembrandt, qui a pu être fait dans l'atelier du maître.
(Hofstede de Groot VI 568 : Rembrandt: Bredius 29 : id. Bauch 310 : id. Bredius-Gerson 29 : Flinck ?).
Coll. de Louis XVI : acquis en 1785.
Villot II 414 (Rembrandt) - *Demonts 2554, p. 17* (id.).

INV. 1748

Etude de vieillard.
B. ovale. H.0,725 ; L.0,560.
S.D.m.d. : *Rembrandt 163...* [3 ou 8].
Sans doute travail d'atelier ou d'un imitateur contemporain.
(Hofstede de Groot VI 419 : Rembrandt. Bredius 182 : id. Bauch 152 : id. Bredius-Gerson 182 : œuvre douteuse. Lecaldano 115. Rembrandt et atelier).
Saisie révolutionnaire de la coll. du duc de Brissac.
Villot II 416 (Rembrandt) - *Demonts 2544, p. 24* (id.).

INV. 1749

Portrait de jeune homme, dit autrefois : Portrait de Titus.
T. H.0,750 ; L.0,605.
S.D.mi-h.d. : *Rembrandt f. 1658* (apocryphe ?).
Peut-être travail d'atelier ou d'un imitateur contemporain.
(Hofstede de Groot VI 422 : Rembrandt. Bredius 292 : id. Bauch 420 : id. Bredius-Gerson 292 : œuvre douteuse).
Provient d'Allemagne, 1806.
Villot II 417 (Rembrandt) - *Demonts 2545, p. 18* (id.).

M.I. 959

Jeune homme au bâton.
T. H.0,83 ; L.0,66.
S.D.b.d. : *Rembrandt f. 1651* (apocryphe).
Travail d'un imitateur contemporain de Rembrandt, sinon du XVIIIe s. ?
(Hofstede de Groot VI 421 : Rembrandt. Bredius 286 : id. Bauch 222 : id. Bredius-Gerson 286 : pas de Rembrandt).
Legs du Dr Louis La Caze, 1869 (Cat. 98 : Rembrandt).
Demonts 2551, p. 19 (Rembrandt).

REMBRANDT (d'après)

INV. 1743

Hendrickje Stoffels en Vénus.
T. H.1,18 ; L.0,90.
Sans doute une copie ancienne d'époque d'après l'original de même sujet peint vers 1662 et mentionné dans l'inventaire d'Harmen Becker à Amsterdam en 1678 (cité avec sa copie), mais perdu.
(Hofstede de Groot VI 215 : Rembrandt. Bredius 117 : id. Bauch 107 : id. Bredius-Gerson 117 : F. Bol ?).
Saisie révolutionnaire de la coll. de la duchesse de Noailles.
Villot II 411 (Rembrandt) - *Demonts 2543, p. 17* (id.).

INV. 1750

Le Juif au bonnet fourré.
B. H.0,26 ; L.0,19.
Copie, sans doute du XVIIIe siècle, d'un original perdu dont le musée de Kassel conserve une réplique d'atelier (Hofstede de Groot VI 375 : Rembrandt).

(Hofstede de Groot VI 375-1 : réplique).
Saisie révolutionnaire de la coll. de la duchesse de Choiseul.
Villot II 418 (Rembrandt - *Demonts 2546, p. 123* (id.).

M.I. 958

Suzanne au bain.
B. H.0,630 ; L.0,475.
S.D.b.d. : *Rembrandt f. 1647* (apocryphe).
Copie partielle d'après l'original (Hofstede de Groot VI 55) de Berlin-Dahlem, Staatliche Museen.
(Hofstede de Groot VI 58 : Rembrandt. Bredius 518 : id. Bredius-Gerson 518 : copie par C.A. van Renesse ?).
Legs du Dr Louis La Caze, 1869 (Cat. 97 : Rembrandt).
Demonts 2550, p. 120 (Rembrandt).

R.F. 2379

Portrait d'homme âgé, dit **Portrait du frère de Rembrandt.**
T. H.0,71 ; L.0,55.
Sans doute imitation du XVIIIe siècle d'après un original des années 1660.
(Hofstede de Groot VI 420 : Rembrandt. Bredius 129 : id. Bauch 401 : id. Bredius-Gerson 129 : copie ou imitation du XVIIIe s.).
Legs du comte Félix-Nicolas Potocki, 1922.
Demonts s.n., p. 189. (Rembrandt).

R.F. 2667 bis

Rembrandt avec toque et chaîne d'or.
T. H.0,605 ; L.0,505.
Copie moderne d'après le tableau (Hofstede de Groot VI 536. Bredius 43. Bredius-Gerson 43) du musée de Kassel.
Don Alfred Boucher, 1928.
(Inventaire : Rembrandt).

REMBRANDT (école de)

INV. 1737

Le Bon Samaritain.
T. H.1,14 ; L.1,35.
(Hofstede de Groot VI 112 : Rembrandt. Bredius 581 : id. Pont 4 : œuvre douteuse de Barent Fabritius. Bredius-Gerson A 581 : école de Rembrandt, peut-être Eeckhout).
Coll. de Louis XVI : acquis en 1785.
Villot II 405 (Rembrandt) - *Demonts 2537, p. 20* (id.).

REYMERSWAELE
Marinus van Reymerswaele, vers 1490-1495 - ?, après 1567.

R.F. 1973-34

Voir Annexe II (dons sous réserve d'usufruit).

ROESTRAETEN
Pieter Gerritsz. van Haarlem, vers 1630 - Londres, 1700.

M.N.R. 780

Fruits et vaisselle sur une table de marbre.
T. H.0,54 ; L.0,75.
Attribué au Musée du Louvre par l'Office des Biens privés, 1951.

ROGHMAN Roelant
Amsterdam, 1627 - id., 1692.

R.F. 921

Lisière de forêt.
T. H.0,49 ; L.0,63.
S.b.d. : *R. Roghman.*
Acquis en 1895.
Demonts 2555 B, p. 151.

ROMBOUTS Salomon, fils de Gillis Rombouts
Avant 1650 ? - avant 1702.
Actif à Haarlem.

R.F. 2861

Entrée de forêt.
B. H.0,61 ; L.0,85.
S.b.m. : *S. Rombouts* (les deux premières lettres sont entrelacées).

Attribué jusqu'à présent à Gillis Rombouts (Haarlem, 1630 - id., 1678).
Coll. du comte de l'Espine, donné par sa fille, la princesse Louis de Croÿ, 1930.
(Inventaire : Ecole hollandaise XVIIe s.).

ROMBOUTS Theodoor (d'après)
Anvers, 1597 - id., 1637.

M.I. 933

Homme accordant son luth.
T. H.0,70 ; L.0,79.
Copie du tableau de la John G. Johnson Art Collection, Philadelphia Museum of Art.
Legs du Dr Louis La Caze, 1869 (Cat. 72 : Honthorst).
Demonts 2413, p. 100 (attr. à Honthorst) et *p. 190* (J.M. Molenaer ?)

ROMEYN Willem

Haarlem, vers 1624 - id., vers 1694.

INV. 1755

Troupeau dans un paysage.
T. H.0,37 ; L.0,45 (autrefois H.0,285 ; L.0,365).
S.b.g. : *W. Romeyn.*
Saisie révolutionnaire de la coll. du baron de Breteuil.
Villot II 422 - Cat. somm. 2556.

RONNER Emma Alice
Bruxelles, 1857 - Ixelles, 1957.

R.F. 1979-40

Le Fauteuil de paille.
T. H.0,785 ; L.0,71.
S.D.b.d. : *Alice Ronner 15.*
Acquis pour le Musée du Luxembourg, 1916.
Reversement du Musée National d'Art Moderne au Louvre, 1979.
Bénédite 123.

ROOSENDAEL Nicolaes
Hoorn, 1636 - Amsterdam, 1686.

R.F. 3717

Ferdinand de Furstenberg, évêque de Paderborn (1626-1683), recevant la thèse de théologie du jeune Hendrick Daemen, d'Amsterdam.
T. H.1,81 ; L.1,43.
S.D. sur le pied du fauteuil : *N. Roossendael f. 1669.*
Coll. du comte de l'Espine ; donné par sa fille, la princesse Louis de Croÿ, sous réserve d'usufruit, 1930 ; entré au Louvre en 1932.

ROPS Félicien
Namur, 1833 - Corbeil (Essonne), 1898.

R.F. 1948-30

Val du Colombier, près de Namur.
T. H.0,38 ; L.0,58.
S.D.b.g. : *avril 75 F.R.*
Don de Mme E. Haraucourt, 1948.
S.A.I. 1657.

RUBENS Petrus-Paulus
Siegen (Westphalie), 1577 - Anvers, 1640.

INV. 854

Hercule et Omphale.
T. H.2,78 ; L.2,15.
Peint vers 1602-1605 pour le mécène gênois, Gian-Vincenzo Imperiale, en pendant à une «Mort d'Adonis» (Paris, coll. part.), également de Rubens.
Provient de la coll. du duc d'Orléans au Palais-Royal à Paris.
(Inventaire : Ecole italienne XVIIIe s. Réinventorié par erreur R.F. 1938-46 : Rubens).

INV. 1760

La Famille de Loth quittant Sodome.
B. H.0,74 ; L.1,18.
S.D.b.g. : *Pe. Pa. Rubens fe A^o 1625.*
(Rooses I 101. Oldenbourg 283).
Coll. de Louis XV : acquis en 1742.
Villot II 425 - Demonts 2075, p. 3.

INV. 1762

L'Adoration des mages.
T. H.2,83 ; L.2,19.
Peint en 1626-29 pour le maître-autel de l'église des Annonciades à Bruxelles.
(Rooses I 159 - Oldenbourg 286).
Coll. de Louis XVI : acquis en 1777.
Villot II 427 - Demonts 2077, p. 9.

INV. 1763

La Vierge à l'Enfant entourée des Saints Innocents, dite autrefois : La Vierge aux anges.
T. H.1,38 ; L.1,00.
(Rooses I 204. Oldenbourg 197).
Coll. de Louis XIV : acquis en 1671 de Jabach.
Villot II 428 - Demonts 2078, p. 3.

INV. 1764

La Vierge, l'Enfant Jésus et un ange au milieu d'une guirlande de fleurs.
T. H.0,835 ; L.0,650.
Le médaillon par Rubens : H.0,38 ; L.0,28.
(Rooses I 199. Oldenbourg 226).
Pour la guirlande de fleurs, voir Jan I BRUEGHEL.
Peint vers 1621 pour le cardinal milanais Federico Borromeo.
Provient de la Bibliothèque Ambrosienne de Milan, 1796.
Villot II 429 - Demonts 2079, p. 27.

INV. 1768

Thomyris, reine des Scythes, fait plonger la tête de Cyrus dans un vase rempli de sang.
T. H.2,63 ; L.1,99 (surface peinte originale : H.2,00 ; L.1,79).
(Rooses IV 792. Oldenbourg 237).
Coll. de Louis XIV : acquis en 1671 de Jabach.
Villot II 433 - Demonts 2084, p. 3.

INV. 1769 à 1792

La Galerie Médicis.
Série de vingt-quatre tableaux illustrant la vie de Marie de Médicis (1573-1642), reine de France, femme d'Henri IV.
Peints de 1621 à 1625 pour l'une des deux galeries du palais de Marie de Médicis à Paris, ou Palais du Luxembourg, actuel Sénat.
Coll. de Louis XIV, 1693.
Transféré définitivement au Louvre en 1816.

INV. 1769

Les Parques filant le destin de Marie de Médicis.
T. H.3,94 ; L.1,55.
(Rooses III 730. Oldenbourg 243. Thuillier-Foucart 4).
Villot II 434 - Demonts 2085, p. 37.

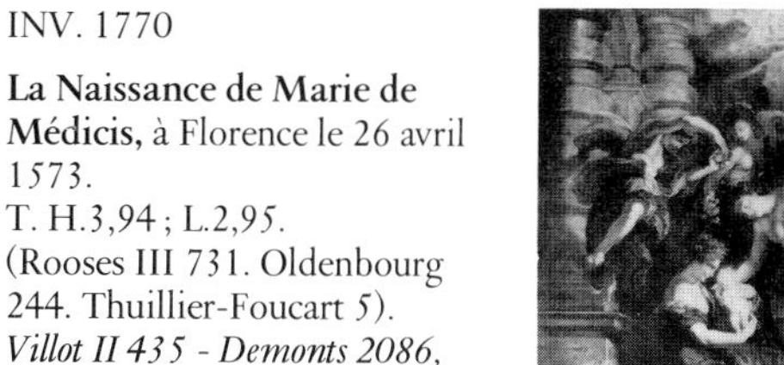

INV. 1770

La Naissance de Marie de Médicis, à Florence le 26 avril 1573.
T. H.3,94 ; L.2,95.
(Rooses III 731. Oldenbourg 244. Thuillier-Foucart 5).
Villot II 435 - Demonts 2086, p. 34.

INV. 1771

L'Education de Marie de Médicis.
T. H.3,94 ; L.2,95.
(Rooses III 732. Oldenbourg 245. Thuillier-Foucart 6).
Villot II 436 - Demonts 2087, p. 35.

INV. 1772

Henri IV reçoit le portrait de Marie de Médicis.
T. H.3,94 ; L.2,95.
(Rooses III 733. Oldenbourg 246. Thuillier-Foucart 7).
Villot II 437 - Demonts 2088, p. 37.

INV. 1773

Le Mariage par procuration de Marie de Médicis et d'Henri IV, à Florence le 5 octobre 1600.
T. H.3,94 ; L.2,95.
(Rooses III 734. Oldenbourg 247. Thuillier-Foucart 8).
Villot II 438 - Demonts 2089, p. 38.

INV. 1774

Le Débarquement de Marie de Médicis au port de Marseille, le 3 novembre 1600.
T. H.3,94 ; L.2,95.
(Rooses III 735. Oldenbourg 248. Thuillier-Foucart 9).
Villot II 439 - Demonts 2090, p. 38.

INV. 1775

L'Entrevue du roi et de Marie de Médicis à Lyon, le 9 novembre 1600.
T. H.3,94 ; L.2,95.
(Rooses 736. Oldenbourg 249. Thuillier-Foucart 10).
Villot II 440 - Demonts 2091, p. 38.

INV. 1776

La Naissance de Louis XIII à Fontainebleau, le 27 septembre 1601.
T. H.3,94 ; L.2,95.
(Rooses III 737. Oldenbourg 250. Thuillier-Foucart 11).
Villot II 441 - Demonts 2092, p. 38.

INV. 1777

Henri IV part pour la guerre d'Allemagne et confie à la reine le gouvernement de son royaume, le 20 mars 1610.
T. H.3,94 ; L.2,95.
(Rooses 738. Oldenbourg 251. Thuillier-Foucart 12).
Villot II 442 - Demonts 2093, p. 39.

INV. 1778

Le Couronnement de Marie de Médicis à Saint-Denis, le 13 mai 1610.
T. H.3,94 ; L.7,27.
(Rooses III 739. Oldenbourg 252. Thuillier-Foucart 13).
Villot II 443 - Demonts 2094, p. 39.

INV. 1779

L'Apothéose d'Henri IV et la proclamation de la régence de Marie de Médicis, le 14 mai 1610.
T. H.3,94 ; L.7,27.
(Rooses III 740. Oldenbourg 253. Thuillier-Foucart 14).
Villot II 444 - Demonts 2095, p. 39.

INV. 1780

Le Conseil des dieux pour les mariages espagnols, dit autrefois : Le Gouvernement de la Reine.
T. H.3,94 ; L.7,02.
(Rooses III 741. Oldenbourg 254. Thuillier-Foucart 15).
Villot II 445 - Demonts 2096, p. 39.

INV. 1781

Le Triomphe de Juliers, le 1er septembre 1610, dit autrefois : le Voyage de Marie de Médicis au Pont-de-Cé en Anjou.
T. H.3,94 ; L.2,95.
(Rooses III 742. Oldenbourg 255. Thuillier-Foucart 16).
Villot II 446 - Demonts 2097, p. 40.

INV. 1782

L'Echange des deux princesses de France et d'Espagne sur la Bidassoa à Hendaye, le 9 novembre 1615.
T. H.3,94 ; L.2,95.
(Rooses III 743. Oldenbourg 256. Thuillier-Foucart 17).
Villot II 447 - Demonts 2098, p. 40.

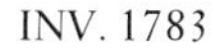

INV. 1783

La Félicité de la Régence.
T. H.3,94 ; L.2,95.
(Rooses III 745. Oldenbourg 257. Thuillier-Foucart 18).
Villot II 448 - Demonts 2099, p. 40.

INV. 1784

La Majorité de Louis XIII, le 20 octobre 1614.
T. H.3,94 ; L.2,95.
(Rooses III 746. Oldenbourg 258. Thuillier-Foucart 19).
Villot II 449 - Demonts 2100, p. 41.

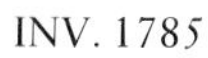

INV. 1785

La Reine s'enfuit du château de Blois dans la nuit du 21 au 22 février 1619.
T. H.3,95 ; L.2,95.
(Rooses III 747. Oldenbourg 259. Thuillier-Foucart 20).
Villot II 450 - Demonts 2101, p. 41.

INV. 1786

Le Traité d'Angoulême, le 30 avril 1619, dit autrefois : la Réconciliation de Marie de Médicis avec son fils.
T. H.3,94 ; L.2,95.
(Rooses III 748. Oldenbourg 260. Thuillier-Foucart 21).
Villot II 451 - Demonts 2102, p. 41.

INV. 1787

La Conclusion de la paix, à Angers, le 10 août 1620.
T. H.3,94 ; L.2,95.
(Rooses III 749. Oldenbourg 261. Thuillier-Foucart 22).
Villot II 452 - Demonts 2103, p. 42.

INV. 1788

La Réconciliation de la reine et de son fils, après la mort du Connétable Concini, le 15 décembre 1621, dit autrefois : l'Entrevue de Marie de Médicis et de son fils.
T. H.3,94 ; L.2,95.
(Rooses III 750. Oldenbourg 262. Thuillier-Foucart 23).
Villot II 453 - Demonts 2104, p. 42.

INV. 1789

Le Triomphe de la vérité.
T. H.3,94 ; L.1,60.
(Rooses III 751. Oldenbourg 263. Thuillier-Foucart 24).
Villot II 454 - Demonts 2105, p. 42.

INV. 1790

François Ier de Médicis (1541-1587), Grand-Duc de Toscane, père de Marie de Médicis.
T. H.247 ; L.1,16.
Ce portrait et les deux suivants décoraient le mur d'entrée de la galerie Médicis (au-dessus des portes et de la cheminée).
(Rooses II 753. Oldenbourg p. 265. Thuillier-Foucart 2).
Villot II 455 - Demonts 2106, p. 29.

INV. 1791

Jeanne d'Autriche (1547-1578), Grande-Duchesse de Toscane, mère de Marie de Médicis.
T. H.2,47 ; L.1,16.
Pendant du INV. 1790.
(Rooses III 754. Oldenbourg p. 265. Thuillier-Foucart 3).
Villot II 456 - Demonts 2107, p. 28.

INV. 1792

Portrait de Marie de Médicis en Bellone.
T. H.2,76 ; L.1,49.
Placé à l'origine au-dessus de la cheminée, à l'entrée de la galerie Médicis.
(Rooses III 752. Oldenbourg p. 266. Thuillier-Foucart 1).
Villot II 457 - Demonts 2108, p. 29.

INV. 1793

Le Baron Henri de Vicq (1573-1651), ambassadeur de l'archiduc Albert et de l'infante Isabelle, gouverneurs des XVII Provinces (Pays-Bas du Sud), à la cour de France.
B. H.0,74 ; L.0,56.
Peint vers 1625 et sans doute à Paris.
(Rooses IV 1076. Oldenbourg 282. Huemer 48).
Acquis en 1850.
Villot II 458 - Demonts 2111, p. 1.

INV. 1795

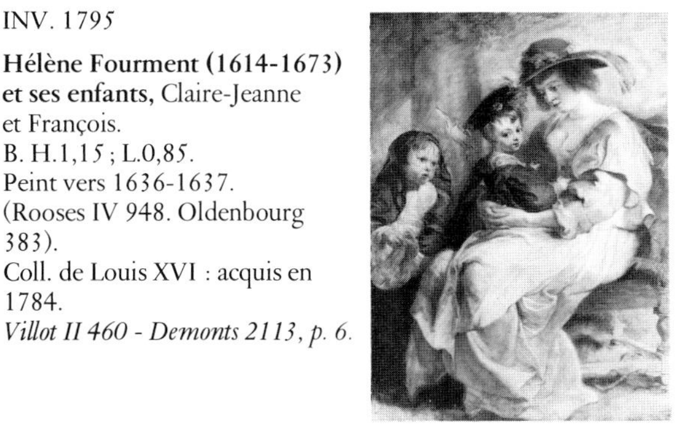

Hélène Fourment (1614-1673) et ses enfants, Claire-Jeanne et François.
B. H.1,15 ; L.0,85.
Peint vers 1636-1637.
(Rooses IV 948. Oldenbourg 383).
Coll. de Louis XVI : acquis en 1784.
Villot II 460 - Demonts 2113, p. 6.

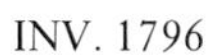

INV. 1796

Suzanne Fourment (1599-1643), sœur d'Hélène Fourment, la seconde femme de Rubens, dit autrefois : Portrait d'une dame de la famille Boonen.
B. H.0,62 ; L.0,47.
(Rooses IV 950. Oldenbourg 279).
Acquis en 1793.
Villot II 461 - Demonts 2114, p. 2.

INV. 1797

La Kermesse ou **Noce de village.**
B. H.1,49 ; L.2,61.
(Rooses IV 837. Oldenbourg, 406).
Coll. de Louis XIV : acquis en 1685.
Villot II 462 - Demonts 2115, p. 2.

INV. 1798

Tournoi près des fossés du château du Steen.
B. H.0,72 ; L.1,06.
(Rooses IV 845. Oldenbourg 398).
Coll. de Louis XV : acquis en 1742.
Villot II 463 - Demonts 2116, p. 4.

INV. 1800

Paysage à l'oiseleur.
B. H.0,458 ; L.0,846.
(Rooses IV 1176. Oldenbourg 403).
Provient de la coll. du Stadhouder à La Haye, 1795.
Villot II 464 - Demonts 2117, p. 8.

INV. 1816

Paysage à l'abreuvoir.
B. H.0,29 ; L.0,43.
Ancienne collection.
Villot II 469 (éc. de Rubens) - *Demonts 2131, p. 86.*

M.I. 212

Les Trois Parques filant. - Triomphe de la vérité.
B. H.0,50 ; L.0,64.
Esquisses pour le premier et le dernier panneau de la Vie de Marie de Médicis. Cf. INV. 1769 et INV. 1789.
(Rooses III 730[1] et 751[1]. Thuillier-Foucart sous le n° 4, p. 73).
Acquis en 1859.
Tauzia 691 - Demonts 2110, p. 2.

M.I. 962

Le Sacrifice d'Isaac par Abraham.
B. H.0,495 ; L.0,650.
Esquisse pour un compartiment du plafond de l'église des Jésuites d'Anvers peint en 1620-21 (détruit en 1718).
Le pendant de ce compartiment est connu par l'esquisse M.I. 964.
(Rooses I 11 bis. Oldenbourg 211. J.R. Martin 11 a).
Legs du Dr Louis La Caze, 1869 (Cat. 101).
Demonts 2120, p. 92.

M.I. 963

Abraham et Melchisedech.
B. H.0,49 ; L.0,65.
Esquisse pour un compartiment du plafond de l'église des Jésuites d'Anvers peint en 1620-21 (détruit en 1718).
(Rooses I 7 bis. Oldenbourg 211. J.R. Martin 7 b).
Legs du Dr Louis La Caze, 1869 (cat. 102).
Demonts 2121, p. 92.

M.I. 964

L'Elévation de la Croix.
B. H.0,32 ; L.0,37.
Esquisse pour un compartiment du plafond de l'église des Jésuites d'Anvers peint en 1620-21 (détruit en 1718).
Le pendant de ce compartiment est connu par l'esquisse M.I. 962.
(Rooses I 10 bis. Oldenbourg 213. J.R. Martin 10 b).
Legs du Dr Louis La Caze, 1869 (Cat. 103).
Demonts 2122, p. 94.

M.I. 965

Le Couronnement de la Vierge.
B. H.0,38 ; L.0,48.
Esquisse pour un compartiment du plafond de l'église des Jésuites d'Anvers peint en 1620-21 (détruit en 1718).
(Rooses I 18 bis. Oldenbourg 213 J.R. Martin 18 c).
Legs du Dr Louis La Caze, 1869 (Cat. 104).
Demonts 2123, p. 96.

M.I. 966

Paysage avec les ruines du mont Palatin à Rome.
B. H.0,76 ; L.1,07.
Peint à Rome selon la lettre de la gravure du tableau par S.a Bolswert (v. 1586-1659), (Voorhelm Schneevogt p. 232 n° 53-2) mais, en fait, peint sans doute peu après le retour d'Italie en 1608.
(Rooses IV 1175. Oldenbourg 188).
Legs du Dr Louis La Caze, 1869 (cat. 105).
Demonts 2119, p. 95.

M.I. 967

Philopoemen, général des Achéens, reconnu par ses hôtes de Mégare (épisode tiré de Plutarque).
B. H.0,50 ; L.0,66.
Esquisse pour le grand tableau de même sujet peint par Snyders avec l'éventuelle collaboration de Rubens (Rooses IV 800), Madrid, Musée du Prado.
(Rooses IV 800[1]).
Legs du Dr Louis La Caze, 1869 (Cat. 106).
Demonts 2124, p. 95.

M.I. 969

Génie couronnant la religion.
B. H.0,415 ; L.0,490.
Etude de détail pour le compartiment central du plafond de Whitehall à Londres (Rooses III 763) représentant *l'Apothéose de Jacques I° roi d'Angleterre*, peint entre 1629 et 1634.
(Rooses III 763[4]).
Legs du Dr Louis La Caze, 1869 (Cat. 108).
Demonts 2126, p. 90.

R.F. 188

La Résurrection de Lazare.
B. H.0,37 ; L.0,28.
Esquisse pour le tableau du musée de Berlin (Rooses II 263), détruit en 1945.
(Rooses II 263 bis).
Legs du Vicomte Adolphe de Ségur-Lamoignon, 1876.
Suppl. Tauzia 692 - Demonts 2081, p. 79.

R.F. 2121

Ixion, roi des Lapithes, trompé par Junon.
T. H.1,75 ; L.2,45.
(Rooses III 631. Oldenbourg 125).
Legs du baron Basile de Schlichting, 1914.
Demonts s.n., p. 164.

R.F. 1942-33

La Mort de Didon.
T. H.1,83 ; L.1,17 (autrefois H.1,75 ; L.0,97).
(Rooses III 604. Oldenbourg 408).
Donation de Carlos de Beistegui sous réserve d'usufruit, 1942 ; entré au Louvre en 1953.

R.F. 1977-13

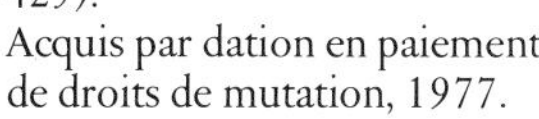

Hélène Fourment au carrosse.
B. H.1,95 ; L.1,32.
(Rooses IV 945. Oldenbourg 425).
Acquis par dation en paiement de droits de mutation, 1977.

M.N.R. 411

L'Erection de la croix.
Tableau en trois parties.
B. H.0,68 ; L.1,07 (centre : L.0,52 ; panneaux latéraux : L.0,275 à d., 0,260 à g.). La forme cintrée du panneau central, initialement prévue par Rubens, est encore visible.
Esquisse pour le triptyque peint en 1609-1610 pour le maître-autel de l'église Sainte-Walburge à Anvers (Rooses II 275-277) et aujourd'hui à la cathédrale d'Anvers.
Attribué au Musée du Louvre par l'Office des Biens privés, 1950.

D.L. 1973-16

Voir ANNEXE I (tableaux en dépôt au Louvre).

RUBENS Petrus-Paulus (atelier de)

INV. 1210

Voir DIEPENBEECK.

INV. 1766

Voir VAN DYCK.

M.I. 971

Tête de vieillard.
B. H.0,515 ; L.0,400 (autrefois : L.0,335).
Parfois attribué à la jeunesse de Van Dyck.
(Rooses IV p. 302 : Van Dyck ?).
Legs du Dr Louis La Caze, 1869 (Cat. 110 : Rubens).
Demonts 2128, p. 93 (attr. à Rubens).

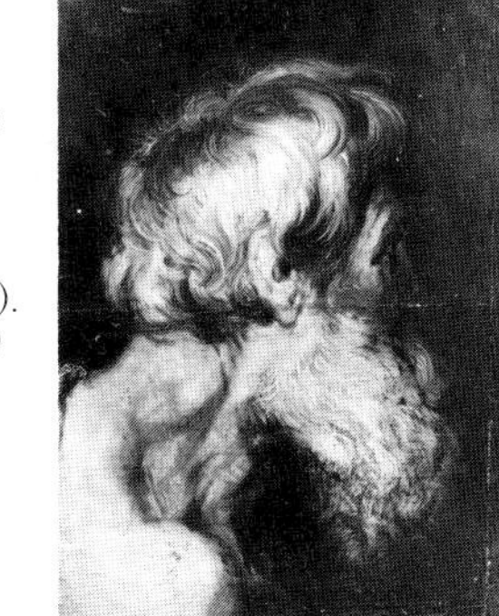

RUBENS Petrus-Paulus (d'après)

INV. 1765

La Fuite en Egypte.
T. H.0,75 ; L.1,10.
Imitation d'époque combinant un motif de Rubens (la « Fuite en Egypte » proprement dite) copié sur le tableau du musée de Kassel daté 1614 (Rooses I 178) avec un paysage d'Elsheimer comme celui de la « Fuite en Egypte » de la Pinacothèque de Munich.
Coll. de Louis XIV : acquis en 1671.
Villot II 430 (Rubens) - *Demonts 2080, p. 85* (éc. de Rubens) - *Cat. Rés. 236* (attr. à Rubens).

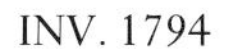

INV. 1794

Portrait d'Anne d'Autriche (1601-1666), reine de France, dit autrefois : Portrait de Marie-Anne, reine de Hongrie ou Portrait d'Elisabeth de Bourbon, fille d'Henri IV, épouse de Philippe IV, roi d'Espagne.
B. H.1,06 ; L.0,93.
(Rooses IV 886 : Rubens et collaborateur. Huemer sous le n° 3 : atelier de Rubens).
Coll. de Louis XIV (entré avant 1683).
Villot II 459 (Rubens) - *Demonts 2112, p. 14* (id.).

INV. 1812

Le Coup de lance.
T. H.4,40 ; L.3,10.
Copie du tableau peint en 1618 pour le maître-autel de l'église des Récollets d'Anvers (Rooses II 296) aujourd'hui au musée royal des Beaux-Arts d'Anvers.
Ancienne collection.

INV. 1813

La Descente de croix.
T. H.4,40 ; L.3,20.
Copie inversée d'après la partie centrale du triptyque de la « Descente de croix » (Rooses II 307) peint en 1611-14 pour la confrérie des Arbalétriers à la cathédrale d'Anvers.
Ancienne collection.

M.I. 968

Job tourmenté par les démons.
T. H.1,46 ; L.1,19.
Copie réduite, faite sans doute d'après la gravure (Voorhelm Schneevogt p. 3 n° 17) de L. Vosterman le Vieux (1595-1675) qui reproduit elle-même en sens inverse l'un des volets du triptyque de l'« Histoire de Job » (Rooses I 129) peint en 1612 pour l'église Saint-Nicolas de Bruxelles et brûlé en 1695.
Legs du Dr Louis La Caze, 1869 (cat. 107 : Rubens).
Demonts 2125, p. 172 (éc. de Rubens).

M.I. 970

Tête de saint Georges.
B. H.0,485 ; L.0,395.
Copie (du XVIIIe siècle ?) d'après la figure de saint Georges dans l'« Intercession des saints » (Rooses II 407) peinte par Rubens pour l'église des Dominicains à Anvers (Lyon, Musée des Beaux-Arts).
(Rooses II 436 : Rubens. Glück 33 : Van Dyck).
Legs du Dr Louis La Caze, 1869 (Cat. 109 : Rubens).
Demonts 2127, p. 96 (Rubens).

R.F. 2122

Suzanne Fourment (1599-1643), sœur de la seconde femme de Rubens.
B. H.0,630 ; L.0,475.
Peut-être copié d'après un original perdu.
Legs du baron Basile de Schlichting, 1914.
Demonts s.n., p. 167 (Rubens).

R.F. 2365

Voir RICARD Gustave (Ecole française).

R.F. 1938-23

Silène et faunes avec des bacchantes.
B. H.0,48 ; L.0,71.
Copie d'après une composition rubénienne (original de Rubens perdu ou création d'un suiveur ?) connue par une gravure (Woorhelm Schneevogt p. 133 n° 127) partielle et inversée, datée de 1632, de W. Panneels (v. 1600 - après 1632).
Donation de Mme Walter Gay, 1937.
(Inventaire : Ec. de Rubens).

R.F. 1942-15

Voir DELACROIX Eugène (Ecole française).

R.F. 1976 - 448, 449

Voir Annexe II (dons sous réserve d'usufruit).

M.N.R. 404

Pan et Syrinx.
T. H.0,87 ; L.1,23.
Peut-être copie d'un original disparu dû à la collaboration de Rubens (figures) et de Wildens (paysage).
Attribué au Musée du Louvre par l'Office des Biens privés, 1950.

M.N.R. 429

Portrait de femme dit à tort : Portrait de Suzanne Fourment.
T. H.0,59 ; L.0,53.
Sans doute copie d'un original non localisé.
Attribué au Musée du Louvre par l'Office des Biens privés, 1950.

M.N.R. 541

Voir ECOLE ITALIENNE XVIIe siècle.

M.N.R. 982

L'Erection de la croix.
T. H.0,74 ; L.0,62.
Copie réduite d'après le tableau peint en 1602 pour la chapelle Sainte-Hélène de l'église Santa-Croce in Gerusalemme à Rome (Rooses II 446) et connu aujourd'hui par la copie ancienne du XVIIe s. appartenant aux Hospices de Grasse (actuellement en dépôt à la Cathédrale de cette ville avec les 2 originaux de Rubens provenant du même ensemble, le *Couronnement d'épines* et *Sainte Hélène triomphante)*.
Attribué au Musée du Louvre par l'Office des Biens privés, 1954.

RUISDAEL Jacob Isaacksz. van, neveu de Salomon van Ruysdael. Haarlem, 1628/29 - Amsterdam, 1682.

INV. 1818

La Tempête.
T. H.1,10 ; L.1,60.
S.b.d. : *J.V. Ruisdael* (les trois premières lettres entrelacées).
(Hofstede de Groot IV 961. Rosenberg 596).
Coll. de Louis XVI : acquis en 1783.
Villot II 471 - Demonts 2558, p. 120.

INV. 1819

Le Buisson.
T. H.0,68 ; L.0,82.
S.b.d. : *J.V. Ruisdael* (les trois premières lettres entrelacées).
Figures peut-être rajoutées par Adriaen van de Velde.
(Hofstede de Groot IV 890 et 901 d. Rosenberg 557).
Coll. de Louis XVI : acquis en 1783.
Villot II 472 - Demonts 2559, p. 17.

INV. 1820

Le Coup de soleil.
T. H.0,83 ; L.0,99.
S.b.g. : *J.V.R.* (monogramme).
Les figures ont été parfois attribuées à Philips Wouwerman.
(Hofstede de Groot IV 664 et 701. Rosenberg 413).
Coll. de Louis XVI : acquis en 1784.
Villot II 473 - Demonts 2560, p. 16.

R.F. 710

L'Entrée d'un bois.
T. H.0,57 ; L.0,65.
S.b.d. : *J.V. Ruisdael* (les trois premières lettres entrelacées).
(Hofstede de Groot IV 500 et 561. Rosenberg 356).
Legs Léon Moreaux, 1891.
Demonts 2561 A p. 140.

R.F. 1527

La Route.
T. H.0,76 ; L.0,94.
S.b.d. : *J.V. Ruisdael* (les trois premières lettres entrelacées).
(Hofstede de Groot IV 501. Rosenberg 355).
Legs du baron Arthur de Rothschild, 1904.
Demonts 2560 A, p. 26.

M.N.R. 501

Solitude. Ruines près d'une mare.
T. H.1,065 ; L.1,520.
S.b.d. : *J.V. Ruisdael* (signature retouchée ; les trois premières lettres entrelacées).
Les ruines semblent inspirées de celles du château d'Egmond.
(Hofstede de Groot IV 1075 f.).
Attribué au Musée du Louvre par l'Office des Biens privés, 1950.
Cat. Rés. 468.

M.N.R. 771

Voir MOLENAER.

RUISDAEL Jacob Isaacksz. van (imitation de)

INV. 1821

Paysage au chemin tournant.
B. H.0,23 ; L.0,30.
S.b.d. : *J. Ruysdael* (apocryphe).
(Hofstede de Groot IV 891 : Ruisdael. Rosenberg 558 : id.).
Ancienne collection.
Villot II 474 (Ruisdael) - *Demonts 2561, p. 122* (id.).

INV. 20373

Paysage avec barque.
B. H.0,41 ; L.0,35.
Legs de Mme Adolphe Thiers, 1881 (Cat. 266 : Klaes Molenaer [Haarlem, avant 1630 - id., 1676],
Demonts s.n., p. 177 (attr. à J. van Ruisdael).

RUYSDAEL Salomon van, oncle de Jacob van Ruisdael.
Naarden, 1600/1603 - Haarlem, 1670.

R.F. 1162

Le Bac.
T. H.0,40 ; L.0,60.
S.D.m. sur le bac : *S.V. Ruysdael 1643.*
(Stechow 338).
Acquis en 1899.
Demonts 2561 B, p. 126.

R.F. 1483

La Grosse tour. Paysage fluvial.
T. H.0,98 ; L.1,39.
S.b.m. sur la barque : *S.V. Ruysdael fec.* (très effacé).
(Stechow 423).
Acquis en 1903.
Demonts 2561 C, p. 113.

R.F. 1484

Bord de rivière avec une église.
T. H.1,11 ; L.1,52.
S.D.b.g. : *S. Ruysdael 1644.*
(Stechow 346).
Acquis en 1903.
Demonts 2561 D, p. 24.

R.F. 3725

« La Marine d'or ». Soleil couchant.
B. H.0,34 ; L.0,53.
Ainsi traditionnellement intitulé pour faire pendant au Beyeren, R.F. 3724.
(Stechow 306).
Coll. du comte de l'Espine ; donné par sa fille, la princesse Louis de Croÿ, sous réserve d'usufruit, 1930 ; entré au Louvre en 1932.

R.F. 1950-48

Le Débarcadère.
B. H.0,73 ; L.1,09.
S.D.g. sur le tertre : *S. VR 1635.*
(Stechow 325).
Acquis en 1950.

R.F. 1965-16

Nature morte au dindon.
T. H.1,12 ; L.0,85.
S.D.b.g. : *S.V. Ruysdael 1661.*
(Stechow 610).
Acquis en 1965.

RYCKAERT David III
Anvers, 1612 ; id., 1661.

M.I. 146

Peintres dans un atelier.
B. H.0,59 ; L.0,95.
S.D.h.d. sur une feuille de papier : *D. R.Y.C. F. 1638.*
Don Adolphe Moreau, 1855.
Suppl. Tauzia 693 - Demonts 2137, p. 15.

RYCKAERT Marten (Imitation ancienne de), oncle de David III.
Anvers, 1587 - id., 1631.

INV. 1106

Paysage montagneux avec bergers au bord de l'eau.
B. H.0,345 ; L.0,465.
Ancienne collection.
(Inventaire : éc. de Brueghel de Velours).

RIJCKERE Bernaert de, connu auparavant sous le nom de MAITRE B.
Courtrai, vers 1535 - Anvers, 1590.

R.F. 1961-48

Portrait de femme.
B. H.0,545 ; L.0,420.
S.D.h.d. : *1563. B.*
Donation Hélène et Victor Lyon sous réserve d'usufruit au profit de leur fils Edouard Lyon, 1961 ; entré au Louvre en 1977.
(Inv. : attr. à Holbein).

RYSBRACK Geerard
Anvers, 1696 - id., 1773.

INV. 1825 quater

Oiseau pêcheur, cygnes et poissons.
T. H.0,79 ; L.1,00.
S.b.m. : *G. Rÿsbrack.*
Inscription mi.h.d. : *oiseau pêcheur trouvé au mois de mai 1748 près Pontoise.*
Commandé en 1749 pour la Ménagerie du château de Versailles.
Coll. de Louis XV.

INV. 1826

Gibier mort dans un paysage : deux bécasses blanches et deux autres oiseaux.
T. H.0,47 ; L.0,55.
S.D.b.d. : *G. Rÿsbrack. 1751.*
Commandé en 1749 pour la Ménagerie du château de Versailles.
Coll. de Louis XV.

INV. 1827

Gibier mort dans un paysage : deux bécasses blanches et trois autres oiseaux.
T. H.0,510 ; L.0,575.
S.D.b.d. : *G. Rÿsbrack. 1751.*
Commandé en 1749 pour la Ménagerie du château de Versailles.
Coll. de Louis XV.

RYSSELBERGHE Théo van
Gand, 1862 - Saint-Clair (Var), 1926.

R.F. 1976-79

L'Homme à la barre.
T. H.0,602 ; L.0,803.
S.D.b.g. : *18.T.V.R. 92* (initiales en monogramme).
Donation de Mme Ginette Signac, fille du peintre Signac (1863-1935), sous réserve d'usufruit, 1976 ; abandon de l'usufruit, 1979.

R.F. 1977-357

Emile Verhaeren, poète (Saint-Amand, près d'Anvers, 1855 - Rouen, 1916).
T. H.0,775 ; L.0,92.
S.D.m.d. : *VR MAI 1915* (les deux premières lettres accolées).
Offert au Musée du Luxembourg à la suite d'une souscription publique, 1915.
Reversement du Musée National d'Art Moderne au Louvre, 1977.
Bénédite 131.

R.F. 1977-358

Etude de femme nue.
T. H.0,655 ; L.1,00.
S.D.b.d. : *VR Déc 1913* (les deux premières lettres accolées).
Entré au Musée du Luxembourg en 1916.
Reversement du Musée National d'Art Moderne au Louvre, 1977.
Bénédite 133.

R.F. 1977-359

Auguste Perret, architecte (Bruxelles, 1874 - Paris, 1954).
T. H.1,305 ; L.0,73.
Don de Mme Auguste Perret, au Musée National d'Art Moderne, 1955.
Reversement du Musée National d'Art Moderne au Louvre, 1977.

R.F. 1977-360

Mme Auguste Perret, épouse de l'architecte.
Carton H.0,78 ; L.0,58.
S.D.b.g. : *19 VR 11* (les deux lettres accolées).
Don de Mme Auguste Perret, au Musée National d'Art Moderne, 1955.
Reversement du Musée National d'Art Moderne au Louvre, 1977.

SAEYS Jacob
Anvers ?, 1658 - Vienne, 1725 ?

M.N.R. 791

Repas de chasse.
T. H.1,165 ; L.1,532.
Le paysage est d'une autre main, sans doute flamande.
Attribué au Musée du Louvre par l'Office des Biens privés, 1951.

SAFTLEVEN Cornelis
Gorkum, 1607 - Rotterdam, 1681.

INV. 1975

Autoportrait au chevalet.
B. H.0,31 ; L.0,23.
S.D.g. sur la toile placée sur le chevalet : ... *T Leven 1629.*
(Van Hall 3 p. 288. Schulz 637).
Saisie révolutionnaire de la coll. du président Bernard.
Villot II 584 - Demonts 2562, p. 139.

SAFTLEVEN Herman, frère du précédent.
Rotterdam, 1609 - Utrecht, 1685.

INV. 1974

Vue des bords du Rhin. Paysage de fantaisie.
B. H.0,305 ; L.0,400.
S.D.b.g. : *HS 1655.*
Coll. de Louis XVI : acquis en 1783.
Villot II 583 - Demonts 2563, p. 142.

SANTVOORT Dirck van
Amsterdam, 1610 - id., 1680.

INV. 1828

Les Pèlerins d'Emmaus.
B. H.0,67 ; L.0,51.
S.D.b. au milieu : *DV Santvoort f. 1633.*
Provient d'Italie (Rome ?), 1802.
Villot II 477 - Demonts 2564, p. 114.

SAVERY Roelant
Courtrai, 1576 - Utrecht, 1639.

R.F. 2224

Marche de cavaliers polonais (ou hongrois ?) **dans un bois.**
B. H.0,34 ; L.0,40.
S.b.d. : *R.S. 1614.*
Don Emile Rodrigues, 1919.
Demonts s.n., p. 60 (attr. à R. Savery et à J. Martszen de Jonge) - *Michel 4128, p. 251.*

M.N.R. 952

Orphée charmant les animaux.
B. H.0,320 ; L.0,425.
S.d.b.g. : *Roelandt Savery a 1626.*
Attribué au Musée du Louvre par l'Office des Biens privés, 1953.

SCHALCKE Cornelis van der
Haarlem, 1611 - id., 1671.

R.F. 1951-1

Paysage avec deux paysans au pied d'un arbre.
B. H.0,55 ; L.0,68.
Don de Mme Lemand, 1951.

SCHALCKEN Godfried
Made, 1643 - La Haye, 1706.

INV. 1829

La Sainte famille.
B. cintré. H.0,68 ; L.0,49.
S.b.g. : *G. Schalken.*
(Hofstede de Groot V 20).
Coll. de Louis XVI : acquis en 1783.
Villot II 478 - Demonts 2565, p. 112.

INV. 1831

Couple éclairé par une bougie.
B. cintré. H.0,20 ; L.0,14.
(Hofstede de Groot V 271).
Coll. de Louis XVI : acquis en 1785.
Villot II 480 - Cat. somm. 2566.

INV. 1832

Vieillard écrivant.
B. ovale. H.0,12 ; L.0,09.
Sans doute mis en pendant entre 1777 et 1784 avec un tableau de G. Dou, INV. 1223. (Hofstede de Groot V 100).
Coll. de Louis XVI : acquis en 1784.
Villot II 481 - Demonts 2567, p. 147.

SCHELTEMA Taco
Harlingen, 1760 - Velp, près d'Arnhem, 1837.

R.F. 1588

Portrait de femme.
T. H.0,71 ; L.0,53.
S.b.g. : *C. Hodges* (apocryphe).
Don Jules Maciet, 1906.
Demonts 1812, p. 184 (Charles Howard Hodges, 1764-1837, peintre anglo-hollandais).

SCHOOTEN Floris van
Haarlem, mentionné de 1612 à 1655.

M.N.R. 708

Nature morte au jambon.
B. H.0,625 ; L.0,830.
S. sur le couteau : *F.V.S.*
(Gammelbo 53).
Attribué au Musée du Louvre par l'Office des Biens privés, 1951.

SCHRIECK Otto Marseus van

Voir MARSEUS.

SCHWEICKHARDT Heinrich
Hamm (Westphalie), 1746 - Londres, 1797.

INV. 1837

Patineurs sur un canal glacé.
T. H.0,71 ; L.0,98.
S.D.b.d. : *H.W. Schweickhardt 1779.*
Peint pour Willem V, Prince d'Orange-Nassau et Stadhouder des Pays-Bas, en 1779.
(Sluijter p. 188).
Pendant, *Paysage montagneux*, daté 1780, (Sluijter p. 189) sur le marché d'art londonien en 1974.
Provient de la coll. du Stadhouder à La Haye, 1795.
Villot II 484 - Demonts 2735, p. 77.

SCOREL Jan van
Schoorel, près d'Alkmaar, 1495 - Utrecht, 1562.

R.F. 120

Portrait d'homme âgé de 32 ans.
B. H.0,51 ; L.0,43.
D.b.g. : *1521 anno etatis mee 32.*
La date originale de 1521 a été longtemps transformée en 1501.
(Friedländer XII 378).
Acquis en 1874.
Tauzia 520 (peintre allemand travaillant en Italie) - *Cat. somm. 2641 B* (Inconnu de l'Ecole hollandaise, XVIe s.) - *Demonts 2641 B p. 60* (éc. hollandaise du XVIe s. d'après Pordenone ?) - *Michel 2641 B p. 254.*

SEGHERS Daniel
Anvers, 1590 - id., 1661.

INV. 797

Guirlande de fleurs entourant un médaillon représentant le triomphe de l'Amour.
T. H.1,34 ; L.1,10.
Pour le médaillon, voir DOMENICHINO (éc. italienne).
(Hairs p. 408).
Peint à Rome par Seghers en 1625-1627 pour le Cardinal Ludovisi qui y fit ajouter avant 1633 des figures par Domenichino.
Coll. de Louis XIV (entré avant 1683).
Villot I 498 - Hautecœur 1616.

SEGHERS Gérard
Anvers, 1591 - id., 1651.

INV. 1976

Saint François d'Assise réconforté par les anges après sa stigmatisation.
T. H.2,36 ; L.1,61.
Coll. de Louis XIV : donné par l'ambassadeur du Roi de Danemark en 1682.
Villot II 585 - Cat. somm. 2140.

SELLAER Vincent (genre de)
Malines, vers 1500 - id., 1589.

Voir Annexe I (tableaux en dépôt au Louvre).

SIBERECHTS Jan
Anvers, 1627 - London, vers 1703.

R.F. 1025

La Toilette au bord de l'eau.
T. H.0,875 ; L.0,670.

Don Charles Sedelmeyer, 1896.
Demonts 2140 A, p. 85.

SITTOW Michel, dit autrefois Maître Michiel
Reval (Esthonie), vers 1468 - id., 1525/26.

R.F. 1966-11

Le Couronnement de la Vierge.
B. H.0,245 ; L.0,183.
Fait partie d'une suite de 47 tableaux de la vie du Christ et de la Vierge peints pour Isabelle la Catholique, reine de Castille († 1504) par Juan de Flandes et Sittow.
Cf. Juan de Flandes, R.F. 2557.
(Trizna 32 : attribution douteuse).
Acquis en 1966.

SITTOW Michel (d'après)

R.F. 1547

Portrait de femme.
B. H.0,20 ; L.0,15.

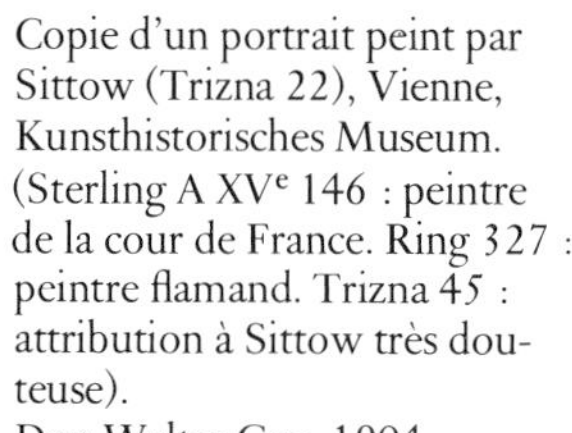
Copie d'un portrait peint par Sittow (Trizna 22), Vienne, Kunsthistorisches Museum.
(Sterling A XVᵉ 146 : peintre de la cour de France. Ring 327 : peintre flamand. Trizna 45 : attribution à Sittow très douteuse).
Don Walter Gay, 1904.
Demonts 1000 B, p. 188 (peintre flamand, fin du XVᵉ s.) - *Michel 1000 B, p. 183* (Sittow).

SLINGELANDT Pieter Cornelisz. van
Leyde, vers 1625/1630 - id., 1691.

INV. 1840

Johannes Meerman (1624-1675), bourgmestre de Leyde, **et sa famille.**
B. H.0,530 ; L.0,445. Au verso, inscription ancienne (mais non signature originale) : *P.V. Slingelandt 1668.*
(Hofstede de Groot V 134).
Coll. de Louis XVI : acquis en 1783.
Villot II 486 - Demonts 2568 p. 153.

INV. 1841

Portrait de l'artiste.
B. ovale. H.0,13 ; L.0,10.
S.D.b.d. : *P.V. Slingeland fecit 1656.*
(Hofstede de Groot V 145. Van Hall I p. 307).
Ancienne collection.
Villot II 487 - Cat. somm. 2569.

R.F. 758

Saint Jérôme en prière dans une grotte.
T. H.0,295 ; L.0,220.
S.D.b.d. : *P.V.S. 165* (6 ?).
Pendant de R.F. 759
(Hofstede de Groot V 2).

Legs du marquis Auguste-Henri de Queux de Saint-Hilaire, 1892.
Cat. somm. 2570 B.

R.F. 759

Sainte Madeleine pénitente.
T. H.0,295 ; L.0,215.
S.D.mi-h.d. : *P.V.S. 1657.*
Pendant du R.F.758.
(Hofstede de Groot V 1).
Legs du marquis Auguste-Henri de Queux de Saint-Hilaire, 1892.
Cat. somm. 2570 A.

SMITS Jacob
Rotterdam, 1855 - Mol, 1928.

R.F. 1977-330

Le Hameau.
T. H.0,81 ; L.0,85.
S.b.d. : *Jacob Smits.*
Don Henrique Mistler au Musée du Luxembourg.
Reversement du Musée National d'Art Moderne au Louvre, 1977.

SNAYERS Pieter
Anvers, 1592 - Bruxelles, vers 1667.

INV. 1843

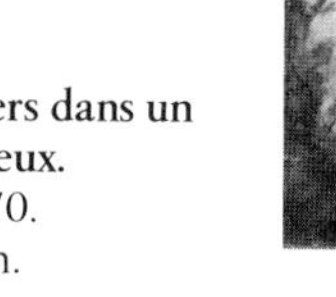

Marche de cavaliers dans un paysage montagneux.
T. H.0,435 ; L.0,670.
Ancienne collection.

INV. 2009

Représentation présumée de la bataille de la montagne blanche près de Prague (1620).
C. H.0,30 ; L.0,44.
Coll. de Louis XIV (entré après 1683).
Villot II 615 (éc. flamande, XVIIe s.).

SNYDERS Frans
Anvers, 1579 - id., 1657.

INV. 1849

Trois chiens dans un garde-manger.
T. H.1,24 ; L.2,05 (autrefois H.1,17 ; L.2,05).
Saisie révolutionnaire de la coll. du duc de Brissac.
Villot II 494 - Demonts 2146, p. 10.

INV. 1850

Fruits et légumes avec un singe, un perroquet et un écureuil.
B. H.0,79 ; L.1,08.
(Greindl p. 185 : réplique du tableau de la Staatsgalerie de Stuttgart).
Saisie révolutionnaire de la coll. du baron de Breteuil ?
Villot II 495 - Demonts 2147, p. 28.

M.I. 978

La Marchande de gibier.
T. H.2,21 ; L.1,87. Composition sans doute tronquée.
(Greindl p. 185).
Legs du Dr Louis La Caze, 1869 (Cat. 117).
Demonts 2149, p. 173.

M.I.980

Oiseaux sur des branches.
T. H.1,22 ; L.1,76 (autrefois H.1,14 ; L.1,69).
Legs du Dr Louis La Caze, 1869 (Cat. 119).
Demonts 2151, p. 174.

M.I.981

Trois singes voleurs de fruits.
T.H.0,98 ; L.1,47.
S.b.g. : *F. Snyders f.*
(Greindl p. 181).
Legs du Dr Louis La Caze, 1869 (Cat. 120).
Demonts 2152, p. 90.

M.I. 982

Singes et perroquet auprès d'une corbeille de fruits.
T. H.0,79 ; L.1,04.
Legs du Dr Louis La Caze, 1869 (Cat. 121).
Demonts 2153, p. 93.

R.F. 3046

Deux singes pillant une corbeille de fruits.
T. H.0,84 ; L.1,19.
Legs d'Isidore-Fernand Chevreau, baron de Christiani, 1929.

SNYDERS Frans (atelier de)

INV. 1848

Marchands de poissons à leur étal.
T. H.2,10 ; L.3,42.
(Greindl p. 185).
Réplique d'atelier, sinon copie ancienne, du tableau du musée de l'Ermitage à Leningrad.
Saisie révolutionnaire de la coll. du duc d'Harcourt.
Villot II 493 - Demonts 2145, p. 8 (attr. à Snyders).

SNYERS Pieter
Anvers, 1681 - id., 1752.

R.F. 3710

Nature morte : légumes et fruits.
T. H.1,52 ; L.1,79.
S.b.d. : *P. Snÿers.*
Coll. du comte de l'Espine ; donné par sa fille, la princesse Louis de Croÿ, sous réserve d'usufruit, 1930 ; entré au Louvre en 1932.

SOEST Louis W. van
Poerworedjo, Java, 1867 - La Haye, 1948.

R.F. 1187

Matinée d'hiver.
T. H.0,805 ; L.1,10.
S.b.d. : *Louis W Soest.*
Acquis à l'Exposition Universelle de 1900.
Bénédite 285.

SORGH Hendrick Maertensz., dit Rokes
Rotterdam, 1610/11 - id., 1670.

M.I. 903

Intérieur d'un cabaret.
B. H.0,30 ; L.0,235.
(Hofstede de Groot III 81 : Brouwer).
Legs du Dr Louis La Caze, 1869 (Cat. 42 : Brouwer).
Demonts 1913, p. 102 (Brouwer).

M.I. 1014

Intérieur d'estaminet.
B. H.0,49 ; L.0,70.
S.D.b.g. : *H.M. Sorgh 1646*
(les deux premières lettres entrelacées).
Legs du Dr Louis La Caze, 1869 (Cat. 153).
Demonts 2572, p. 108.

INV. 1754. Voir Anonymes.

SOUTMAN Pieter
Haarlem, vers 1580 - id., 1657.

R.F. 426

Paulus van Beresteyn (1588-1636) et son épouse Catherina Both van der Eem
avec leurs six enfants et deux servantes, vers 1630-1631.
T. H.1,67 ; L.2,41.
(Hofstede de Groot III p. 139, note 1 : H. G. Pot ? Slive D 80 : Soutman ? Montagni 276 : Soutman).
Provient du Hofje (béguinage) Van Beresteyn à Haarlem.
Cf. Hals R.F. 424 et 425.
Acquis en 1885 des régents de cet hospice.
Demonts 2388, p. 25 (F. Hals ou H.G. Pot ?).

SPAENDONCK Cornelis van
Tilbourg, 1756 - Paris, 1840.

INV. 1857

Nature morte aux fleurs.
T. H.0,915 ; L.0,73.
S.D.b.d. : *Corneille van Spaendonck. 1789.*
Ancienne collection.

R.F. 2853

Nature morte aux pêches et à l'ananas.
T. H.0,43 ; L.0,54.
S.D.b.g. : *Corneille Van Spaendonck 1798.*
Coll. du comte de l'Espine ; donné par sa fille, la princesse Louis de Croÿ, 1930.

SPRANGER Bartholomeus
Anvers, 1546 - Prague, 1611.

R.F. 3955

Allégorie de la Justice.
T. H.1,31 ; L.1,06.
Acquis en 1936.
Michel 4130, p. 256.

SPREEUWEN Jacob van
Leyde, vers 1611 - id. ?, après 1650.

INV. 1862

Un Savant dans son cabinet.
B. H.0,385 ; L.0,325.
Saisie révolutionnaire de la coll. Quentin Crawford.
Villot II 499 (Staveren) - *Demonts 2577, p. 146* (id.) - *Cat. Rés. 477* (attr. à Staveren).

STALBEMT Adriaen van
Anvers, 1580 - id., 1662.

INV. 1098

Vue des environs de Bruxelles.
T. H.0,965 ; L.1,215.
S.b.d. : *Breughel Fe* (apocryphe).
Ancienne collection.
Demonts 2214, p. 53 (éc. flamande, début du XVIIe s.).

STAP

Voir WOUTERS.

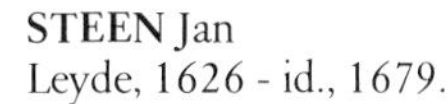

STEEN Jan
Leyde, 1626 - id., 1679.

INV. 1863

Fête dans une auberge.
T. H.1,17 ; L.1,61.
S.h.g. sur le blason : *Jan Stien* (la date de 1674 signalée par d'anciens catalogues est aujourd'hui invisible).
(Hofstede de Groot I 601).
Acquis en 1817.
Villot II 500 - Demonts 2578, p. 127.

M.I. 983

Repas de Famille.
T. H.0,820 ; L.0,685.
S.mi-h.d. : *J. Steen.*
(Hofstede de Groot I 535).
Legs du Dr Louis La Caze, 1869 (Cat. 122).
Demonts 2579 p. 107.

R.F. 301

La Mauvaise Compagnie.
B. H.0,415 ; L.0,355.
S.b.g. : *J. Steen* (les deux premières lettres entrelacées).
(Hofstede de Groot I 835).
Acquis en 1881.
Demonts 2580, p. 137.

STEEN Jan (d'après)

R.F. 3830

La Fête des fleurs de la Pentecôte.
T. H.0,99 ; L.0,83.
S.b.g. : *J. Steen f.* (apocryphe).
Copie ancienne d'après un original (Hofstede de Groot I 306) perdu.
Legs de Mlle Adolphine Lax, 1933.

STEENWYCK Hendrik van, dit le Jeune
Anvers ?, vers 1580 - Londres, avant 1649.

INV. 1864

Jésus chez Marthe et Marie.
T. H.0,685 ; L.1,050.
S.D.b.d. : *Henri v. Steinwick 1620* (signature partiellement refaite ?).
Figures d'une autre main.
(Jantzen 461).
Coll. de Louis XIV (entré avant 1683).
Villot II 501 (figures attr. à C. Poelenburgh) - *Demonts 2581*, p. 115 (id.).

INV. 1865

Intérieur d'église. Effet de nuit.
B. H.1,23 ; L.1,74.
S.mi-h.d. : *H.V. Steinwick.*
(Jantzen 483).
Acquis en 1817.
Villot II 502.

INV. 1866

Intérieur d'église avec un sacristain désignant un tableau à des visiteurs.
C. H.0,27 ; L.0,43.
S.D.b.g. : *H.V. Steinweyck 1608* (plutôt que 1618).
Daté encore *1608* sur une pierre tombale au premier plan.
(Jantzen 460 : 1618).
Ancienne collection.
Villot II 503 - Cat. somm. 2582.

INV. 1867

Intérieur d'église avec visiteurs.
C. H.0,26 ; L.0,37.
(Jantzen 291 : P. Neefs I).
Ancienne collection.
Villot II 504 - Cat. somm. 2583.

INV. 1868

Intérieur d'église avec famille au premier plan.
T. H.1,16 ; L.1,82.
S.b.d. : *H.v. Steenwyck. fecit.*
(Jantzen 484).
Figures d'une autre main (hollandaise ? dans le goût de Palamedes).
Ancienne collection.
Villot II 505.

STEVENS Alfred
Bruxelles, 1823 - Paris, 1906.

R.F. 1948-19

René Peter enfant, fils du Dr Peter, médecin et ami du peintre.
T. H.0,275 ; L.0,225.
S.h.d. : *A. Stevens*, D. au revers : *1880.*
Donation René Peter sous réserve d'usufruit, 1948 ; entré au Louvre en 1968.

R.F. 1972-36

Tous les bonheurs. Scène familiale.
T. H.0,515 ; L.0,653.
S.b.d. : *A. Stevens.*
Legs Eduardo Alsop-Mollard, 1972.

M.N.R. 729

Portrait de femme en pied sur une terrasse près de la mer.
T. H.1,01 ; L.0,66.
S.D.b.g. : *A. Stevens 1882.*
Attribué au Musée du Louvre par l'Office des Biens privés, 1951.

M.N.R. 963

Frère et sœur devant la mer à Honfleur.
T. H.1,30 ; L.1,00.
S.D.b.g. : *A. Stevens 91.*
Attribué au Musée du Louvre par l'Office des Biens privés, 1953.

STEVENS Alfred (genre de)

R.F. 1968-15

Voir Annexe II (dons sous réserve d'usufruit).

STEVENS Joseph
Bruxelles, 1816 - id., 1892.

R.F. 1979-41

« Le Supplice de Tantale ».
Chien à l'attache dans une cour.
T. H.0,72 ; L.0,92.
S.D.h.d. : *J. Stevens Brux. 1890.*
Entré au Musée du Luxembourg, 1899.
Reversement du Musée National d'Art Moderne au Louvre, 1979.
Bénédite 137.

STOCADE

Voir HELT

STOMER Mathias
Amersfoort, vers 1600 - Sicile, après 1650.

INV. 1363

Pilate se lavant les mains.
T. H.1,53 ; L.2,05.
(Nicolson 122).
Acquis en 1795.
Villot II 215 (Honthorst) - *Demonts 2408, p. 19* (Honthorst) *et p. 229* (attribution rectifiée).

R.F. 2810

Isaac bénissant Jacob.
T. H.0,975 ; L.1,330.
(Nicolson 29 : copie d'un original perdu).
Don du Dr et de Mme Pierre Marie, 1929.
(Inventaire : Honthorst ou plutôt Stomer).

STORCK Abraham
Amsterdam, vers 1635 - id. (?), vers 1710.

R.F. 3713

Vaisseaux et barques sur la mer.
T. H.0,22 ; L.0,41.
S.b.d. : *A. Storck.*
Coll. du comte de l'Espine ; donné par sa fille, la princesse Louis de Croÿ, sous réserve d'usufruit, 1930 ; entré au Louvre en 1932.

STREEK Hendrik van (d'après)

R.F. 3719

Intérieur d'église avec femme au pied d'une chaire, inspiré de la Nieuwe Kerk de Delft.
T. H.0,395 ; L.0,33.
S.b.d. : (illisible).
Imitation du XIXe siècle. Le tableau a été attribué auparavant à l'école de Gerrit Houckgeest puis à un disciple de Hendrick Cornelisz van der Vliet.
Coll. du comte de l'Espine ; donné par sa fille, la princesse Louis de Croÿ, sous réserve d'usufruit, 1930 ; entré au Louvre en 1932.
(Inventaire : Vries, sans précision de prénom).

STRIJDONCK Guillaume van
Namsos (Norvège), 1861 - Saint-Gilles, 1937.

R.F. 1979-42

Meules de fèves dans les marais.
T. H.1,00 ; L.1,50.
S.b.g. : *G. S van Struydonck Weert[?] Fèves des Marais.*
Don Guillaume Charlier au Musée du Luxembourg, 1921.
Reversement du Musée National d'Art Moderne au Louvre, 1979.
Bénédite 138.

SUSTERMANS Justus (atelier de)
Anvers, 1597 - Florence, 1681.

R.F. 2124

Ferdinand II de Médicis, grand-duc de Toscane (1610-1670).
T. H.2,02 ; L.1,15.
Réplique du portrait (Bautier p. 124) conservé jadis dans la villa de Poggio à Caiano près de Florence et aujourd'hui au Palais Pitti de Florence (n° 138).
Legs du baron Basile de Schilchting, 1914.
Demonts s.n., p. 168.

SUSTERMANS (d'après)

M.I. 984

Mathias de Médicis (1613-1667), frère de Ferdinand II, dit jadis : Portrait de Léopold, autre frère de Ferdinand II.
T. ovale. H.0,37 ; L.0,28.
(Bautier p. 124 : Sustermans).
Legs du Dr Louis La Caze, 1869 (Cat. 123 : Sustermans).
Demonts 2154, p. 172 (Sustermans).

SUSTRIS Lambert
Amsterdam, entre 1515 et 1520 - Padoue ?, après 1568.

INV. 1759

La Mort d'Adonis.
T. H.1,55 ; L.1,99.
(Peltzer n[e] 31 : pas de Rottenhamer, mais d'un nordique marqué par l'école vénitienne. De Vecchi E 11 : pas de Tintoretto).
Saisie révolutionnaire de la coll. du duc de Penthièvre à Châteauneuf-sur-Loire.
Villot II 424 (Rottenhammer) - *Demonts 2732, p. 74* (attr. à Rottenhammer) - *Cat. Rés. 185* (attr. au Tintoret).

INV. 1978

Vénus et l'amour.
T. H.1,32 ; L.1,84.
Coll. de Louis XIV (entré avant 1683).
Villot II 587 (Sustris - sans prénom, mais la notice penche en faveur du premier des Sustris, Lambert) - *Cat. somm. 2640* (Lambert-Frédéric Sustris, sic) - *Demonts 2640, p. 61* (Friedrich Sustris) [fils de Lambert] - *Michel 2640, p. 258.*

SUSTRIS L. (et son atelier)

INV. 8570

Le baptême de l'eunuque éthiopien par le diacre Philippe.
T. H.0,71 ; L.1,32.
Figures partiellement de l'atelier de Sustris ? Paysage de Sustris lui-même.
Coll. de Louis XIV (entré avant 1683 et comme L. Sustris).
(Inventaire : éc. française, XVIIIe s.).

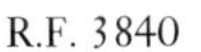

R.F. 3840

La Naissance de saint Jean-Baptiste.
T. H.0,96 ; L.1,28.
Acquis en 1934.
Michel 4131 p. 260 (d'après Lambert Sustris).

SWANEVELT Herman van
Woerden, près d'Utrecht, vers 1600 - Paris, 1655.

INV. 1871

Site d'Italie. Soleil couchant.
T. H.0,66 ; L.0,97.
Pour l'historique, cf. Asselijn, INV. 984.
Coll. de Louis XVI : acquis en 1776.
Villot II 506.

INV. 1872

Paysage au bac.
T. (ovale). H.0,76 ; L.1,39.
Pour l'historique, cf. Asselijn, INV. 984.
Coll. de Louis XVI : acquis en 1776.
Villot II 507 - Cat. somm. 2584.

INV. 1874

Paysage avec deux pâtres et une femme sur un âne.
C. (ovale). H.0,28 ; L.0,38.
S.D.b.g. : *H. Swanevelt. Paris 1654* (très effacé).
Pendant du INV. 1875.
Acquis en 1817.
Villot II 509 - Demonts 2585, p. 155.

INV. 1875

Paysage avec chèvres et pâtres.
C. ovale. H.0,28 ; L.0,38.
S.D.b.g. : *Swanevelt Paris 1654.*
Pendant du INV. 1874.
Acquis en 1817.
Villot II 510 - Demonts 2586, p. 154.

SWEERTS Michael
Bruxelles, 1624 - Goa (Indes), 1664.

INV. 1441

Soldats jouant dans une caverne aménagée en corps de garde.
T. H.0,51 ; L.0,73.
S.D.b.d. sur un cartellino : *M.S.*
(Kultzen 27)
Acquis en 1816.
Villot II 276 (Arnold van Maes) - *Demonts 2453, p. 128* (id.) *et 230* (attribution rectifiée).

R.F. 1967-11

Le Jeune Homme et l'entremetteuse.
C. H.0,19 ; L.0,27.
(Kultzen 71).
Acquis en 1967.

M.N.R. 478

Gentilhomme arrivant dans un port méridional.
T. H.0,64 ; L.0,87.
(Kultzen 24).
Attribué au Musée du Louvre par l'Office des Biens privés, 1950.
Cat. Rés. 486.

TEMPEL Abraham van den
Leeuwarden, 1622/23 - Amsterdam, 1672.

R.F. 903

Portrait de femme tenant un fruit.
T. H.0,918 ; L.0,734.
S.D.b.d. : *A.v. Tempel f A° 1662.*
Don Jules Maciet, 1894.
Demonts 2586 A, p. 150.

TENGNAGEL Jan
Amsterdam, 1584-85 - id., 1635.

R.F. 2246

La Mise au Tombeau.
T. H.0,735 ; L.0,95.
S.D.b.d. : *J.Pynas fecit A.1607* (apocryphe).
Don Ernest May, 1919.
Demonts s.n., p. 114 (Jan Pynas).

TENIERS David I, le Vieux
Anvers, 1582 - id., 1649.

R.F. 1972-11

Le Calvaire.
C. H.0,86 ; L.0,69.
S.b.d. : *D. Teniers f.*
Don de M. et Mme Jean Riechers, 1972.

TENIERS David II, le Jeune, fils du précédent
Anvers, 1610, Bruxelles, 1690.

INV. 1598

Voir NEEFS (Ecole de P.I.).

INV. 1877

Le Reniement de saint Pierre.
C. H.0,37 ; L.0,515.
S.D.b.g. : *David Teniers F. An. 1646.*
Coll. de Louis XVI : acquis en 1784.
Villot II 511 - Demonts 2155, p. 84.

INV. 1878

Le Festin de l'enfant prodigue.
C. H.0,70 ; L.0,89.
S.D.b.d. : *David Teniers f. A° 1644.*
Coll. de Louis XVI : acquis en 1783.
Villot II 512 - Demonts 2156, p. 14.

INV. 1879

Les Sept Œuvres de Miséricorde.
C. H.0,565 ; L.0,77.
S.b.d. : *David Teniers F.*
Coll. de Louis XV : acquis en 1742.
Villot II 513 - Demonts 2157, p. 32.

INV. 1880

La Tentation de saint Antoine (grande version).
B. H.0,63 ; L.0,50.
S.b.d. : *D. Teniers. F...* (effacé).
Acquis en 1816.
Villot II 514 - Demonts 2158, p. 32.

INV. 1881

Fête villageoise, avec couple aristocratique.
T. H.0,80 ; L.1,09.
S.D.b.d. : *D. Teniers fec. A 1652.*
Saisie révolutionnaire de la coll. du duc de Brissac.
Villot II 515 - Demonts 2159, p. 9.

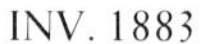

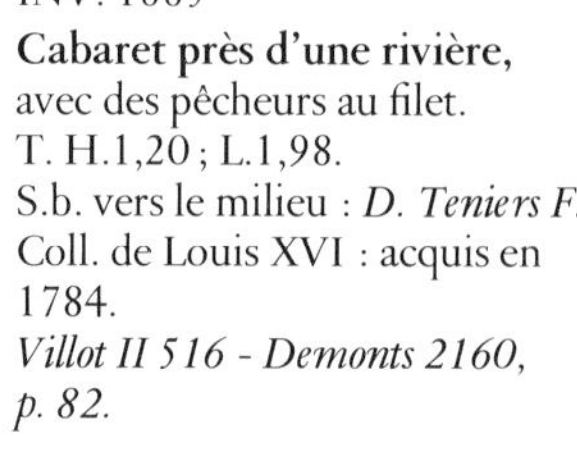

INV. 1883

Cabaret près d'une rivière, avec des pêcheurs au filet.
T. H.1,20 ; L.1,98.
S.b. vers le milieu : *D. Teniers F.*
Coll. de Louis XVI : acquis en 1784.
Villot II 516 - Demonts 2160, p. 82.

INV. 1884

Danse au son de la cornemuse.
Huit personnages.
C. H.0,140 ; L.0,265.
S.b.g. : *D. Teniers F.*
Saisie révolutionnaire de la coll. du duc de Brissac.
Villot II 517 - Demonts 2161, p. 86.

INV. 1886

Le tête-à-tête épié.
B. H.0,38 ; L.0,61.
S.b.g. : *D.Teniers F.*
Acquis en 1816.
Villot II 519 (Teniers) - *Cat. somm. 2163* (id.) - *Demonts 2163 p. 86* (attr. à Teniers, mais plutôt de Sorgh) - *Cat. Rés. 242.*

INV. 1887

Chasse au héron avec l'archiduc Léopold-Guillaume (1614-1662).
T. H.0,82 ; L.1,20.
S.b.d. : *D. Teniers F.*
Coll. de Louis XVI : acquis en 1784.
Villot II 520 - Demonts 2164, p. 8.

INV. 1888

Fumeur accoudé à une table.
T. H.0,39 ; L.0,305.
S.b.d. : *D. Teniers F.*, et D.h.d. sur le dessin accroché sur la cheminée : *1643*.
Saisie révolutionnaire de la coll. du duc de Brissac.
Villot II 521 - Demonts 2165, p. 84.

INV. 1889

Le Rémouleur.
B. H.0,42 ; L.0,30.
S.b.g. : *D. Teniers F.*
Saisie révolutionnaire de la coll. du duc de Brissac.
Villot II 522 - Demonts 2166, p. 86.

INV. 1890

Joueur de cornemuse
T. H.0,290 ; L.0,235.
S.b.g. sur l'épaisseur de la table : *D.T.*
Saisie révolutionnaire de la coll. du comte d'Angiviller.
Villot II 523 - Demonts 2167, p. 84.

INV. 1891
Vieillard à toque de fourrure.
B. H.0,22 ; L.0,16.
S.h.g. : *Teniers f.*
Saisie révolutionnaire de la coll. de la duchesse de Noailles.
Villot II 524 - Cat. somm. 2168.

INV. 1892

Voir KESSEL.

M.I. 986

Petit duo : joueur de pochette et chanteuse.
B. H.0,22 ; L.0,16.
S.b.d. : *D. Teniers F.*
Legs du Dr Louis La Caze, 1869 (Cat. 125).
Demonts 2171, p. 93.

M.I. 987

Intérieur de tabagie avec deux fumeurs.
B. H.0,22 ; L.0,16.
S.b.d. : *D. Teniers f.*
Legs du Dr Louis La Caze, 1869 (Cat. 126).
Demonts 2172, p. 96.

M.I. 988

Grand duo : joueur de pochette et chanteuse. Grisaille.
B. H.0,295 ; L.0,33.
S.b.d. sur l'épaisseur du banc : *DTF* (effacé).
Legs du Dr Louis La Caze, 1869 (Cat. 127).
Demonts 2173, p. 89.

M.I. 989

Danse en plein air au son de la cornemuse.
Onze personnages.
B. H.0,30 ; L.0,37.
S.b.d. : *DT.*
Legs du Dr Louis La Caze, 1869 (Cat. 128 : Teniers).
Demonts 2174, p. 90.

M.I. 991

La Tentation de saint Antoine (petite version).
B. H.0,22 ; L.0,164.
S.b.d. : *D. Teniers F.*
Legs du Dr Louis La Caze, 1869 (Cat. 130).
Demonts 2176, p. 94.

M.I. 992

Tabagie. Fumeur au tonneau.
B. H.0,22 ; L.0,175.
S.b.g. : *D. Teniers F.*
Legs du Dr Louis La Caze, 1869 (Cat. 131).
Demonts 2177, p. 91.

M.I.993

Le Joueur de guitare.
B. H.0,193 ; L.0,133.
S.b.d. : *D.* ... (effacé ; apocryphe).
Legs du Dr Louis La Caze, 1869 (Cat. 132).
Demonts 2178, p. 95.

M.I. 994

Le Quêteur.
B. H.0,295 ; L.0,220.
S.b.d. : *D. Teniers Fec. 1671* (date difficilement lisible).
Legs du Dr Louis La Caze, 1869 (Cat. 133).
Demonts 2179, p. 88.

M.I. 995

Les joueurs de boules.
T. sur B. H.0,175 ; L.0,230.
S.b.g. : *D. Teniers.*
Legs du Dr Louis La Caze, 1869 (Cat. 134).
Demonts 2180, p. 94.

M.I. 996

Buveur et fumeur.
B. H.0,155 ; L.0,135.
S.h.g. : *D T F.*
Legs du Dr Louis La Caze, 1869 (Cat. 135).
Demonts 2181, p. 96.

M.I. 997

L'Eté.
B. H.0,135 ; L.0,185.
S.b.g. : *D.T.F.*
Pendant du M.I. 998.
Legs du Dr Louis La Caze, 1869 (Cat. 136).
Demonts 2182, p. 95.

M.I. 998

L'Hiver.
B. H.0,124 ; L.0,173.
S.b. vers le milieu : *D T F.*
Pendant du M.I. 997.
Legs du Dr Louis La Caze, 1869 (Cat. 137).
Demonts 2183, p. 93.

M.I. 1000

Paysage au taureau.
T. H.0,675 ; L.1,090.
Legs du Dr Louis La Caze, 1869 (Cat. 139).
Demonts 2185, p. 173.

M.I. 1001
Chemin tournant dans un site montagneux.
T. H.0,64 ; L.0,49.
S.b.g. : *D. Teniers F.*
Legs du Dr Louis La Caze, 1869 (Cat. 140).
Demonts 2186, p. 97.

M.I. 1002
Environs d'Anvers. Paysage.
B. H.0,175 ; L.0,25.
S.b.g. : *D.T.F.*
Legs du Dr Louis La Caze, 1869 (Cat. 141).
Demonts 2187, p. 96.

M.I. 1003
Le Troupeau.
T. H.0,525 ; L.0,660.
Legs du Dr Louis La Caze, 1869 (Cat. 142).
Demonts 2188, p. 88.

M.I. 1004
La Déploration du Christ.
B. H.0,31 ; L.0,21.
S.b.d. : *T.*
Copie d'après un tableau de Lorenzo Lotto, alors dans la galerie (n° 143) de l'archiduc Léopold-Guillaume (1614-1662) et transféré de Bruxelles à Vienne en 1656.
L'original de Lotto a disparu.
Legs du Dr Louis La Caze, 1869 (Cat. 143).
Demonts 2189, p. 91.

M.I. 1005
La Vierge, l'enfant Jésus et sainte Dorothée.
T. sur B. H.0,170 ; L.0,225.
S.b.g. : *D.T.*
D'après la copie d'un tableau de Titien par Van Dyck, jadis conservée dans la galerie (n° 279) de l'archiduc Leopold-Guillaume (1614-1662) qui fut transférée de Bruxelles à Vienne en 1656.
L'original de Titien est au Philadelphia Museum of Art (coll. Johnson), Philadelphie.
Legs du Dr Louis La Caze, 1869 (Cat. 144).
Demonts 2190, p. 91.

M.I. 1015
Intérieur d'estaminet.
C. H.0,232 ; L.0,286.
S.b.d. : *...nier Fec.*
Legs du Dr Louis La Caze, 1869 (Cat. 154 : Sorgh ? imitateur de Brouwer).
Cat. somm. 2573 (attr. à Sorgh) - *Demonts 2573, p. 107.*

R.F. 711
Paysage villageois avec cour de ferme, légumes et fruits.
T. H.0,86 ; L.1,245.
S.b. vers le milieu : *David Teniers F.*
Legs Léon Moreaux 1891.
Demonts 2163 A, p. 79.

R.F. 1530
Intérieur de cabaret. La partie de cartes.
T. H.0,575 ; L.0,775.
S.b.g. : *D. Teniers F.* et D. mi-h.g. : *A. 1645.*
Legs du baron Arthur de Rothschild, 1904.
Demonts 2162 A, p. 32.

R.F. 1531
Les Joueurs de hoquet.
T. H.0,470 ; L.0,695.
S.b.g. : *D. Teniers F.* D. vers le milieu sur le poteau : *1661.*
Legs du baron Arthur de Rothschild, 1904.
Demonts 2162 B, p. 83.

R.F. 1961-79
Intérieur de cabaret avec fumeurs.
B. H.0,275 ; L.0,370.
S.b.g. : *D. Teniers. Fec.*
Donation Hélène et Victor Lyon sous réserve d'usufruit au profit de leur fils Edouard Lyon, 1961 ; entré au Louvre en 1977.

M.N.R. 731

Prince sur une galère en train d'appareiller (Don Juan d'Autriche (1545-1578) ou Léopold-Guillaume (1614-1662) ?).
T. H.0,67 ; L.0,805.
Modello pour tapisserie. Bordure décorative par Jan van Kessel.
S.b.d. : *Teniers.*
Attribué au Musée du Louvre par l'Office des Biens privés, 1951.

M.N.R. 913

Paysage avec église sur un tertre.
B. H.0,170 ; L.0,245.
S.b. vers le centre : *D.T.F.*
Attribué au musée du Louvre par l'Office des Biens privés, 1952.

TENIERS David, le Jeune (atelier de).

INV. 2187

Singes au corps de garde.
C. H.0,33 ; L.0,42.
Bonne copie d'époque ou réplique d'atelier.
Ancienne collection.
(Inventaire : éc. Flamande, XVIIe s.).

INV. 2163

Voir VADDER.

M.I. 985

La Kermesse.
T. H.0,53 ; L.0,685 (autrefois H.0,50 ; L.0,655).
S.b. vers le milieu : *D. Teniers Fec.* (apocryphe).
Œuvre d'atelier ou d'un suiveur immédiat de D. Teniers II.
Legs du Dr Louis La Caze, 1869 (Cat. 124 : Teniers).
Demonts 2170, p. 90 (Teniers).

TENIERS David, le Jeune (genre de)

INV. 8881

Corps de garde de singes militaires.
B. H.0,73 ; L.1,03.
Interprétation française (?) d'un thème de Teniers.
Pendant de INV. 8882.
Coll. de Louis XIV (entré après 1683).
(Inventaire : éc. française, XVIIe s.).

INV. 8882

Chats amenés devant un tribunal militaire de singes.
B. H.0,73 ; L.1,05.
Interprétation française (?) d'un thème de Teniers.
Pendant de INV. 8881.
Coll. de Louis XIV (entré après 1683).
(Inventaire : éc. française, XVIIe s.).

TETAR VAN ELVEN Pierre
Amsterdam, 1831 - Milan, 1908.

R.F. 1979-43

Venise. Effet de pluie.
T. H.0,46 ; L.0,63.
S.b.g. : *P. Tetar van Elven.*
Acquis pour le Musée du Luxembourg, au Salon des Artistes Français, 1893.
Reversement du Musée National d'Art Moderne au Louvre, 1979.

THOMAS VAN YPEREN Jan
Ypres, 1617 - Vienne, 1678.

M.I. 973

Le Sommeil de Diane.
B. H.0,345 ; L.0,495.
Legs du Dr Louis La Caze, 1869 (Cat. 112 : éc. de Rubens ?).
Demonts 2133 p. 90 (éc. de Rubens).

THULDEN Theodoor van
Bois-le-Duc, 1606 - id., 1669.

INV. 1904

Le Christ ressuscité apparaissant à la Vierge.
T. (cintré) H.5,73 ; L.3,60.
S.b.g. : *T. van Thulden F.*
Peint pour le maître-autel de l'église des Jésuites à Bruges.
(Roy A 95).
Coll. de Louis XVI : acquis en 1777.
Villot II 530.

INV. 1905

L'Alliance de la France et de l'Espagne. Représentation allégorique de la Paix des Pyrénées (1659).
T. H.1,02 ; L.0,83.
S.b.g. : *Theodo^{re} van Thulden Fec^{t}* (masqué aujourd'hui par un papier de bordage apposé lors d'une restauration).
Sans doute un projet d'arc de triomphe pour l'Entrée à Paris de Louis XIV et de Marie-Thérèse le 26 août 1660.
(Roy A 91).
Coll. de Louis XIV (entré en 1690 avec la succession du peintre Le Brun et sous une attribution à cet artiste).

M.I. 974

Saint François de Paule prophétisant un fils à Louise de Savoie.
T. H.0,73 ; L.0,61 (surface peinte originale cintrée dans le haut).
(Le tableau a été parfois attribué — à tort — à C. Schut (1597-1655).
Legs du Dr Louis La Caze, 1869 (Cat. 113 : éc. de Rubens).
Demonts 2134, p. 175 (éc. de Rubens).

TILBORCH Gillis van
Bruxelles, vers 1625 - id., 1678.

M.N.R. 825

Réunion familiale en plein-air.
T. H.1,210 ; L.1,71.
Attribué au Musée du Louvre par l'Office des Biens privés, 1951.

TROYEN Rombout van
Amsterdam, 1605 - id., 1650.

M.N.R. 544

Guehazi retournant de la maison de la Sunamite et allant à la rencontre d'Elisée.
(II, Rois, 4, 31).
B. H.0,28 ; L.0,42.
S.D.b.g. : *RVT 1644. Feci 1644.*
Attribué au Musée du Louvre par l'Office des Biens privés, 1950.

ULFT Jacob van der
Gorkum, 1627 - Noordwijk, 1689.

INV. 1908

Charrette franchissant la porte d'une ville.
Paysage italianisant.
T. H.0,42 ; L.0,55.
Acquis en 1800.
Villot II 533 - Cat. somm. 2592.

INV. 1909

Préparatifs d'un triomphe dans une ville antique, dit jadis : La fête du bouclier à Rome.
B. H.0,31 ; L.0,50.
Coll. de Louis XVI : acquis avant 1785.
Villot II 534.

UTRECHT Adriaen van
Anvers, 1599 - id., 1652.

M.I. 932

Oiseaux de basse-cour.
T. H.1,76 ; L.2,18.
S.mi-h.g. : *M.D.H. fecit* (apocryphe).
Legs du Dr Louis La Caze, 1869 (Cat. 71 : Melchior d'Hondecoeter).
Demonts 2407, p. 173 (Melchior d'Hondecoeter).

M.I. 1017

Nature morte : fruits et légumes.
T. H.0,84 ; L.1,185.
Legs du Dr Louis La Caze, 1869 (Cat. 156 : éc. flamande ou hollandaise, XVIIe s.).
Demonts 2209, p. 103 (éc. flamande, XVIIe s.).

VADDER Lodewijck de
Bruxelles, 1605 - id., 1655.

R.F. 1939-25

Vue de plaine avec talus au premier plan.
B. H.0,48 ; L.0,62.
S.b.d. : *L.D.V.*
Acquis en 1939.

VADDER Lodewijck de (attribué à)

INV. 2163

Vue d'une plaine avec pâtres et étangs.
T. H.0,81 ; L.1,02.
Figures d'un imitateur de Teniers.
Ancienne collection.
Suppl. Tauzia 702 (éc. flamande ; figures d'un élève de Téniers) - *Cat. somm. 2207* (éc. flamande, XVIIe s.) - *Demonts 2207 p. 83* (Uden ; figures de Téniers).

VAILLANT Wallerand
Lille, 1623 - Amsterdam, 1677.

M.I. 1364

Autoportrait présumé.
T. H.0,56 ; L.0,45.
(Van Hall 7 p. 337).
Legs du Dr Louis La Caze, 1869 (S. Bourdon : Portrait de Molière).
Cat. Rés. 379 (éc. française, XVIIe s.).

R.F. 2562

Le Petit dessinateur.
T. H.1,29 ; L.1,00.
(Schneider 129 : Lievens ; Schneider-Ekkart, p. 327 : pas de Lievens).
Don Georges Wildenstein, 1926.
Cat. Rés. 366.

VALCKENBORGH Frederick van, neveu de Lucas et frère de Gillis.
Anvers, vers 1570 - Nuremberg, 1623.

R.F. 2432

La Tentation de saint Antoine.
B. H.0,325 ; L.0,435.
Don de William Buma-Hetstaatje, de Los Angeles, 1923.
Michel 4120, p. 216 (Mirou).

VALCKENBORGH Gillis van, frère de Frédérick et neveu de Lucas.
Anvers, 1570 - Francfort-sur-le-Main, 1622.

M.N.R. 614

Scène de bataille (Défaite de Sennachérib ?).
T. H.1,35 ; L.2,70.
S.b.g. : *1597 Gilis v. Valckenborch.*
Attribué au Musée du Louvre par l'Office des Biens privés, 1951.

VALCKENBORGH Lucas van, oncle de Frédérick et de Gillis.
Louvain ?, avant 1535 - Francfort-sur-le-Main, 1597.

R.F. 2427

La Tour de Babel.
B. H.0,410 ; L.0,565.
S.D.b.g. : *1594 LVV.*
Acquis en 1924.
Michel 4132, p. 262.

VAN DONGEN

Voir ECOLE FRANÇAISE.

VAN GOGH

Voir ECOLE FRANÇAISE.

VEEN Otto van (dit aussi VAENIUS ou VENIUS).
Leyde, 1556 - Bruxelles, 1629.

INV. 1911

Otto Venius peignant entouré des siens.
T. H.1,76 ; L.2,50.
S.D.b.g. : *D. Memoriae Sacr. hanc tabulam sibi suisq. pinxit ac dedicavit Otho Venius anno MDXXCIV* (1584).
(Van Hall 1 p. 339).
Acquis en 1835.
Villot II 535 - Demonts 2191, p. 33 - Michel 2191, p. 264.

INV. 1997 bis

La Déploration du Christ.
B. H.1,54 ; L.1,95.
Provient de l'église de Villeneuve-sur-Yonne. Saisi à la Révolution.
Villot I 401 (Squazella) et *529 bis* (œuvre italianisante proche d'Otto Venius).

VELDE Adriaen van de, frère de Willem le Jeune.
Amsterdam, 1636 - id., 1672.

INV. 1337

Voir HEYDEN.

INV. 1338

Voir HEYDEN.

INV. 1586

Voir MOUCHERON.

INV. 1819

Voir RUISDAEL.

INV. 1915

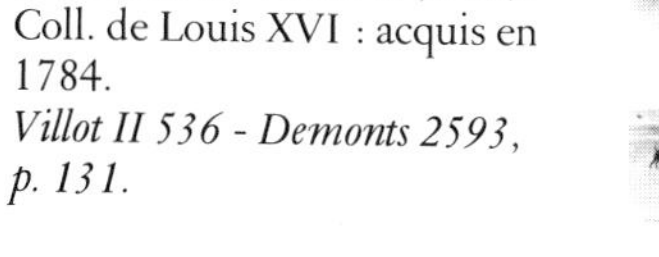

Noble équipage cheminant sur la plage de Scheveningen.
B. H.0,37 ; L.0,49.
S.D.b.d. : *A.v. Velde f. 1660.*
(Hofstede de Groot IV, 360).
Coll. de Louis XVI : acquis en 1784.
Villot II 536 - Demonts 2593, p. 131.

INV. 1916

Paysage avec troupeau devant une fabrique.
B. H.0,245 ; L.0,280.
S.D.b.g. : *A.v. Velde, 166(2 ?)* plutôt que 1661).
(Hofstede de Groot IV 221).
Saisie révolutionnaire de la coll. du duc de Brissac.
Villot II 537 - Demonts 2594, p. 118.

INV. 1917

Paysage avec troupeau et hutte.
B. H.0,39 ; L.0,53.
S.D.b.d. : *Av. Velde f. 1667* (et non 1661).
(Hofstede de Groot IV 222).
Coll. de Louis XVI : acquis en 1783.
Villot II 538 - Demonts 2595, p. 146.

INV. 1918

Paysage : animaux à la rivière.
T. H.0,500 ; L.0,715.
S.D.b.d. : *A.V. Velde 1664* (plutôt que 1654).
(Hofstede de Groot IV 120).
Coll. de Louis XVI : acquis en 1784.
Villot II 539 - Demonts 2596, p. 151.

INV. 1919

La Famille du pâtre.
T. H.0,30 ; L.0,41.
S.D.b.d. : *A.V. Velde f. 1668.*
(Hofstede de Groot IV 142).
Saisie révolutionnaire de la coll. de la duchesse de Noailles.
Villot II 540 - Demonts 2597, p. 143.

INV. 1920

Rivière gelée avec patineurs et joueurs de hoquet.
T. H.0,23 ; L.0,30.
S.D.b.g. sur le mur de la grange : *A.v. velde 166...* (on a lu jadis : 1668).
(Hofstede de Groot IV 371).
Coll. de Louis XVI : acquis en 1784.
Villot II 541 - Demonts 2598, p. 122.

INV. 1967

Voir WIJNANTS.

INV. 1968

Voir WIJNANTS.

M.I. 930

Voir HEYDEN.

M.I. 1007

Paysage : moutons et chèvres.
B. H.0,195 ; L.0,210.
S.D.b.g. : *A.V. Velde f. 1659.*
(Hofstede de Groot IV 223).
Legs du Dr Louis La Caze, 1869 (Cat. 146).
Demonts 2599, p. 102.

R.F. 3723

Voir HEYDEN.

R.F. 1950-41

Voir HEYDEN.

R.F. 1961-88

Voir HEYDEN.

VELDE Willem van de, le Jeune, frère d'Adriaen.
Leyde, 1633 - Londres, 1707.

INV. 1921

Marine avec vaisseau-amiral.
T. H.0,35 ; L.0,42.
S.b.g. : *WVV*.
(Hofstede de Groot VII 122. Robinson 163).
Acquis en 1852.
Villot II 542 - Demonts 2600, p. 129.

R.F. 1949-3

Marine par temps calme.
T. H.0,40 ; L.0,45.
S.b.g. sur le poteau : *WVV*.
(Hofstede de Groot VII 287. Robinson 169).
Donation André Péreire sous réserve d'usufruit, 1949 ; entré au Louvre en 1974.

R.F. 1971-3

Voir Annexe II (dons sous réserve d'usufruit).

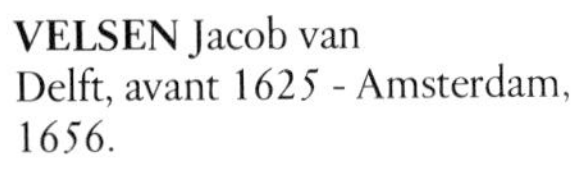

VELSEN Jacob van
Delft, avant 1625 - Amsterdam, 1656.

M.N.R. 559

La Diseuse de bonne aventure.
C. H.0,26 ; L.0,23.
S.D.b.d. : *J.V. Velsen 1631*.
Attribué au Musée du Louvre par l'Office des Biens privés, 1950.

VENIUS

Voir VEEN.

VENNE Adriaen Pietersz. van de
Delft, 1589 - La Haye, 1662.

INV. 1924

Allégorie de la trêve de 1609 entre l'archiduc d'Autriche, Gouverneur des Pays-Bas du sud, et les Etats des Pays-Bas du nord.
B. H.0,620 ; L.1,125.
S.D.b.g. sous les pieds de l'Amour *AV Venne Fesit [sic] 1616*.

(Francken 5. Knuttel 8).
Coll. de Louis XIV (entré avant 1683).
Villot II 545 - Demonts 2601, p. 113.

VERBOECKHOVEN Eugène
Warneton, 1799 - Bruxelles, 1881

M.N.R. 860

Paysan demandant sa route.
Grisaille.
T. H.0,385 ; L.0,330.
S.D.b.g. sur le tonneau : *E.V. 1844*.
Attribué au Musée du Louvre par l'Office des Biens privés, 1951.

VERELST Pieter
Dordrecht ? avant 1618 - Hulst ? après 1678.

M.N.R. 703

Jeune mendiant et lavandière.
B. H.0,315 ; L.0,255.
Attribué au Musée du Louvre par l'Office des Biens privés, 1951.

VERELST Simon

La Haye, 1644 - Londres, 1710 (ou 1721).

INV. 1927

Portrait de femme, dit autrefois : Marie-Angélique de Scoraille, († 1681), Duchesse de Fontange, ou Louise de Keroual, Duchesse de Portsmouth.
T. H.1,280 ; L.1,035.
S.b.d. : *S° Verelst f.*
Ancienne collection.
Villot II 546.

VERHAECHT Tobias
Anvers, 1561 - id., 1631.

M.N.R. 401

La Délivrance miraculeuse de l'empereur Maximilien.
B. H.0,565 ; L.0,940.
Figures de S. Vrancx ?
Attribué au Musée du Louvre par l'Office des Biens privés, 1950.

VERHAEREN Alfred
Bruxelles, 1849 - Ixelles, 1924.

R.F. 1331

Coin d'atelier : Carton à dessins et palette devant un tabouret.
T. sur B. H.0,41 ; L.0,51.
S.b.g. : *Alf^d Verhaeren.*
Acquis en 1901 pour le Musée du Luxembourg.
Bénédite 141.

R.F. 1332

Oie déplumée, légumes et fruits.
T. H.0,765 ; L.0,835.
S.h.g. : *Alf^d Verhaeren.*
Acquis en 1901 pour le Musée du Luxembourg.
Bénédite 140.

VERKOLJE Jan, le Vieux.
Amsterdam, 1650 - Delft, 1693.

INV. 1928

Femme nourrissant un enfant.
T. H.0,585 ; L.0,515.
S.D.b.g. : *I. Verkolye 1675.*
Saisie révolutionnaire de la coll. du baron de Breteuil.
Villot II 547 - Demonts 2602, p. 152.

VERKOLJE Nicolaas, fils du précédent.
Delft, 1673 - Amsterdam, 1746.

INV. 1929

Proserpine cueillant des fleurs avec ses compagnes dans la prairie d'Enna.
T. H.0,650 ; L.0,825.
S.b.g. : *N. Verkolje.*

Coll. de Louis XVI : acquis en 1783.
Villot II, 548 - Demonts 2603, p. 158.

VERMEER Johannes
Delft, 1632 - id., 1675.

M.I. 1448

La Dentellière.
T. sur bois. H.0,24 ; L.0,21.
S.h.d. : *I Meer* (les deux premières lettres entrelacées).
(Hofstede de Groot I 11. Bianconi 29. Blankert, 1975, 26).
Acquis en 1870.
Suppl. Tauzia 695 - Demonts 2456, p. 118.

VERMEER de Haarlem

Voir MEER.

VERMEER d'Utrecht

Voir MEER.

VERSPRONCK Johannes Cornelisz.
Haarlem, v. 1606/1609 - id., 1662.

R.F. 1944

Anna van Schoonhoven (avant 1610-1648), femme du bourgmestre de Haarlem, Johan Colterman.
T. H.0,81 ; L.0,68.
S.D.b.g. : *J. Verspronck. An. 1641.*
(Ekkart 31).
Legs Maurice Cottier, sous réserve d'usufruit en faveur de sa femme, 1881 ; entré au Louvre en 1903.
Demonts 2603 B, p. 118.

R.F. 2135

Portrait d'une femme d'âge mûr.
T. H.0,82 ; L.0,67.
(Ekkart 47).
Legs du baron Basile de Schlichting, 1914.
Demonts s.n., p. 168.

R.F. 2863

Portrait d'une jeune femme assise.
B. H.0,91 ; L.0,70.
S.D.b.g. : *Joh. Verspronck An⁰ 1650* (les quatre premières lettres du nom entrelacées).
(Ekkart 77).
Coll. du comte de l'Espine ; donné par sa fille la princesse Louis de Croÿ, 1930.

VERTANGEN Daniel
La Haye, vers 1598 - Amsterdam, avant 1684.

M.N.R. 725

Festin de Bacchus et Ariane.
C. H.0,350 ; L.0,475.
S.D.b.g. : *D. Vertangen fecit 1658.*
Attribué au Musée du Louvre par l'Office des Biens privés, 1951.

VERWEER Abraham de
Connu à Amsterdam à partir de 1617 - Amsterdam, 1650.

Voir HOLLANDE Première moitié du XVIIe siècle.

VICTORS Jan
Amsterdam, 1620 - Indes néerlandaises 1676 ou après.

INV. 1285

Isaac bénissant Jacob.
T. H.1,65 ; L.2,03.
Acquis en 1796.
Villot II 168 - Demonts 2370, p. 18.

INV. 1286

Jeune fille à la fenêtre.
T. H.0,93 ; L.0,78.
S.D.b.d. : *Jan Fictoor fe. 1640.*
Acquis en 1801.
Villot II 169 - Demonts 2371, p. 122.

VINCKBOONS David (d'après)
Malines, 1578 - Amsterdam, 1629.

R.F. 3055

Paysage avec animaux.
C. H.0,30 ; L.0,40.
Legs de Isidore-Fernand Chevreau, baron de Christiani, 1929.
Cat. Michel 4129, p. 253 (R. Savery ?).

VINNE Vincent Laurensz. van de
Haarlem, 1629 - id., 1702.

R.F. 3712

Vanité avec une couronne royale.
T. H.0,945 ; L.0,690.
S.h.d. : *V.C. Lawr...*
Coll. du comte de l'Espine ; donné par sa fille la princesse Louis de Croÿ ; entré au Louvre en 1932 sous réserve d'usufruit, 1930.

VLIET Hendrick Cornelisz. van der, neveu de Willem.
Delft, 1611/12 - id., 1675.

R.F. 1969-2

Intérieur d'église (l'Oudekerk à Delft ?).
T. H.0,92 ; L.1,12.
S.b.g. : *E. de Witte* (apocryphe).
Don de Mlle Dreyfus, 1969.

VLIET Hendrick Cornelisz. van der (attribué à)

M.N.R. 977

Intérieur d'église partiellement masqué par un rideau.
T. H.0,48 ; L.0,40.
Copie ancienne sinon réplique d'atelier.
Attribué au Musée du Louvre par l'Office des Biens privés, 1967.

VLIET Willem Willemsz. van, oncle d'Hendrick-Cornelisz.
Delft, vers 1584 - id., 1642.

INV. 1861

Portrait de femme en buste et tenant un gant.
T. H.0,800 ; L.0,685.
Ancienne collection.
Villot II 498 (Sprong, sic pour Verspronck ?) - *Demonts 2576 p. 156* (Verspronck) et p. 229 (P. Dubordieu).

INV. 1933

Autoportrait au chevalet.
B. H.0,265 ; L.0,225.
(Van Hall 2 p. 357).
Coll. de Louis XVI : acquis en 1784.
Villot II 552 - Demonts 2607 p. 114.

R.F. 956

Portrait d'homme assis.
T. H.0,855 ; L.0,690.
S.D.m.d. : *W van der Vliet fecit Aº 1636.*
Legs de Mme Charles Baudin, née Henriette Mallet, 1895.
Demonts 2605 A p. 126 (Hendrick Cornelisz. van der Vliet).

M.I. 1011

Femme coupant un citron.
B. H.0,150 ; L.0,115 (autrefois : H.0,142 ; L.0,110).
(Peut-être le tableau passé sous le nom de F. van Mieris le Vieux dans la vente Robiano à Bruxelles en 1837 : Hofstede de Groot, X, 132).
Legs du Dr Louis La Caze, 1869 (Cat. 150).

Demonts 2608, p. 107.

VOGELS Guillaume
Bruxelles, 1836 - id., 1896.

R.F. 1979-44

Après la pluie (le Marché aux herbes à Ostende).
T. H.0,41 ; L.0,65.
S.b.g. : *G. Vogels.*
Don Jean-Prosper Renard, citoyen belge, au Musée du Luxembourg, 1931.
Reversement du Musée National d'Art Moderne au Louvre, 1979.

VOIS Arie de (d'après)

M.N.R. 922

Chasseur.
B. H.0,300 ; L.0,225.
Copie d'après le tableau du Mauritshuis, La Haye.
Attribué au Musée du Louvre par l'Office des Biens privés, 1952.

VOIS Arie de
Utrecht, vers 1632 - Leyde, 1680.

INV. 1932

Négociant dans son cabinet.
B. H.0,40 ; L.0,31.
Coll. de Louis XVI : acquis en 1784.
Villot II 551 - Demonts 2606 p. 147.

VOS Cornelis de (atelier de), frère de Paul de Vos.
Hulst, 1584 ? - Anvers, 1651.

M.I. 1009

Portrait d'une dame de qualité.
B. H.0,835 ; L.0,630 (autrefois : H.0,77 ; L.0,605).
(Greindl p. 172 : tableau rejeté).
Legs du Dr Louis La Caze, 1869 (Cat. 148 : attr. à C. de Vos).
Demonts 2193, p. 92 (attr. à C. de Vos).

VOS Cornelis de (d'après)

INV. 952

La Fuite de Loth.
T. H.1,86 ; L.3,60.
Probablement copie d'un original perdu. De la même main que le INV. 953.
Provient de la Galerie espagnole (1838-1848) de Louis-Philippe. (Inventaire : éc. de Murillo. Réinventorié par erreur R.F. 3971 : éc. de Rubens).

INV. 953

L'Onction de Salomon.
T. H.1,86 ; L.3,60.
Copie du tableau (Greindl p. 122) du Kunsthistorisches Museum, Vienne.
Provient de la Galerie espagnole (1838-1848) de Louis-Philippe. (Inventaire : éc. de Murillo. Réinventorié par erreur R.F. 3970 : éc. de Rubens).

VOS Martin de
Anvers, 1532 - Anvers, 1603.

INV. 1931

Saint Paul piqué par une vipère dans l'île de Malte.
B. H.1,24 ; L.1,99.
Provient d'une décoration de salle à manger, commandée par le marchand anversois, Aegidius Hooftman, en 1567.
Don de M. Cottini, 1850.
Villot II 550 - Michel 4133, p. 267.

INV. 1844

VOS Paul de, frère de Cornelis.
Hulst, 1595 - Anvers, 1678.

INV. 1844

Le Paradis terrestre.
T. H.2,65 ; L.3,20.
Saisie révolutionnaire de la coll. du duc d'Orléans au Palais-Royal, Paris.
Villot II 489 (Snyders) - *Demonts 2141, p. 5* (attr. à Paul de Vos).

INV. 1845

L'Entrée des animaux dans l'arche de Noë.
T. H.2,30 ; L.3,60.
Saisie révolutionnaire de la coll. du duc d'Harcourt.
Villot II 490 (Snyders) - *Demonts 2142 p. 3* (attr. à Paul de Vos).

INV. 1846

Cerf assailli par une meute.
T. H.2,12 ; L.2,77.
Coll. de la Couronne ?
Villot II 491 (Snyders) - *Cat. somm. 2143* (id.).

INV. 1847

Sanglier attaqué par une meute.
T. H.2,32 ; L.3,48.
Provient de la Galerie de Munich, 1806.
Villot II 492 (Snyders) - *Demonts 2144, p. 13* (attr. à Paul de Vos).

VRANCX Sebastiaen
Anvers, 1573 - id., 1647.

INV. 1104

Voir MOMPER.

R.F. 1182

Pillage d'un village.
B. H.0,75 ; L.1,07.
S.b.d. : *Vs* (lettres entrelacées).
Acquis en 1900.
Demonts 2194 A p. 64 - Michel 2194 A, p. 270.

M.N.R. 401

Voir VERHAECHT.

VRYMOET Jacobus
Inscrit à l'Académie de dessin d'Amsterdam de 1777 à 1783. Encore actif en 1788.

M.N.R. 739

Vaches à l'abreuvoir.

B. H.0,46 ; L.0,59.
S.D.b.d. : *Jacobus Vrymoet, 1787.*
Attribué au Musée du Louvre par l'Office des Biens privés, 1951.

WALDORP Antonie
La Haye, 1803 - Amsterdam, 1866.

M.I. 90

Marine : Arrivée de hauts personnages dans un port hollandais du XVIIe siècle.
B. H.0,78 ; L.1,015.
S.D. sur la barque à g. :
A. Waldorp 1852.
Acquis en 1854.

WAUTERS Emile
Bruxelles, 1846 - Paris, 1933.

R.F. 1979-45

Gitane prisonnière.
T. H.1,31 ; L.0,805.
S.D.h.g. : *Emile Wauters 1898.*
Acquis pour le Musée du Luxembourg, 1916.
Reversement du Musée National d'Art Moderne au Louvre, 1979.
Bénédite 143.

WEENIX Jan, fils de Jan-Baptist.
Amsterdam, 1642 - id., 1719.

INV. 1936

Gibier et ustensiles de chasse disposés sur le rebord d'une fenêtre.
T. H.1,09 ; L.0,90.
S.D.h.d. : *J. Weenix f. 1691* (date difficilement lisible).
Provient de Cassel, 1807 ?
Villot II 554 - Demonts 2610, p. 140.

INV. 1937

Nature morte au paon et au chien.
T. H.1,435 ; L.1,87.
S.D.h.g. : *J. Weenix f. 1696.*
Acquis en 1801.
Villot II 555 - Cat. somm. 2611.

INV. 1938

Port de mer méridional avec vendeur de colifichets.
T. H.1,17 ; L.1,39.
S.D.b.d. : *J. Weenix 1704.*
Provient de la coll. du Stadhouder à La Haye, 1795.
Villot II, 556 - Demonts 2612, p. 141.

R.F. 712

Gibier mort devant un paysage.
T. H.0,93 ; L.0,725.
S.D.h.g. : *Weenix fe 1706.*
Legs Léon Moreaux, 1891.
Demonts 2612 A, p. 148.

R.F. 1943-7
Personnages de fantaisie dans une barque.
T. H.0,68 ; L.0,61.
S.D.g. sur la base de la colonne : *J.B. Weenix f. 16 (8 ?) 6* (la signature pastiche celle de Jan-Baptist, le père de Jan Weenix).
Legs Armand Dorville, 1942.
Cat. Rés. 497 (J.B. Weenix).

WEENIX Jan-Baptist, père du précédent.
Amsterdam, 1621 - Utrecht, vers 1660.

INV. 1046

Voir BERCHEM.

INV. 1935

Départ d'une troupe orientale, dit autrefois : Les Corsaires repoussés.
T. H.1,23 ; L.1,755.
S.b.d. : *Gio Battà... Weenix f.*
Coll. de Louis XVI : acquis en 1783.
Villot II 553 - Demonts 2609 p. 125.

WERFF Adriaen van der
Kralingen, 1659 - Rotterdam, 1722.

INV. 1939

Adam et Eve.
B. H.0,45 ; L.0,355.
(Hofstede de Groot X 1).
Saisie révolutionnaire de la coll. Montbarroy.
Villot II 557 - Cat. somm. 2613.

INV. 1943

Sainte Madeleine méditant dans la solitude.
B. H.0,60 ; L.0,46.
(Hofstede de Groot X 96).
Coll. de Louis XVI : acquis en 1783.
Villot II 561 - Demonts 2617, p. 159.

INV. 1945

Nymphes dansant.
B. H.0,585 ; L.0,440.
S.D.b.d. : *Chevr Vr Verff. fec. 1718.*
(Hofstede de Groot X 115).
Coll. de Louis XVI : acquis en 1783.
Villot II 563 - Demonts 2619, p. 159.

M.I. 1012

L'Atelier du sculpteur ou **Allégorie sur l'éducation de la jeunesse.**
B. cintré. H.0,230 ; L.0,165.
(Hofstede de Groot X 163).
Legs du Dr Louis La Caze, 1869 (Cat. 151).
Demonts 2620, p. 101 (Werff) - *Cat. Rés. 498* (Werff ?).

R.F. 3709

Sarah présente Agar à Abraham.
B. H.0,44 ; L.0,35.
Réplique du tableau de Munich, Alte Pinakothek (Hofstede de Groot X 10) daté de 1699.
Coll. du comte de l'Espine ; donné par sa fille, la princesse Louis de Croÿ, sous réserve d'usufruit, 1930 ; entré au Louvre en 1932.

WEYDEN Rogier van der
Tournai, 1399/1400 - Bruxelles, 1464.

INV. 1982

L'Annonciation.
B. H.0,86 ; L.0,93.
Panneau central d'un triptyque donné par un membre de la famille piémontaise de Villa à une église de Chieri, près de Turin. Les volets sont conservés à Turin, Galleria Sabauda : volet gauche, Ecclésiastique en prière (surpeint) ; volet droit, Visitation.
(Friedländer II 9. Davies p. 236).
Coll. des ducs de Savoie. Provient de la Galerie royale de Turin, 1799.
Villot II 595 (éc. flamande, XVe siècle) - *Demonts 2202, p. 50* (éc. du Maître de Flémalle : Weyden jeune ?) - *Michel 2202, p. 272.*

R.F. 2063

Triptyque de la famille Braque.

Panneau central : **Le Christ rédempteur entre la Vierge et saint Jean l'Evangéliste.**
B. H.0,41 ; L.0,68.

Volet gauche : **Saint Jean-Baptiste.** Revers : **Tête de mort et armoiries de Braque.**
Volet droit : **Sainte Madeleine.**
Revers : **Croix et armoiries de Braque-Brabant.**
B. H.0,41 ; L.0,34 (chaque volet).
Peint pour Jehan Braque, de Tournai († 1452), et sa femme Catherine de Brabant.
(Friedländer II 26. Davies p. 231).
Acquis en 1913.
Demonts 2195, p. 26 - Michel 2195, p. 275.

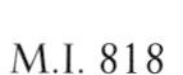

WEYDEN Rogier van der
(d'après)

INV. 20223

Jean Ier duc de Clèves (1419-1481).
B. H.0,495 ; L.0,315.
Copie ancienne d'après un original perdu de Van der Weyden.
(Friedländer II 126. Davies p. 232).
Entré au Louvre comme dépôt de la Bibliothèque Nationale, 1943.
Michel 4134, p. 281.

M.I. 818

Philippe le Bon, duc de Bourgogne (1396-1467).
B. H.0,340 ; L.0,255.
Copie ancienne d'après un original perdu de Van der Weyden (Davies p. 239).
(Friedländer II 125 f).
Donation Charles Sauvageot, 1856 (Cat. 986 : ancienne éc. flamande).
Demonts 997 B, p. 59 (éc. franco-flamande, vers 1460) - *Michel 997 B, p. 278.*

WEYDEN Rogier van der
(imitateur)

M.N.R. 853

La Vierge à l'Enfant.
B. H.0,44 ; L.0,31 (avec le cadre original : 0,58 ; 0,46).
Attribué au Musée du Louvre par l'Office des Biens privés, 1951.

WILDENS Jan
Anvers, 1586 - id., 1653.

M.N.R. 691

Voir HOECKE.

WILDENS Jan (d'après)

M.N.R. 404

Voir RUBENS (d'après).

WILLAERT Ferdinand
Gand, 1861 - id., 1938.

R.F. 1053

Entrée du béguinage de Gand.
T. H.0,980 ; L.1,305.
S.b.d. : *Ferd. Willaert.*
Acquis au Salon de la Société Nationale des Beaux-Arts de 1896 pour le Musée du Luxembourg.
Bénédite 144.

WILLEBOIRTS Thomas, dit BOSSCHAERT
Bergen-op-Zoom, 1613 - Anvers, 1654.

R.F. 1938-28

Maurice et Frédéric de Nassau à la bataille de Nieuwpoort en 1600.
B. H.0,245 ; L.0,155.
Esquisse du tableau de l'Orangezaal à la Huis ten Bosch à La Haye, commandé en 1649 par Amalia van Solms, veuve du Stadhouder Frederic-Henri d'Orange-Nassau.
Donation de Mme Walter Gay, 1937.
(Inventaire : attribué à Van Dyck).

WITTE Pieter de, dit aussi Pietro CANDIDO, Peter Candid.
Bruges, vers 1548 - Munich, 1628.

INV. 516

La Vierge et l'Enfant Jésus adorés par saint Jean-Baptiste, saint François d'Assise et sainte Catherine d'Alexandrie.
B. H.1,45 ; L.1,08 (autrefois H.1,375).
(Knüttel-Volk I 2).
Coll. de Louis XVI : acquis en 1784.
Villot I 317 (Giulio-Cesare Procaccini) - *Ricci 1434* (id.) - *Hautecœur 1434* (id.) - *Cat. Rés. 258* (Pieter de Witte).

WOLFFORT Artus (atelier de)
Anvers, 1581 - id., 1641.

M.N.R. 407

Femmes au bain.
B. H.0,58 ; L.0,82.
Réplique d'atelier, sinon copie ancienne, du tableau de la Staatliche Gemäldegalerie de Kassel ou du tableau analogue du Palais Pitti à Florence.
Attribué au Musée du Louvre par l'Office des Biens privés, 1950.

WOLFVOET Victor, le Jeune,
Anvers, 1612 - id., 1652.

D.L. 1978-2

Voir Annexe I (tableaux en dépôt au Louvre).

WOUTERSZ Jan, dit STAP
Amsterdam (?), 1599 - id., 1663 (?).

M.N.R. 485

Vieillard à la toque.
B. H.0,68 ; L.0,49 (autrefois H.0,63).
Attribué au Musée du Louvre par l'Office des Biens privés, 1950.

WOUWERMAN Philips
Haarlem, 1619 - id., 1668.

INV. 1820

Voir Jacob van RUISDAEL.

INV. 1951

Le Cortège du bœuf gras.
B. H.0,475 ; L.0,415.
S.b.d. : *Phils* (monogramme) *W.*
(Hofstede de Groot II 1035).
Coll. de Louis XVI : acquis en 1783.
Villot II 565 - Demonts 2621, p. 149.

INV. 1952

Pont de bois sur le torrent.
T. H.0,58 ; L.0,68.
S.b.d. : *Phils* (monogramme) *W*.
(Hofstede de Groot II 350).
Coll. de Louis XVI : acquis en 1784.
Villot II 566 - Demonts 2622, p. 117.

INV. 1953

Le Départ pour la chasse au pied d'un palais.
T. H.0,73 ; L.0,86.
S.b.g. : *Phils* (monogramme) *W*.
(Hofstede de Groot II 543).
Coll. de Louis XV : acquis en 1741.
Villot II 567 - Demonts 2623, p. 141.

INV. 1954

Le départ pour la chasse au faucon.
B. H.0,37 ; L.0,49.
(Hofstede de Groot II 496).
Coll. de Louis XV : acquis en 1741.
Villot II 568 - Cat. somm. 2624.

INV. 1955

La Chasse au cerf.
C. H.0,30 ; L.0,39.
(Hofstede de Groot II 626).
Coll. de Louis XVI : acquis en 1784.
Villot II 569 - Demonts 2625, p. 154.

INV. 1956

Le Manège en plein air.
T. H.0,515 ; L.0,430.
(Hofstede de Groot II 52).
Coll. de Louis XVI : acquis en 1783.
Villot II 570 - Demonts 2626, p. 151.

INV. 1957

Intérieur d'écurie.
B. H.0,39 ; L.0,51.
(Hofstede de Groot II 497).
Coll. de Louis XV : acquis en 1741.
Villot II 571 - Cat. somm. 2627.

INV. 1958

Escarmouche de cavaliers entre Orientaux et Impériaux.
B. H.0,34 ; L.0,47.
S.b.g. : *Phils* (monogramme) *W*.
(Hofstede de Groot II 786).
Provient de la coll. du Stadhouder à La Haye, 1795.
Villot II 572 - Demonts 2628, p. 140.

INV. 1959

Grand combat de cavaliers et de fantassins.
T. H.0,99 ; L.1,35.
S.b.g. : *Phils* (mongramme) *W*.
(Hofstede de Groot II 757).
Saisie révolutionnaire de la coll. du duc de Brissac.
Villot II 573 - Cat. somm. 2629.

INV. 1960

Halte de chasseurs et de cavaliers.
B. H.0,36 ; L.0,34.
S.b.g; : *PHW* (les trois lettres entrelacées).
(Hofstede de Groot II 665).
Saisie révolutionnaire de la coll. Pestre-Senef.
Villot II 574 - Demonts 2630, p. 115.

INV. 1961

Cavaliers dans un camp militaire.
B. H.0,32 ; L.0,39.
(Hofstede de Groot II 867, avec description s'appliquant au R.F. 1529).
Coll. de Louis XV : acquis en 1741.
Villot II 575 - Demonts 2631, p. 126.

INV. 1962

Halte de militaires faisant boire leurs chevaux.
B. H.0,365 ; L.0,480.
(Hofstede de Groot II 813).
Coll. de Louis XV : acquis en 1741).
Villot II 576 - Demonts 2632, p. 156.

INV. 1963

Attelage et paysans sur le bord d'une rivière.
B. H.0,355 ; L.0,41.
(Hofstede de Groot II 944).
Ancienne collection.
Villot II 577 - Demonts 2633, p. 125.

M.I. 1013

Halte de voyageurs.
B. H.0,32 ; L.0,33.
S.b.g. : *Phils* (monogramme) *W.*
(Hofstede de Groot II 431).
Legs du Dr Louis La Caze, 1869 (Cat. 152).
Demonts 2634, p. 102.

R.F. 1529

Halte de cavaliers militaires.
B. H.0,55 ; L.0,73.
S.b.d. : *Phils* (monogramme) *W.*
(Hofstede de Groot II 813 avec références inexactes et 816).
Legs du baron Arthur de Rothschild, 1904.
Demonts 2631 A, p. 123.

M.N.R. 928

Voiture descendant un chemin escarpé.
B. H.0,345 ; L.0,410.
S.b.d. : *Phils* (monogramme) *W.*
Attribué au Musée du Louvre par l'Office des Biens privés, 1952.
Cat. Rés. 500.

WOUWERMAN Pieter, frère du précédent
Haarlem, 1623 - Amsterdam, 1682.

INV. 1966

La Tour et la Porte de Nesles à Paris.
T. H.1,36 ; L.1;70.
S.b.d. : *P. Wouwerman.*
Peint d'après une gravure de Jacques Callot (Lieure 668).
Ancienne collection.
Villot II 578 - Demonts 2635, p. 129.

WTEWAEL Joachim
Utrecht 1556 - id., 1638

R.F. 1979-23

Jupiter et Danaé.
C. H.0,205 ; L.0,155.
Acquis en 1979 (dans une vente publique à Paris où il figurait comme « attribué à Platzer »).

WTEWAEL Joachim (d'après)

M.N.R. 462

La Prédication de saint Jean-Baptiste.
T. H.0,97 ; L.1,31.
Œuvre d'un collaborateur de l'atelier d'Wtewael. Le tableau a été attribué aussi — à tort — à Abraham Bloemaert.
Attribué au Musée du Louvre par l'Office des Biens privés, 1950.

WIJNANTS Jan
Haarlem, 1631/32 - Amsterdam, 1684.

INV. 1438

Voir LINGELBACH.

INV. 1967

Lisière de forêt.
T. H.1,17 ; L.1,44.
S.D.b.d. : *J. Wynants f. A° 1668.*
Figures et animaux d'A. van de Velde.
(Hofstede de Groot VIII 147).
Coll. de Louis XVI : acquis en 1784.
Villot II 579 - Demonts 2636, p. 162.

INV. 1968

Paysage avec une ferme.
T. H.0,90 ; L.1,22.
S.b.g. : *J Wynants.* S.b.d. :
A.v. Velde.
Figures d'A. van de Velde.
(Hofstede de Groot VIII 31).
Coll. de Louis XVI : acquis en 1785.
Villot II 580 - Demonts 2637, p. 139.

INV. 1969

Chemin débouchant sur une plaine, avec un fauconnier.
B. H.0,295 ; L.0,260.
S.b.d. : *J. Wÿnants.*
(Hofstede de Groot VIII 97).
Saisie révolutionnaire de la coll. de Simon-Charles Boutin, trésorier de la marine.
Villot II 581 - Demonts 2638, p. 126.

R.F. 2422

Bergers et moutons au bord d'un chemin.
B.H. 0,375 ; L.0,350.
S.b.d. : *J. Wÿnants.*
Legs de M. Schlesinger, 1923.

M.N.R. 974

Paysage à la mare.
T. H.1,43 ; L.1,49.
S.D.b.d. : *J. Wÿnants 1675.*
Attribué au Musée du Louvre par l'Office des Biens privés, 1953.

WIJNANTS Jan (d'après)

M.N.R. 589

Paysage avec chasseurs.
T. H.0,345 ; L.0,420.
Attribué au Musée du Louvre par l'Office des Biens privés, 1951.

WIJNTRACK Dirck
Drenthe (?), avant 1625 -
La Haye, 1678.

INV. 1970

La Ferme.
B. H.0,40 ; L.0,49.
Provient de la coll. du Stadhouder à La Haye, 1795.
Villot II 582 - Demonts 2639, p. 153.

WYTMANS Mattheus
Gorkum, vers 1650 - Utrecht, 1689.

R.F. 2885

Portrait d'homme assis dans un jardin et accoudé sur une balustrade peinte.
T. H.0,400 ; L.0,325.
S.b.d. : *M. Wÿtmans. f.*
Le tableau feint sur la balustrade est dans le genre d'Abraham van Cuylenborch (Utrecht ? vers 1620 - id., 1658).
Coll. du comte de l'Espine ; donné par sa fille, la princesse Louis de Croÿ, 1930.

ZEEMAN

Voir NOOMS.

ZILCKEN Philippe
La Haye, 1857 - Villefranche, 1930.

R.F. 1979-51

Vue du Pont-Neuf.
B. H.0,375 ; L.0,26.
S.b.d. : *Paris P.Z. PH Zilcken.*
Entré au Musée du Luxembourg, 1901.
Reversement du Musée National d'Art Moderne au Louvre, 1979.
Bénédite 286.

R.F. 1979-52

Vue d'Alger.
T. H.0,29 ; L.0,535.
S.b.g. : *Ph. Zilcken.*
Don de l'auteur au Musée du Luxembourg, 1921.
Reversement du Musée National d'Art Moderne au Louvre, 1979.
Bénédite 287.

XVe siècle

FLANDRES
Deuxième moitié du XVe siècle

R.F. 700

La Vierge allaitant l'Enfant.
B. cintré. H.0,44 ; L.0,28 (surface peinte : H.0,298 ; L.0,196).
(Sterling XVe B 36 : peintre probablement flamand).
Acquis en 1892.
Cat. somm. 1001 A (Inconnu de l'école française du XVe s.) - *Brière 1001, p. 276* (éc. de Touraine, 2e moitié du XVe s.) - *S.A. II 52* (éc. flamande, fin du XVe s.).

R.F. 2822

La Vierge et l'Enfant.
B. H.0,215 ; L.0,135.
Don de la Société des Amis du Louvre, 1929.
Michel 4114, p. 177 (Maître de la Légende de Marie-Madeleine).

R.F. 1938-17

Marguerite d'York (1446-1503), épouse de Charles le Téméraire, duc de Bourgogne, en 1468.
B. H.0,205 ; L.0,124.
(Sterling A XVe 140 : Nord de la France. Ring 192 : attr. à S. Marmion).
Donation de Mme Walter Gay, 1937.
Michel 4105, p. 107.

HOLLANDE
Fin du XVe siècle.

INV. 1987

La Vierge et l'Enfant avec sainte Anne.
B. Transposé sur T. H.0,45 ; L.0,32.
(Friedländer III 34 : suiveur inconnu de Van der Goes).
L'artiste est parfois appelé Maître de l'Anna Selbdritt, d'après le panneau du Louvre, unique ouvrage connu de sa main.
Ancienne collection.
Villot II 588 (éc. flamande, XVe s.) - *Cat. somm. 2197* (id.) - *Demonts 2197 p. 49* (éc. hollandaise, deuxième moitié du XVe s.) - *Michel 2197, p. 158* (Maître de l'Anna Selbdritt du Louvre).

PAYS-BAS DU NORD
Deuxième quart du XVe siècle

D.L. 1973-23

Voir Annexe I (tableaux en dépôt au Louvre).

XVIe siècle

BRUGES
Début du XVIe siècle

INV. 20224

La Bannière des lépreux : la Vierge à l'Enfant avec saint Lazare entre des scènes de la vie de saint Lazare.
T. (peinte des deux côtés) H. 0,94 ; L.0,77.
D.b.m. : *M V C II* (1502).
Donné en 1502 par Jean de Gruuthuse (armoiries b.m.) à l'hospice des lépreux de Bruges.
Dépôt de la Bibliothèque Nationale (Cabinet des Estampes) au Louvre, 1943.
Michel 4102 p. 100.

BRUXELLES
Début du XVIe siècle

INV. 2085

Philippe le Beau, archiduc d'Autriche (1478-1506).
B. H.0,418 ; L.0,269.
(Friedländer XII 32 : Maître de Sainte Madeleine).
Acquis en 1828.
Demonts 2202 B, p. 58 - *Michel 2202 B, p. 103.*

FLANDRES ou **HOLLANDE ?**
Début du XVIe siècle.

INV. 2104

Portrait d'un homme tenant deux œillets.
B. H.0,54 ; L.0,44.
Coll. de Louis XIV (entré avant 1683).
Villot II 607 (éc. flamande, XVIe s.) - *Cat. somm. 2205* (Inconnu de l'école flamande : début du XVIe s.) - *Demonts 2205, p. 56* (éc. hollandaise, XVIe s. : J. Zwart, de Groningen ?) - *Michel 2205, p. 165* (Maître du Feuillage en broderie).

ANVERS ou **LEYDE.**
Première moitié du XVIe siècle.

R.F. 1185

Loth et ses filles.
B. H.0,48 ; L.0,34.
(Friedländer X 115 : Lucas van Leyden. Friedländer - Winkler 35 : id.).
Acquis en 1900.
Cat. somm. 2640 A (Inconnu de l'école hollandaise, XVIe s.) - *Demonts 2640 A, p. 63* (attr. à Lucas de Leyde) - *Michel 2640 A, p. 155* (Lucas de Leyde).

ANVERS
Première moitié du XVIe siècle.

R.F. 988

Sainte Catherine et sainte Barbe.
B. H.0,69 ; L.0,50.
Deux volets de triptyque remontés en un seul panneau.
Entré au Musée de Cluny avec la coll. Du Sommerard (Cat. Musée 1847 n° 1736 : éc. de Cranach).
Transféré du Musée de Cluny au Louvre en 1896.
Cat. somm. 2641 (Hollande, XVIe s.) - *Demonts s.n., p. 64* (éc. d'Anvers, XVIe s.) - *Michel 4117, p. 187* (Maître de l'Adoration Groote).

R.F. 2249

Sainte Catherine et sainte Marguerite.
B. H.0,76 ; L.0,47.
Deux volets de triptyque remontés en un seul panneau.
Acquis en 1919.
Demonts s.n., p. 63 (éc. d'Anvers, XVIe s.) - *Michel 4112, p. 172* (Maître de Hoogstraeten).

FLANDRES
Première moitié du XVIe siècle

R.F. 46

La Vierge et l'Enfant.
T. H.0,39 ; L.0,30.
Legs Louis-Marie Lanté, 1873.
Demonts 2203 C p. 57 (éc. flamande, début du XVIe s.) - *Michel 2203 C p. 98* (Anvers, v. 1490-1510).

R.F. 1533

La Présentation au temple.
Revers :
Saint Victor ?
B. H.0,590 ; L.0,355.
Panneau de retable, cf. R.F. 1534.
Don Ernest Grandidier, 1904.
Demonts 2642 A p. 62 - *Michel 2642 A p. 167.*

R.F. 1534

Les Noces de Cana. Revers : **saint Jean l'évangéliste.**
B. H.0,59 ; L.0,36.
Panneau de retable, cf. R.F. 1533.
Don Ernest Grandidier, 1904.
Demonts 2642'B p. 61 - Michel 2642 B p. 167.

BRUGES
Milieu du XVIe siècle

M.I. 823

Trois femmes et un enfant agenouillés sous la protection de la Vierge à l'Enfant Jésus.
Volet d'un retable.
B. H.0,98 ; L.0,60.
Donation Charles Sauvageot, 1856 (Cat. 1014 : éc. d'Otto Venius).
Demonts 2205 D, p. 52 (éc. flamande, 2e moitié du XVIe s.).

R.F. 2179

Portrait de femme tenant des gants.
B. H.0,39 ; L.0,265.
Legs Emile Huard, 1916.
Demonts s.n., p. 57 - Michel 4103, p. 102.

FLANDRES OU HOLLANDE ?
Première moitié du XVIe siècle

M.I. 825

Femme tenant un livre.
B. H.0,350 ; L.0,270.
Donation Charles Sauvageot, 1856 (Cat. 1015 : éc. flamande).
Cat. somm. 2204 (éc. flamande, début du XVIe s.) - *Demonts 2204, p. 58* (id.) - *Michel 2204, p. 109* (id.).

HOLLANDE
Première moitié du XVIe siècle

R.F. 1942-11

Le Christ baptisant saint Jean-Baptiste.
B. H.1,20 ; L.0,83.
Acquis en 1942.
(Inventaire : Ecole souabe début du XVIe s. ou école de Joest van Kalkar).

ANVERS
Deuxième moitié du XVIe siècle (artiste de l'entourage de Martin de Vos signant CV)

R.F. 1950-42

Portrait d'une femme âgée de quarante ans et d'un enfant.
B. H.1,36 ; L.1,08.
S.D.b.g. : *1576, CV* (entrelacés) *F.* [Fecit].
Acquis en 1950.
Michel 4101, p. 99.

HOLLANDE
Milieu du XVIe siècle

M.N.R. 469

Portrait de femme âgée de 44 ans en 1558.
B. H.0,835 ; L.0,660.
Inscr. h. g. : *ANO LVIII.* ; h. dr. *ETATIS. SUE. XLIIII.*
Attribué au Musée du Louvre par l'Office des Biens privés, 1950.

FLANDRES
Deuxième moitié du XVIe siècle

INV. 2100

Portrait d'homme âgé de 33 ans.
B. H.1,03 ; L.0,76.
S.D.h.g. : *SNB* (monogramme) *Aetatis sue 33 1565.*
(Les lettres sont surmontées d'une sorte de 4 inversé).
Coll. de Louis XIV (entré avant 1683).
Villot II 609 (éc. allemande, XVIe s.) - *Demonts 2741, p. 72* (éc. allemande (?), XVIe s.).

M.I. 842

Portrait de gentilhomme.
B. H.0,370 ; L.0,275.
(Moreau-Nélaton III, n° 26 p. 255 : anonyme français vers 1565. Dimier II, n° 2 p. 403 : flamand vers 1580).
Donation Charles Sauvageot, 1856 (Cat. 998 : éc. de Clouet).
Brière 1018 A, p. 283 (éc. française ? 2e moitié du XVIe s.).

FLANDRES (ou Espagne ?).
Deuxième moitié du XVIe siècle

R.F. 2162

Portrait d'un gentilhomme, dit parfois : Portrait du duc d'Alençon (1555-1584).
B. H.0,84 ; L.0,62.
(Moreau-Nélaton III 52 p. 258 : inconnu vers 1560).
Legs du baron Basile de Schlichting, 1914.
Brière 3161, p. 284 (éc. française, 2e moitié du XVIe s. ? Peut-être par un artiste flamand) - *Cat. Rés. 139* (XVIe s., éc. flamande ?).

FLANDRES
Deuxième moitié du XVIe siècle

R.F. 1946-9

Figure de femme nue
(La pénitente Madeleine ?).
B. H.0,73 ; L.0,55.
Copie d'après un tableau perdu, peut-être peint par Michel Coxcie, et dont il existe de nombreuses répliques, notamment celle du Wadsworth Atheneum, Hartford (U.S.A.).
S.-A. II 103 (éc. de Fontainebleau).
Acquis en 1946.

FLANDRES
Fin du XVIe siècle.

INV. 20534

Prédication de saint Jean-Baptiste.
T. H.0,82 ; L.0,64.
Provenance indéterminée.

INV. 1054

Voir PARMIGIANINO (d'après) (Ecole italienne).

FLANDRES (ou France ?)
Fin du XVIe siècle.

R.F. 1941-9

Diane et Actéon.
B. H.0,94 ; L.1,28.
Sans doute un travail français d'après une œuvre de l'école de Frans Floris.
(Jost p. 220 : pas de Blocklandt).
Legs Paul Jamot, 1941.
Michel 4002, p. 10 (attr. à Anthonis van Blocklandt).

XVIIe siècle

FLANDRES (ou France ?)
Début du XVIIe siècle.

M.I. 813

Charles de Lorraine, duc de Mayenne, Amiral de France (1554-1611).
Vélin contrecollé sur carton ovale. H.0,05 ; L.0,04.
Donation Charles Sauvageot, 1856 (Cat. 1027 : Frans I Pourbus).

FLANDRES
Début du XVIIe siècle.

M.I. 820

Portrait de jeune femme, dit autrefois : Portrait de l'archiduchesse Isabelle - Claire - Eugénie, Infante d'Espagne (1566-1633).
Vélin contrecollé sur carton ovale. H.0,080 ; L.0,055.
Donation Charles Sauvageot, 1856 (Cat. 1028).

R.F. 1012

Saint Antoine et saint Paul ermite nourris par un corbeau.
B. H.0,495 ; L.0,635.
Transféré du Musée de Cluny (sans numéro d'inventaire ni origine connue) au Louvre, 1896.

R.F. 1937-11

La Belle verdurière, dit autrefois : Portraits de François Perrenot de Granvelle, comte de Cantecroy (mort en 1607) et de Mademoiselle Gaille.
T. H.1,42 ; L.1,07.
Copie (sans doute du XVIIe siècle) d'une composition de la fin du XVIe siècle connue par de nombreuses versions dont l'une fut parfois identifiée avec un tableau du Palais Granvelle à Besançon inventorié en 1607 sous le nom de Floris.
Don Michel Van Gelder, 1937.
(Inventaire : éc. française, XVIe s.).

R.F. 996

L'Abbé Antoine Blondel et son saint patron.
Volet droit de retable. Au verso : **Roi de France remettant une charte de fondation à une religieuse.**
B. H.1,635 ; L.0,595.
D. mi-h.g. sur l'avers : *Aeta : suae 50 1632.*
Entré au Musée de Cluny avec la coll. Du Sommerard (cat. Musée 1847 n° 1748).
Transféré du Musée de Cluny au Louvre, 1896.

ANVERS
Première moitié du XVIIe siècle.

R.F. 2126

Portrait d'homme âgé de 45 ans.
B. H.0,740 ; L.0,537.
D.h.g. : *Aeta^s^ 45.1632.*
Panneau fabriqué à Anvers (marque au verso).
Legs du baron Basile de Schlichting, 1914.
Demonts s.n., p. 165 (éc. hollandaise, XVIIe s.).

FLANDRES
Première moitié du XVIIe siècle.

INV. 2005

Festin bachique.
C. H.0,31 ; L.0,41.
Œuvre ruinée.
Ancienne collection.

FLANDRES
Milieu du XVIIe siècle.

R.F. 1950-32

Paysage à la chaumière.
T. H.0,42 ; L.0,555.
Acquis en 1950.
Cat. Rés. 295 (Jacques Fouquières).

M.I. 972

Portrait de femme jouant du luth.
B. H.0,76 ; L.0,665.
Legs du Dr Louis La Caze, 1869 (Cat. 111).
Demonts 2132, p. 92 (éc. de Rubens).

FLANDRES
Deuxième moitié du XVIIe siècle.

INV. 8564

Le Christ communiant la Madeleine.
T. H.3,24 ; L.2,10.
Œuvre ruinée.
Ancienne collection.
(Inventaire : Ecole française [XVIIe s.]).

INV. 20466

Paysage montagneux.
T. H.0,58 ; L.0,815.
Provenance indéterminée.

M.I. 1016

Portrait de vieille femme.
T. H.0,71 ; L.0,59.
Legs du Dr Louis La Caze, 1869
(Cat. 155 : éc. flamande ou hollandaise, XVIIe s.).
Demonts 2208, p. 105.

R.F. 1739

Portrait de jeune garçon tenant une petite palette.
T. H.0,460 ; L.0,385 (autrefois H.0,45 ; L.0,38).
(Kultzen 150 : pas de Sweerts ; entourage de Le Nain).
Acquis en 1909.
Cat. Rés. 484 (Sweerts).

FLANDRES (ou Allemagne ?)
Début du XVIIIe siècle.

M.N.R. 941

Couple dansant devant une maison. Fête familiale.
T. H.0,51 ; L.0,57.
Attribué au Musée du Louvre par l'Office des Biens privés, 1953.

HOLLANDE
Première moitié du XVIIe siècle.

INV. 1754

Intérieur de cuisine.
B. H.0,49 ; L.0,64.
Ancienne collection.
Villot II 421 (Sorgh) - *Demonts 2571, p. 145 (id.).*

INV. 1930

Vue d'Anvers. Marine par temps calme.
B. H.0,43 ; L.1,00.
S.d. sur un cartellino : *S. Vlieger* (signature rajoutée).
Peut-être attribuable à Verweer.
Provient sans doute de Belgique, 1794.
Villot II 549 (S. de Vlieger) - *Demonts 2604, p. 121* (id.).

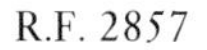

R.F. 2857

Homme assis à son bureau.
B. H.0,675 ; L.0,515.
S.D.h.g. : *H. de va..., fecit 162...* (signature en partie grattée).
Coll. du comte de l'Espine ; donné par sa fille, la princesse Louis de Croÿ, 1930.
(Inventaire : De Vries - pour Abraham de Vries ?).

R.F. 3721

Homme au chapeau brun.
B. H.0,39 ; L.0,31.
Fragment.
Coll. du comte de l'Espine ; donné par sa fille, la princesse Louis de Croÿ, sous réserve d'usufruit, 1930 ; entré au Louvre en 1932.
(Inventaire : Dirck Hals).

R.F. 1973-31

Voir Annexe II (dons sous réserve d'usufruit).

HOLLANDE ou FLANDRES ?
Première moitié du XVIIe siècle.

R.F. 1950-5

Intérieur rustique.
B. H.0,495 ; L.0,640.
Sans doute un travail d'un peintre flamand ou hollandais travaillant à Paris dans la colonie nordique de Saint-Germain-des-Prés, sinon d'un artiste français de l'époque pastichant Kalf ou Sorgh à l'instar de Sébastien Bourdon.
Acquis en 1950.
(Inventaire : Ecole française du XVIIe siècle).

HOLLANDE (ou Flandres ?)
Deuxième moitié du XVIIe siècle.

INV. 1047

Vue de la colonne Trajane et de l'église Sainte-Marie de Lorette à Rome.
T. H.0,45 ; L.0,55.
Une attribution au peintre flamand Jan van Buken (Anvers, 1635 - id., 1694) a été proposée mais sans fondements suffisants.
Coll. de la Couronne.
Villot II 28 (Gerrit Berckheyde) - *Demonts 2324, p. 150* (éc. hollandaise XVIIe s.).

INV. 1061

Vieillard en méditation.
T. H.1,44 ; L.1,37.
(Blankert, 1976, p. 22 : Kneller et non Bol).
Coll. de Louis XVI : acquis en 1777.
Villot II 39 (Bol) - *Demonts 2328, p. 161* (id.).

INV. 1466

Portrait présumé de Cornelis Tromp (1625-1681), amiral hollandais.
T. cintrée. H.0,930 ; L.0,766.
(Hofstede de Groot I 236 : Metsu).
Acquis en 1803.
Villot II 298 (Metsu) - *Demonts 2464, p. 124* (id.).

INV. 1549

Femme allaitant un enfant, dit autrefois : Une famille flamande.
B. H.0,41 ; L.0,32.
(Hofstede de Groot X 85 : Frans van Mieris le Vieux).
Saisie révolutionnaire de la coll. Bourgeois-Vialard de Saint-Maurice.
Villot II 325 (Frans van Mieris le Vieux) - *Demonts 2472, p. 156* (id.) - *Cat. Rés. 432* (éc. de Frans van Mieris le Vieux).

INV. 2185

Vieille Italienne (?) filant.
T. H.0,555 ; L.0,465 (autrefois H.0,485 ; L.0,41).
Ancienne collection.

INV. 8850

Marine.
T. H.1,25 ; L.2,13.
Ancienne collection.
(Inventaire : éc. française, XVIIe s.).

INV. 20236

Vue d'un port méridional.
T. H.1,17 ; L.1,40.
Provenance indéterminée.

M.I. 811

Portrait d'un jeune homme à l'âge de 28 ans.
B. H.0,210 ; L.0,175.
S.D.mi-h.g. : *Aetatis 28. G. Netscher 1678* (apocryphe).
Donation Charles Sauvageot, 1856 (Cat. 1013 : Netscher).

M.I. 827

Portrait de femme.
B. H.0,66 ; L.0,48.
Donation Charles Sauvageot, 1856 (Cat. 1016 : éc. flamande, XVIIe s.).

M.I. 830

Tête de femme de profil.
B. H.0,090 ; L.0,072.
Donation Charles Sauvageot, 1856 (Cat. 1025 : éc. hollandaise ; costume flamand du XVIIe s.).

R.F. 2546

Une Partie de cartes.
B. H.0,32 ; L.0,42.
S.b.d. : *J. Berckeyde* (apocryphe).
Pastiche moderne d'un tableau hollandais du XVIIe siècle.
Legs Paul Cosson, 1926.
(Inventaire : Berckheyde).

R.F. 1938-18

Portrait de femme.
T. H.0,66 ; L.0,54.
Donation de Mme Walter Gay, 1937.

M.N.R. 936

Paysage avec moulin à eau.
T. H.1,01 ; L.1,26.
Pastiche (XVIIIe s. ?) dans le genre de Jacob van Ruisdael.
Attribué au Musée du Louvre par l'Office des Biens privés, 1952.

Addendum

Le R.F. 2191, reproduit comme *Genre de Huysum* p. 75, est en fait de A.F. Bargas, actif à Bruxelles dans la 2e moitié du XVIIe siècle.

Le R.F. 2126, catalogué p. 160, doit pouvoir être attribué à Cornelis de Vos.

Le M.N.R. 477, Jan Janssens est à classer en fait dans les anonymes de l'école flamande du XVIIe siècle, comme le fait correctement remarquer L. J. Slatkes, mal cité dans la notice du tableau p. 76.

Annexe I

Tableaux en dépôt au Musée du Louvre. Ces tableaux n'appartenant pas juridiquement au Louvre sont catalogués et reproduits à part. Les données biographiques des artistes concernés ici sont cependant intégrées au corps même du catalogue des tableaux du Louvre pour éviter les redites.

BALEN Hendrick van

D.L. 1973-21

Le Festin des dieux.
C. H.0,505 ; L.0,775.
Paysage de Jan I Brueghel.
Donné à la Fondation de France par M. et Mme Léon Salavin, 1973.
Dépôt permanent de la Fondation de France, 1973.

BENING Simon

D.L. 1973-18

L'Adoration des mages.
Vélin collé sur B. H.0,35 ; L.0,26.
Donné à la Fondation de France par M. et Mme Léon Salavin, 1973.
Dépôt permanent de la Fondation de France, 1973.

BRIL Paul

D.L. 1970-4

Chasseurs près d'un étang.
T. H.0,725 ; L.1,02.
Dépôt du Musée des Beaux-Arts d'Alger (Inventaire d'Alger, n° 3814), 1968.

BRUEGHEL Jan I

Voir BALEN.

HULST Frans de

D.L. 1973-19

Château dominant une rivière.
B. H.0,395 ; L.0,61.
Donné à la Fondation de France par M. et Mme Léon Salavin, 1973.
Dépôt permanent de la Fondation de France (comme Ecole de Rembrandt), 1973.

RUBENS Petrus-Paulus

D.L. 1973-16

Vénus escortant Mars sur le chemin de la guerre.
B. H.0,365 ; L.0,245.
Esquisse pour une composition non exécutée.
Donné à la Fondation de France par M. et Mme Léon Salavin, 1973.
Dépôt permanent de la Fondation de France, 1973.

SELLAER (genre de)

D.L. 1970-21

Suzanne et les deux vieillards.
B. H.0,96 ; L.0,82.
Dérivé d'un tableau presque analogue du Musée de Prague qui fut longtemps attribué à l'Ecole de Vasari (n° d'inventaire : 0-2838) et que l'on peut rendre à Sellaer.
Dépôt du Musée des Beaux-Arts d'Alger (n° d'inventaire : 2244), comme Ecole de Fontainebleau, XVIe s., 1968.

WOLFVOET Victor, le Jeune

D.L. 1978-2

L'Adoration des mages.
C. H.0,22 ; L.0,31.
S.b. sur le pied gauche de la crèche : *V*, et sur le pied droit : *W*.
Composition inspirée par Rubens et proche de la gravure « rubénienne » exécutée sur le même sujet en 1663 par Adrien Lommelin (Voorhelm Schneevogt p. 21 n° 78).
Entré au Musée de Cluny avec le legs Wasset (1903) comme copie d'après Rubens.
Dépôt du Musée National des Thermes et de l'Hôtel de Cluny à Paris (n° d'inventaire : 15449), 1978.

PAYS-BAS DU NORD
Deuxième quart du XVe siècle.

D.L. 1973-23

L'Adoration des mages.
B. H.0,255 ; L.0,225.
Donné à la Fondation de France par M. et Mme Léon Salavin, 1973.
Dépôt permanent de la Fondation de France, 1973.

Annexe 2

Liste des tableaux donnés au musée du Louvre sous réserve d'usufruit (pour les données biographiques des artistes, le principe est le même qu'à l'annexe I).

BARENDSZ. Dirck

La Vocation de saint Mathieu.
Donation anonyme, 1975 (R.F. 1975-25).

BENSON Ambrosius

Vierge à l'Enfant avec sainte Catherine et sainte Barbe.
Donation de M. et Mme Paul Derval, 1971 (R.F. 1971-19).

BRUEGHEL Pieter II

La dîme (1617).
Donation de M. et Mme René Grog, 1973 (R.F. 1973-37).

MAÎTRE DE 1518

Anna Selbdritt avec saint Augustin.
Donation de M. et Mme René Grog, 1973 (R.F. 1973-38).

MAÎTRE DES DEMI-FIGURES (atelier)

Jeune femme lisant.
Donation de M. et Mme René Grog, 1973 (R.F. 1973-32).

MAÎTRE AU FEUILLAGE EN BRODERIE

Vierge en majesté entourée d'anges.
Ange musicien jouant du luth.
Donation de M. et Mme René Grog, 1973 (R.F. 1973-35 et R.F. 1973-36).

MARINUS VAN REYMERSWAELE

Les collecteurs d'impôts.
Donation de M. et Mme René Grog, 1973 (R.F. 1973-34).

MEMLING (Hans)

La Fuite en Egypte.
Donation de Mme B. de Rothschild, 1974 (R.F. 1974-30).

ORLEY (Barend van)

Le Christ au jardin des oliviers.
Donation anonyme, 1976 (R.F. 1976-1).

RUBENS (d'après)

Triomphe de l'Eucharistie sur le paganisme.
Donation de M. et Mme Jacques Heugel, 1977 (R.F. 1977-448).

Triomphe de l'Eucharistie sur l'hérésie.
Donation de M. et Mme Jacques Heugel, 1977 (R.F. 1977-449).

STEVENS Alfred (genre)

La Femme en jaune.
Donation de Mlle Denise Masson, 1968, avec obligation de dépôt au musée de Lille (R.F. 1968-15).

VELDE Willem van de

Marine.
Donation de M. de Noailles, 1971 (R.F. 1971-3).

HOLLANDE
Première moitié du XVIIe s. (attribué à Elias).

Portrait de femme.
Donation de M. et Mme René Grog, 1973 (R.F. 1973-31).

Index 1

Liste des changements d'attribution

(les prénoms n'ont été gardés que dans le cas où des confusions auraient été possibles entre plusieurs artistes portant les mêmes noms).

Précédentes attributions	Attributions du présent catalogue	
Aert Claez dit Aertgen van Leyden (attribué)	Aert Claez (Aertgen van Leyden)	R.F. 2502
Aertgen van Leyden (attribué)	Monogrammiste de Brunswick	INV. 1980 R.F. 773
Avercamp H. (attribué)	Avercamp B.	R.F. 2854
Avercamp H. (attribué)	Breen	R.F. 1738
Baden ?	Neefs P. II	INV. 1596 et INV. 1597
Balen (pour les figures)	Brueghel J.I.	INV. 1092
Bassen (genre)	Bassen	INV. 2184
Beerstraten J.A.	Beerstraten J.	INV. 1030
Bellegambe (attribué)	Bellegambe	M.I. 817
Benson A. (d'après) ; Benson A. (école)	Benson A. (atelier)	R.F. 2248
Benson J. ?	Benson A. (atelier)	R.F. 2248
Berchem (pour les figures)	Weenix J.B.	INV. 1043
Berckheyde	Hollande, XVIIe s.	INV. 1047
Blocklandt (attribué)	Flandres (ou France ?), fin XVIe s.	R.F. 1941-9
Bloemaert	Wttevael (d'après)	M.N.R. 462
Bloot (attribué)	Neyn	R.F. 1167
Bol	Hollande, milieu XVIIe s.	INV. 1061
Bol ?	Rembrandt (d'après)	INV. 1743
Borch (attribué)	Beeldemaker	R.F. 1938-26
Borch (école)	Borch	INV. 20371
Both	Lisse	R.F. 1969-3
Both (attribué)	Bargas	R.F. 2191
Bouts D. le Vieux (attribué)	Bouts D. le Vieux	M.I. 734
Bouts D. le Vieux (école)	Bouts D. le Vieux (d'après)	R.F. 1732
Bouts D. le Vieux (école)	Bouts D. le Vieux (atelier)	INV. 1986, 1994
Bouts D. le Jeune	Bouts D. le Vieux	R.F. 1 et M.I. 734, R.F. 2622
Breenbergh	Poelenburgh	INV. 1082 à INV. 1086
Breenbergh	Bril P.	INV. 1085
Bril M.	Bril P.	INV. 1108-1109
Bril P. (attribué)	Bril P.	INV. 207
Bril P.	Brueghel J. II	INV. 1120
Bril P. (école)	Alsloot	M.I. 960
Brouwer	Quast (attribué)	M.I. 904
Brouwer	Sorgh	M.I. 903
Brouwer ; Brouwer (d'après) ; Brouwer ?	Lundens	M.I. 905
Brouwer ; Brouwer (d'après)	Craesbeeck	M.I. 906
Brouwer (imitateur)	Teniers D. II	M.I. 1015
Brueghel J. I	Brueghel J. I (d'après)	M.I. 909
Brueghel J. I	Brueghel J. II ?	INV. 1095
Brueghel J. I ; attribué ; atelier de J. Brueghel I	Brueghel J. I (genre)	INV. 1100 et 1101
Brueghel J. I (pour les figures)	Balen H. van	INV. 1093
Brueghel J. I (attribué ; atelier de J. I : J. II ?)	Brueghel J. I	INV. 1099
Brueghel J. I ?	Brueghel P. II	R.F. 829
Brueghel J. I (atelier)	Brueghel J. I (d'après)	R.F. 2547
Brueghel J. I (école)	Ryckaert M. (imitation)	INV. 1106
Brueghel P. I	Gijsels	INV. 1090-1091
Brueghel P. I ; d'après	Brueghel P. II	R.F. 829
Brueghel P. I (attribution ?)	Dalem	R.F. 2217
Ceulen : voir Janson van Ceulen.		
Christus (d'après)	Eyck (entourage)	R.F. 1938-22
Claeissens (attribué)	Claeissens	R.F. 242
Clève (genre)	Clève	R.F. 2068
Clève ?	Clève	R.F. 187, INV. 2105
Cornelis	David	R.F. 2228
Cossiers J.	Cossiers S.	R.F. 1166
Craesbeeck	Craesbeeck (genre)	R.F. 3973
Craesbeeck (attribué)	Craesbeeck	INV. 1179
Crayer	Dyck A. van (école)	INV. 1188
Croos A. van der	Croos P. van der	R.F. 3706
Cuyp A.	Meijer H. de	R.F. 1939-16
Cuyp A. (pour les animaux)	Neer A. van der	INV. 1600
David (attribué)	David	INV. 1995 - R.F. 2228
Drost J. ou C.	Drost W.	R.F. 1349
Dubbels H.	Backhuyzen	R.F. 1528
Dubordieu	Vliet W. van	INV. 1861
Ducq J. le	Duck	INV. 1228
Ducq J. le	Duyster	INV. 1229
Dyck A. van	Dyck A. van (d'après)	R.F. 2117
Dyck A. van	Dyck A. van (d'après)	R.F. 2393
Dyck A. van	Dyck A. van (d'après)	INV. 1232 et INV. 1237
Dyck A. van	Franchoys	INV. 1249

Précédentes attributions	Attributions du présent catalogue	
Dyck A. van	Rubens (d'après)	M.I. 970
Dyck A. van ?	Rubens (atelier)	M.I. 971
Dyck A. van (attribué)	Dyck A. van (d'après)	R.F. 2118
Dyck A. van (attribué)	Willeboirts	R.F. 1938-28
Dyck A. van (attribué)	Dyck A. van (d'après)	R.F. 1961-83
Dyck A. van (attribué)	Dyck A. van (d'après)	R.F. 1961-84
Dyck A. van (école)	Hulle A. van (attribué)	M.I. 920
Dyck A. van ou Rubens	Dyck A. van	INV. 1244
Eeckhout G. van den (attribué)	Bol F. (genre)	R.F. 2269
Eeckhout G. van den ?	Rembrandt (école)	INV. 1737
Engelbrechtsen C.	Maître du Martyre de Saint-Jean	R.F. 2128
Fabritius B. - Fabritius B. ?	Rembrandt (école)	INV. 1737
Fabritius B. ?	Drost W.	R.F. 1751
Flinck ?	Rembrandt (atelier)	INV. 1746
Floris	Floris (atelier)	M.N.R. 276
Fouquières	Flandres, milieu du XVIIe s.	R.F. 1950-32
Francken F. II (école)	Francken F. II	INV. 1095
Francken (attribué)	Francken F. II	INV. 1295 à 1297
Francken (école)	Francken F. II (d'après) et Brueghel J. I (genre de)	INV. 1990
Francken F. II	Francken F. II (atelier)	R.F. 1535
Fyt (attribué)	Fyt	INV. 1299 et M.I. 922
Gassel ?	Gassel	M.N.R. 377
Gelder	Rembrandt	INV. 1753
Gijsels (attribué)	Gijsels	INV. 1090 et 1091
Gossaert (attribué)	Provost J. (?)	INV. 1346
Gossaert ?	Clève J. van	INV. 1996
Govaerts	Brueghel (J. II) et Francken (F. II)	INV. 1085
Hagen (attribué à)	Hagen	INV. 1315
Hals D.	Hollande, 1re moitié du XVIIe s.	R.F. 3721
Hals F.	Hals F. (d'après)	INV. 1317
Hals F.- Hals et atelier	Hals F. (entourage)	R.F. 425
Hals F.	Soutman	R.F. 426
Hals F. - Hals (attribué)	Hals F. (imitation du XIXe s.)	R.F. 2130
Hals F. le Jeune	Hals F. (imitation du XIXe s.)	R.F. 2130
Hals F. - Hals (attribué)	Hals F. (d'après)	R.F. 1949-1
Heem J.D. de	Heem J. II de	R.F. 1939-10
Heem J.D. de (attribué)	Heem J.D. de	INV. 1320
Helmbreker	Miel	INV. 1447 et 1448
Helst, Helst (attribué)	Helt (Helt dit Stockade)	M.I. 929
Hemessen	Monogrammiste de Brunswick	INV. 1980 et R.F. 773
Heyden (attribué)	Heyden	R.F. 1961-88
Hobbema	Hobbema (d'après)	R.F. 1961-47
Hodges	Scheltema	R.F. 1588
Hondecoeter	Utrecht A. van	M.I. 932

Précédentes attributions	Attributions du présent catalogue	
Honthorst	Honthorst (d'après)	R.F. 2856
Honthorst	Stomer	INV. 1363, R.F. 2810
Honthorst (attribué)	Rombouts T. (d'après)	M.I. 933
Hooch P. de	Hoogstraten	R.F. 3722
Hoogstraten ?	Maes	R.F. 2132
Houckgeest (école)	Streek H. van (d'après)	R.F. 3719
Huysmans	Huysmans (atelier)	M.I. 934
Huysum	Petit	INV. 1384
Janson van Ceulen	Hanneman	M.I. 910
Janson van Ceulen (ou Honthorst)	Honthorst (d'après)	R.F. 2856
Janssens P.	Janssens P. (d'après)	R.F. 1961-14
Janssens P. (?)	Hoogstraten	R.F. 3722
Janssens V. H.	Janssens H.	INV. 1392
Kalf	Maes (attribué)	M.I. 937
Kessel	Brueghel J. II ? et Francken F. II	INV. 1412
Keyser (attribué)	Keyser	INV. 1413
Lairesse (pour les figures)	Glauber	INV. 1301
Lievens	Vaillant	R.F. 2562
Lucas de Leyde - Lucas de Leyde (attribué)	Anvers ou Leyde, 1re moitié du XVIe s.	R.F. 1185
Lucas de Leyde (ou atelier)	Aert Claesz	R.F. 2502
Lundens ?	Helst	INV. 1332
Maes A. van	Sweerts	INV. 1441
Maes N.	Brekelenkam	M.I. 939
Maître de l'Adoration Groote	Anvers, 1re moitié du XVIe s.	R.F. 988
Maître de l'Anna Selbdritt du Louvre	Hollande, fin du XVe s.	INV. 1987
Maître de la Crucifixion de Dessau	Christus	R.F. 1951-45
Maître des Demi-Figures (d'après)	Coecke	INV. 2003
Maître du Feuillage en broderie	Flandres ou Hollande, début du XVIe s.	INV. 2104
Maître de Hoogstraeten	Anvers, 1re moitié du XVIe s.	R.F. 2249
Maître de la légende de Marie-Madeleine	Flandres, 2e moitié du XVe s.	R.F. 2822
Maître de Sainte Madeleine	Bruges, début du XVIe s.	INV. 2085
Maître de la Madeleine Mansi (genre de)	Maître de la Madeleine Mansi (d'après)	R.F. 2176
Maître de la Madeleine Mansi ou atelier	Maître de la Madeleine Mansi (attribué)	R.F. 2250
Marmion, Marmion (élève)	Marmion (entourage de)	R.F. 1490
Marmion (attribué)	Flandres, 2e moitié du XVe s.	R.F. 1938-17
Martszen de Jonge	Savery	R.F. 2224
Massys J. (attribué - réplique d'atelier)	Massys J.	R.F. 2123
Meer J. van der, de Haarlem	Meer (Vermeer) d'Utrecht	INV. 1452
Meer J. van d. le Jeune	Meer (Vermeer) d'Utrecht	INV. 1452
Metsu	Flandres, XVIIe s.	INV. 1466

Précédentes attributions	Attributions du présent catalogue	
Metsys Q.	Clève	R.F. 187
Metsys Q. (attribué à)	Metsys Q.	R.F. 817
Miereveld	Elias	INV. 1575, 1576 M.I. 940
Miereveld	Miereveld (atelier)	M.I. 805, 806
Miereveld (attribué)	Miereveld (atelier)	R.F. 2133
Mieris F. I van	Mieris W. van	INV. 1548
Mieris F. I. van - Mieris F. I (école)	Hollande, 2e moitié du XVIIe s.	INV. 1549
Mieris F. I van	Vois	M.I. 1011
Mieris F. II van	Mieris W. van	INV. 1550
Mirou	Valckenborgh F. van	R.F. 2432
Molenaer J.M. (?)	Rombouts Th. (d'après)	M.I. 933
Molenaer K.	Ruisdael (genre)	INV. 20373
Molyn	Meulener	INV. 1578
Moro	Key	R.F. 216 - 217
Mostaert J.	Mostaert J. (atelier)	M.I. 802
Neefs P. I	Neefs P. II	INV. 1596 - 1597
Neefs P. I	Ecole de Neefs P. I (P. II ou L)	INV. 1598
Neefs P. I	Baden	INV. 1599
Netscher G.	Hollande, 2e moitié du XVIIe s.	M.I. 811
Neufchatel	Clève	INV. 2105
Neufchatel, Neufchatel (d'après)	Pourbus F. I	R.F. 3049
Noort A. van (attribué)	Couwenbergh	R.F. 3776
Oost J. van I	Oost J. van II	INV. 1672
Orley	Provost (?)	INV. 1346
Orley (?)	Coninxloo	INV. 1984
Ostade A. van (attr.)	Decker	INV. 1201
Ostade I. van	Ostade A. van	M.I. 949, 951
Palamedes	Martzen de Jonge	M.I. 812
Patinir (genre)	Clève	R.F. 2068
Pœlenburgh (pour les figures)	Collaborateur indéterminé de Steenwyck	INV. 1864
Pot - Pot ?	Soutman	R.F. 426
Pourbus F. II	Pourbus F. II (atelier)	INV. 1712
Pourbus F. II	Ecole flamande ou française début XVIIe s.	M.I. 813
Pourbus F. II (école)	Moro (d'après)	INV. 1721
Provost (attribué)	Provost	R.F. 1472
Pynacker	Pynacker (d'après)	M.I. 954
Pynas	Tengnagel	R.F. 2246
Rembrandt	Rembrandt van (atelier ou entourage)	INV. 1746, 1748, 1749, M.I. 959
Rembrandt	Rembrandt (d'après)	INV. 1743, 1750 M.I. 958 R.F. 2379 R.F. 2667 bis
Rembrandt	Rembrandt (école)	INV. 1737
Rembrandt	Drost W.	R.F. 1751
Rembrandt - Rembrandt (?)	Ostade A. van	R.F. 1518
Rembrandt (?)	Rembrandt	INV. 1751, R.F. 3744
Rembrandt - Rembrandt (attribué)	Eeckhout (d'après)	R.F. 2384
Rembrandt	Rembrandt (atelier)	INV. 1748
Rembrandt (attribué)	Flinck	R.F. 1961-39
Rembrandt - Rembrandt (école)	Koninck S. (attribué)	INV. 1741
Rembrandt - Rembrandt (école) - Rembrandt (d'après)	Rembrandt	INV. 1753
Rembrandt (école)	Hulst	DL 1973-19
Renesse (?)	Rembrandt (d'après)	M.I. 958
Rombouts G.	Rombouts S.	R.F. 2861
Rubens	Rubens (d'après)	M.I. 970
Rubens	Rubens (d'après)	R.F. 2122
Rubens - Rubens (attribué)	Rubens (atelier)	M.I. 971
Rubens - Rubens et élèves	Dyck A. van	INV. 1766
Rubens - Rubens (atelier)	Rubens (d'après)	INV. 1794
Rubens (d'après)	Wolfvoet	DL. 1978-2
Rubens - Rubens (attribué) - école de Rubens	Rubens (d'après)	INV. 1765, M.I. 968
Rubens (école)	Rubens	INV. 1816
Rubens (école)	Flandres, XVIIe s.	M.I. 972
Rubens (école)	Thomas van Yperen	M.I. 973
Rubens (école)	Thulden	M.I. 974
Rubens (école)	Vos C. de (d'après)	INV. 952 et 953
Rubens ou Van Dyck	Dyck A. van	INV. 1244
Ruisdael	Ruisdael (imitation)	INV. 1821
Ruisdael (attribué)	Ruisdael (imitation)	INV. 20373
Savery (attribué)	Savery	R.F. 2224
Savery (?)	Vinckboons (d'après)	R.F. 3055
Schalcken (?)	Maes N.	R.F. 2132
Scorel (attribué)	Metsys Q. (d'après)	R.F. 1730
Scorel (genre)	Dirck Jacobsz (attribué)	R.F. 1938-24
Sittow ?	Sittow (d'après)	R.F. 1547
Slingelandt	Bos	INV. 1842
Snyders - Snyders (attribué)	Snyders (atelier)	INV. 1848
Snyders	Vos P. de	INV. 1844-1847
Son	Boucle	INV. 1852, 1853
Sorgh	Poel	R.F. 1509
Sorgh (?)	Teniers	INV. 1886
Sorgh (attribué) - Sorgh (?)	Teniers	M.I. 1015
Soutman (?)	Soutman	R.F. 426
Soutman	Entourage de F. Hals	R.F. 425
Staveren - Staveren (attribué)	Spreeuwen	INV. 1862
Stomer (d'après)	Stomer	R.F. 2810
Streek	Maes N. (attribué)	M.I. 937
Storck (pour les figures)	Hobbema	M.I. 270
Sustermans	Sustermans (d'après)	M.I. 984
Sustermans	Sustermans (atelier)	R.F. 2124

Précédentes attributions	Attributions du présent catalogue	
Sustris F.	Sustris L.	INV. 1978
Sustris L. (d'après)	Sustris L. (et atelier)	R.F. 3840
Sweerts	Flandres, milieu du XVIIe s.	R.F. 1739
Teniers D. II	Teniers D. II (attribué)	M.I. 985
Teniers (attribué)	Teniers D. II	INV. 1886
Thulden (attribué)	Dyck A. van (école)	INV. 1188
Uden	Vadder (attribué)	INV. 2163
Veen O. van (école)	Bruges (?), 2e moitié du XVIe s.	M.I. 823
Velde A. van de (pour les figures)	Lingelbach	INV. 1339
Velde W. van de (pour les barques)	Heyden	INV. 1339
Velde A. van de	Moucheron F. de (attribué)	R.F. 1970-48
Vermeer	Hoogstraten	R.F. 3722
Verspronck	Vliet W. van	INV. 1861
Vlieger	Hollande, 1re moitié du XVIIe s.	INV. 1930
Vliet H. van	Oost J. I van (attribué)	INV. 1930 bis
Vliet H. van	Vliet W. van	R.F. 956
Vliet H. van (disciple)	Streek H. van (d'après)	R.F. 3719
Vos P. de (attribué)	Vos P. de	INV. 1844, 1845, 1847
Vos C. de (attribué)	Vos C. de (atelier)	M.I. 1009
« Vries » (sans prénom précisé !)	Streek H. van (d'après)	R.F. 3719
Vries (Abr. de ?)	Hollande, 1re moitié du XVIIe s.	R.F. 2857
Weenix J.B.	Weenix J.	R.F. 1943-7
Werff (?)	Werff	M.I. 1012
Weyden ?	Weyden	INV. 1982
Weyden	Bouts D. le Vieux	M.I. 734 et R.F. 1
Zwart ?	Flandres ou Hollande, début du XVIe s.	INV. 2104
Flandres, XVe s.	Bosch (d'après)	R.F. 970
Flandres, XVe s.	Bouts D. le Vieux (atelier)	INV. 1986, 1994
Flandres, XVe s. (près de Gossart !)	David	INV. 1995
Flandres (XVe s.)	Juste de Gand	M.I. 644 à 657
Flandres, XVe s.	Weyden	INV. 1982, M.I. 818
Flandres, XVe s. - école de Brabant, XVe s.	Maître de la Vue de Sainte Gudule	INV. 1991
Flandres, XVe s.	Hollande, fin du XVe s.	INV. 1987
Flandres, fin du XVe s.	Sittow (d'après)	R.F. 1547
Ecole franco-flamande, XVIe s.	Provost	R.F. 1472
Ecole de Gand, vers 1490	Maître de 1499	R.F. 2370
Ecole de Louvain, XVe s.	D. Bouts le Vieux (atelier)	INV. 1986, 1994
Flandres, début du XVIe s.	David	R.F. 588
Flandres, début du XVIe s.	Metys Q.	R.F. 817
Flandres, début du XVIe s.	Provost ?	INV. 1346

Précédentes attributions	Attributions du présent catalogue	
Flandres, début du XVIe s.	Flandres ou Hollande, 1re moitié du XVIe s.	M.I. 825
Flandres, début du XVIe s.	Flandres ou Hollande, 1re moitié du XVIe s.	INV. 2104
Anvers, vers 1490-1510	Flandres, 1re moitié du XVIe s.	R.F. 46
Anvers, début du XVIe s.	Clève	R.F. 187, R.F. 839-840
Flandres ? XVIe s.	Flandres (ou Espagne ?), 2e moitié du XVIe s.	R.F. 2162
Flandres, XVIe s.	Clève	INV. 1996, 2105, R.F. 2068
Flandres, XVIe s.	Orley (d'après)	INV. 2031, R.F. 2120
Flandres, XVIe s.	Cronenburg	M.I. 819
Flandres, XVIe s.	Coninxloo	INV. 1984
Flandres, 2e moitié du XVIe s.	Bruges, milieu du XVIe s.	M.I. 823
Frise, XVIe s.	Cronenburg	M.I. 819
Hollande, début du XVIe s.	Maître de la Madeleine Mansi (attribué)	R.F. 2250
Hollande, XVIe s.	Flandres ou Hollande, début du XVIe s.	INV. 2104
Hollande, XVIe s.	Anvers ou Leyde, 1re moitié du XVIe s.	R.F. 1185
Hollande, XVIe s.	Scorel	R.F. 120
Flandres, XVIIe s.	Bassen	INV. 2184
Flandres, XVIIe s.	Beert	MNR. 563
Flandres, XVIIe s.	Bloemen P. van	INV. 2178
Flandres, XVIIe s. (imitateur de Castiglione)	Boel	INV. 2187 bis
Flandres, XVIIe s.	Caullery	M.I. 828
Flandres, XVIIe s.	Craesbeeck	INV. 1179
Flandres, XVIIe s.	Dyck A. van (école)	M.I. 208
Flandres, XVIIe s.	Key (attribué)	INV. 2004
Flandres, XVIIe s.	Mommers	INV. 2161
Flandres, XVIIe s.	Snayers	INV. 2009
Flandres, XVIIe s.	Stalbemt	INV. 1098
Flandres, XVIIe s.	Teniers D. II (atelier)	INV. 2187
Flandres, XVIIe s.	Utrecht A. van	M.I. 1017
Flandres, XVIIe s.	Vadder (attribué)	INV. 2163
Flandres (peintre travaillant à Rome), XVIIe s.	Oost, J. van I. (attribué)	INV. 1930 bis
Flandres, XVIIe s.	Hollande, XVIIe s.	M.I. 827
Flandres ou Hollande, XVIIe s., Flandres, XVIIe s.	Nijmegen	M.I. 1018
Hollande, XVIIe s. (près de B. Fabritius)	Drost W.	R.F. 1751
Hollande, XVIIe s.	Elias	R.F. 1213
Hollande, XVIIe s.	Rombouts S.	R.F. 2861
Hollande, XVIIe s.	Anvers, 1re moitié du XVIIe s.	R.F. 2126
Hollande du Sud, XVIIe s.	Janssens J.	MNR. 477
Dordrecht, XVIIe s.	Maes N.	R.F. 2132

Index 2

Tableaux sortis des autres écoles

Tableaux autrefois attribués à d'autres écoles que les Ecoles du Nord et rangés à présent dans l'Ecole flamande et l'Ecole hollandaise à cause de leurs changement d'attribution. Quelques artistes ont été transférés tels quels dans les Ecoles du Nord pour des raisons stylistiques, tels Mignon et Schweickhardt (jadis à l'école allemande), Ferguson (habituellement rangé dans l'école anglaise), Pieter de Witte (Pietro Candido qui est généralement classé chez les Italiens ou même chez les Allemands).

Ancienne attribution	Nouvelle attribution	
Bourdon	Vaillant	M.I. 1364
Campi	Flemalle	INV. 161
Carrache An.	Bril	INV. 207
Castiglione - Castiglione (école)	Boel	INV. 2187 bis
Clouet (école)	Flandres, 2e moitié du XVIe s.	M.I. 842
Cranach M.	Mostaert J. (atelier)	M.I. 802
Desportes F. (attribué)	Boel	INV. 3964 à 4052
Desportes F. (d'après)	Bernaerts (attribué)	INV. 3953
Elsheimer	Pynas	INV. 1269
Hodges	Scheltema	R.F. 1588
Holbein	Provost (?)	INV. 1346
Holbein (école)	Bellegambe	M.I. 817
Holbein (attribué)	Ryckere	R.F. 1961-48
Kneller	Hollande, milieu du XVIIe s.	INV. 1061
Le Brun	Thulden	INV. 1905
Le Brun	Egmont (attribué)	INV. 2901
Lely	Dyck A. van (d'après)	M.I. 804
Le Nain (entourage)	Flandres, milieu du XVIIe s.	R.F. 1739
Mirou	Valkenborch F.V.	R.F. 2432
Mole J.B. (?)	Miel	R.F. 1949-25
Murillo (école)	Vos C. de (d'après)	INV. 952 et 953
Neufchatel ?	Clève	INV. 2105
Perréal	Maître de 1499	R.F. 2370
Platzer (attribué)	Wtewael	R.F. 1979-23
Pordenone (d'après)	Scorel	R.F. 120
Proccaccini (G.C.)	Witte	INV. 516
Rottenhammer - Rottenhammer (attribué)	Sustris	INV. 1759
Rottenhammer	Clerck	M.I. 960
Squazella	Veen	INV. 1997 bis
Tintoret - Tintoret (attribué)	Sustris	INV. 1759
Allemagne, fin du XVe s.	Bosch (d'après)	R.F. 970
Allemagne (Cologne), XVIe s.	Clève	INV. 1996
Allemagne (Cologne), XVIe s.	Clève	INV. 2105
Allemagne (Cologne), XVIe s.	Clève	R.F. 2068
Allemagne (Cologne), XVIe s.	Coecke	INV. 2003
Allemagne (Souabe), XVIe s.	Hollande, XVIe s.	R.F. 1942-11
Allemagne, XVIe s.	Monogrammiste de Brunswick	INV. 1980
Allemagne, XVIe s.	Flandres, 2e moitié du XVIe s.	INV. 2100
Allemagne, XVIe s. (maître allemand travaillant en Italie)	Scorel	R.F. 120
Allemagne, XVIe s.	Bellegambe.	M.I. 817
France (Touraine), XVe s.	Flandres, 2e moitié du XVe s.	R.F. 700
France (Touraine), XVe s.	Flandres, 2e moitié du XVe s.	R.F. 1938-17
Ecole française ou franco-flamande, XVIe s.	Provost	R.F. 1472
Ecole franco-flamande, vers 1460.	Weyden (d'après)	M.I. 818
France, 2e moitié du XVIe s.	Flandres, 2e moitié du XVIe s.	M.I. 842
France, 2e moitié du XVIe s.	Flandres ou Espagne, 2e moitié du XVIe s.	R.F. 2162
France, 2e moitié du XVIe s.	Flandres, début du XVIIe s.	R.F. 1937-11
France (Ecole de Fontainebleau), XVIe s.	Flandres, 2e moitié du XVIe s.	R.F. 1946-9
France (Ecole de Fontainebleau), XVIe s.	Genre de Sellaer	DL 1970-21
France, XVIIe s.	Hollande ou Flandres (maître actif à Paris ?), 1re moitié du XVIIe s.	R.F. 1950-5
France, XVIIe s.	Egmont ?	INV. 2901
France, XVIIe s.	Vaillant	M.I. 1364
France, XVIIe s.	Flandres, XVIIe s.	INV. 8564
France, XVIIe s.	Hollande, XVIIe s.	INV. 8850
France, XVIIIe s.	Sustris	INV. 8570
Italie, XVe s.	Juste de Gand	M.I. 644 à 657
Italie (Florence), XVe s.	Gossaert (d'après)	R.F. 3051
Italie, XVIIIe s.	Rubens	INV. 854

Index 3

Tableaux rejetés

Tableaux rangés jusqu'ici dans les Ecoles du Nord et renvoyés à d'autres écoles (italienne, française, allemande, anglaise, espagnole, etc.) à cause de leur récent changement d'attribution (certains de ces tableaux n'étaient pas encore catalogués dans l'école française en 1972 et 1974).

Ancienne attribution	Nouvelle attribution	
Bloemen J.F. van, *Paysage composé*	Dughet (Ecole française)	INV. 1060
Breenbergh, *Prédication de Saint Jean-Baptiste*	Filippo Napoletano (Ecole italienne)	INV. 1081
Mor, *Portrait du jeune Edouard VIII*	Scrots (Stretes) (Ecole anglaise)	R.F. 561
Netscher, *Mlle de Blois*	Mignard P. (Ecole française)	M.I. 942
Swanevelt, *Paysage*	Mauperché (Ecole française)	INV. 5362
Flandres, XVe s., *Tête de femme*	France, début du XVIe s.	R.F. 1938-16
Flandres, XVIe s., *Vénus*	France, XVIIe s.	R.F. 2688
Flandres, XVIe s., *Tête d'homme.*	France, 2e moitié du XVIe s.	R.F. 1938-42
Flandres, XVIe s., *Homme de qualité tenant une médaille à l'effigie de Rodolphe de Habsbourg*	Allemagne (?), XVIe s.	M.I. 821
Flandres, XVIe s., *Michel de l'Hopital*	France, 2e moitié du XVIe s.	M.I. 822
Flandres, XVIe s. *Charles-Quint*	D'après Titien (Ecole italienne)	R.F. 995
Flandres, XVIIe s., *Tête de Christ couronné d'épines*	Ph. de Champaigne (d'après) (Ecole française)	R.F. 3165
Flandres, XVIIe s., *Vue d'un port*	Hagelstein (Ecole allemande).	R.F. 2069
Hollande, XVIe s., *Portrait d'un chevalier de l'Ordre de Malte*	France, 2e moitié du XVIe s.	R.F. 412
Hollande, XVIe s., *Portrait de femme*	France (?), XVIe s.	M.I. 795
Hollande, XVIIe s., *Portrait d'homme*	France (?), XVIIe s.	M.I. 829
Hollande, XVIIe s., *Chambre de rhétorique*	France, XVIIe s. (jadis attribué à Mathieu Lenain).	R.F. 701

N.B. — On prendra garde que certains artistes d'origine nordique, parfois encore catalogués dans les Ecoles du Nord comme le font Fr. Villot en 1852 et L. Demonts en 1922, sont rangés à présent dans l'Ecole française, tels Fr. Millet, Champaigne, Van der Meulen, sans oublier les cas plus modernes de Van Gogh et Van Dongen.

Index 4

Table de concordance des anciens catalogues

Cat. Villot (t. II, 1852)	Cat. somm. (1903) et cat. Demonts (1922)	N° d'inventaire	Attribution actuelle (* signale un changement d'attribution par rapport aux catalogues cités ici)
	1901	M.I. 901	Arthois
	1902	M.I. 699	Baellieur
49	1905	INV. 1072	Bredael
54		INV. 1085	Bril*
65	1906	INV. 1108	Bril*
66	1907	INV. 1109	Bril*
67	1908	INV. 1113	Bril
68	1909	INV. 1114	Bril
69	1910	INV. 1117	Bril
70	1911	INV. 1118	Bril
73		INV. 1121	Bril
47	1912	INV. 1070	Brouwer
	1913	M.I. 903	Sorgh*
	1914	M.I. 904	Quast*
	1915	M.I. 905	Lundens*
	1916	M.I. 906	Craesbeeck*
	1917	R.F. 730	P. Brueghel I
	1917 A	R.F. 829	P. Brueghel II*
56	1918	INV. 1090	Gysels*
57	1918 A	INV. 1091	Gysels*
58	1919	INV. 1092	J. Brueghel I
59	1920	INV. 1093	J. Brueghel I
60	1921	INV. 1094	J. Brueghel I
61		INV. 1095	J. Brueghel II et Francken*
62	1922	INV. 1099	Jan Brueghel I
64	1923	INV. 1101	Genre de J. Brueghel I*
63	1924	INV. 1100	Genre de J. Brueghel I*
	1925	M.I. 908	J. Brueghel I
	1926	M.I. 909	d'après J. Brueghel I*
76 à 96	1927 à 1950	Champaigne	Voir Ecole française
	1951	R.F. 242	Claeisseins
	1952	R.F. 290	Coques
	1952 A	R.F. 534	Coter
	1952 B	R.F. 1482	Coter
101		INV. 1186	Crayer
	1953 A	M.I. 337	Crayer
103	1954	INV. 1188	Ecole d'A. van Dyck*
	1956	INV. 1196	Dael
596	1957	INV. 1995	David
118	1958	INV. 1210	Diepenbeeck
133	1960	INV. 1227	Duchatel

Cat. Villot (t. II, 1852)	Cat. somm. (1903) et cat. Demonts (1922)	N° d'inventaire	Attribution actuelle (* signale un changement dattribution par rapport aux catalogues cités ici)
136	1961	INV. 1230	A. van Dyck
137	1962	INV. 1231	A. van Dyck
138	1963	INV. 1232	d'après A. van Dyck*
139	1964	INV. 1233	A. van Dyck
140	1965	INV. 1234	A. van Dyck
141	1966	INV. 1235	A. van Dyck
142	1967	INV. 1236	A. van Dyck
143	1968	INV. 1237	d'après van Dyck*
144	1969	INV. 1238	A. van Dyck
145	1970	INV. 1239	A. van Dyck
146	1971	INV. 1240	A. van Dyck
148	1973	INV. 1242	A. van Dyck
149	1974	INV. 1243	A. van Dyck
151	1975	INV. 1246	A. van Dyck
153	1976	INV. 1248	A. van Dyck
154	1977	INV. 1249	Franchoys*
	1979	M.I. 916	A. van Dyck
	1981	M.I. 918	A. van Dyck
	1984	M.I. 920	Hulle*
150	1985	INV. 1244	A. van Dyck
162	1986	INV. 1271	Eyck
166	1987	INV. 1281	Falens
167	1988	INV. 1282	Falens
170		INV. 1288	Flemalle
174	1990	INV. 1295	Francken*
175	1991	INV. 1296	Francken*
176		INV. 1297	Francken*
	1991 A	R.F. 1535	atelier de Francken*
612		INV. 1990	d'après Francken*
177	1992	INV. 1298	Fyt
178	1993	INV. 1299	Fyt
179	1994	INV. 1300	Fyt
	1995	M.I. 922	Fyt
277-278	1997	INV. 1442-1443	Gossaert
	1999	R.F. 23	Gossaert
185	2000	INV. 1308	Gryeff
200	2001	INV. 1335	Hemessen
227	2002	INV. 1377	Huysmans
228	2003	INV. 1378	Huysmans
229	2004	INV. 1379	Huysmans
230	2005	INV. 1380	Huysmans

Cat. Villot (t. II, 1852)	Cat. somm. (1903) et cat. Demonts (1922)	Nº d'inventaire	Attribution actuelle (* signale un changement d'attribution par rapport aux catalogues cités ici)
	2006	R.F. 53	Huysmans
	2007	R.F. 51	Huysmans
	2008	R.F. 54	Huysmans
	2009	M.I. 934	atelier de Huysmans*
241	2010	INV. 1392	Jér. Janssens*
251	2011	INV. 1402	Jordaens
252	2011 A	INV. 1403	Jordaens
253	2012	INV. 1404	Jordaens
254	2013	INV. 1405	Jordaens
255	2014	INV. 1406	Jordaens
257	2016	INV. 1408	Jordaens
260	2018	INV. 1412	Francken et atelier de J. Brueghel I*
282	2019	INV. 1447	Miel
283	2020	INV. 1448	Miel
285	2022	INV. 1450	Miel
286	2023	INV. 1451	Miel
288	2024	INV. 1453	Memling
289	2025	INV. 1454	Memling
	2026	R.F. 215	Memling
	2027	R.F. 309	Memling
	2027 A	R.F. 886	Memling
	2028	M.I. 247-249	Memling
279	2029	INV. 1444	Q. Metsys
	2030	R.F. 187	Clève*
	2030 A	R.F. 1475	Q. Metsys
281	2030 B	INV. 1446	J. Massys
299 à 321	2031 à 2050	Meulen. Voir Ecole Française	
	2052 à 2053	Fr. Millet. Voir Ecole Française	
338	2054	INV. 1577	Mol
	2055	M.I. 941	Mol
345	2056	INV. 1591	P. Neefs I
348	2059	INV. 1594	P. Neefs I
349	2060	INV. 1595	P. Neefs I
350	2061	INV. 1596	P. Neefs II*
351	2062	INV. 1597	P. Neefs II*
352	2063	INV. 1598	Ecole de P. Neefs I (Lodewyck ou P. II)*
353	2064	INV. 1599	Baden*
364	2065	INV. 1670	Ommeganck
365	2066	INV. 1671	Ommeganck
366	2067	INV. 1672	J.v. Oost II*
	2067 A	R.F. 1473	Orley
392	2068	INV. 1704	Pourbus
393	2069	INV. 1705	Pourbus
394	2070	INV. 1707	Pourbus
395	2071	INV. 1708	Pourbus
396	2072	INV. 1710	Pourbus
397	2074	INV. 1712	atelier de Pourbus*
425	2075	INV. 1760	Rubens
427	2077	INV. 1762	Rubens
428	2078	INV. 1763	Rubens
429	2079	INV. 1764	Rubens
430	2080	INV. 1765	d'après Rubens*
	2081	R.F. 188	Rubens
431	2082	INV. 1766	Van Dyck*
433	2084	INV. 1768	Rubens
434	2085	INV. 1769	Rubens
435	2086	INV. 1770	Rubens
436	2087	INV. 1771	Rubens
437	2088	INV. 1772	Rubens
438	2089	INV. 1773	Rubens
439	2090	INV. 1774	Rubens
440	2091	INV. 1775	Rubens
441	2092	INV. 1776	Rubens
442	2093	INV. 1777	Rubens
443	2094	INV. 1778	Rubens
444	2095	INV. 1779	Rubens
445	2096	INV. 1780	Rubens
446	2097	INV. 1781	Rubens
447	2098	INV. 1782	Rubens
448	2099	INV. 1783	Rubens
449	2100	INV. 1784	Rubens
450	2101	INV. 1785	Rubens
451	2102	INV. 1786	Rubens
452	2103	INV. 1787	Rubens
453	2104	INV. 1788	Rubens
454	2105	INV. 1789	Rubens
455	2106	INV. 1790	Rubens
456	2107	INV. 1791	Rubens
457	2108	INV. 1792	Rubens
	2110	M.I. 212	Rubens
458	2111	INV. 1793	Rubens
459	2112	INV. 1794	d'après Rubens*
460	2113	INV. 1795	Rubens
461	2114	INV. 1796	Rubens
462	2115	INV. 1797	Rubens
463	2116	INV. 1798	Rubens
464	2117	INV. 1800	Rubens
	2119	M.I. 966	Rubens
	2120	M.I. 962	Rubens
	2121	M.I. 963	Rubens
	2122	M.I. 964	Rubens
	2123	M.I. 965	Rubens

Cat. Villot (t. II, 1852)	Cat. somm. (1903) et cat. Desmonts (1922)	Nº d'inventaire	Attribution actuelle (* signale un changement d'attribution par rapport aux catalogues cités ici)
	2124	M.I. 967	Rubens
	2125	M.I. 968	d'après Rubens*
	2126	M.I. 969	Rubens
	2127	M.I. 970	d'après Rubens*
	2128	M.I. 971	atelier de Rubens*
469	2131	INV. 1816	Rubens*
	2132	M.I. 972	Flandres XVIIe s.
	2133	M.I. 973	Thomas*
	2134	M.I. 974	Thulden*
	2137	M.I. 146	Ryckaert
585	2140	INV. 1976	G. Seghers
	2140 A	R.F. 1025	Siberechts
489	2141	INV. 1844	P. de Vos*
490	2142	INV. 1845	P. de Vos*
491	2143	INV. 1846	P. de Vos*
492	2144	INV. 1847	P. de Vos*
493	2145	INV. 1848	atelier de ou d'après Snyders*
494	2146	INV. 1849	Snyders
495	2147	INV. 1850	Snyders
	2149	M.I. 978	Snyders
	2151	M.I. 980	Snyders
	2152	M.I. 981	Snyders
	2153	M.I. 982	Snyders
	2154	M.I. 984	d'après Sustermans*
511	2155	INV. 1877	Teniers
512	2156	INV. 1878	Teniers
513	2157	INV. 1879	Teniers
514	2158	INV. 1880	Teniers
515	2159	INV. 1881	Teniers
516	2160	INV. 1883	Teniers
517	2161	INV. 1884	Teniers
	2162 A	R.F. 711	Teniers
519	2163	INV. 1886	Teniers
	2163 A	R.F. 711	Teniers
520	2164	INV. 1887	Teniers
521	2165	INV. 1888	Teniers
522	2166	INV. 1889	Teniers
523	2167	INV. 1890	Teniers
524	2168	INV. 1891	Teniers
525	2169	INV. 1892	Teniers et Kessel
	2170	M.I. 985	atelier de Teniers*
	2171	M.I. 986	Teniers
	2172	M.I. 987	Teniers
	2173	M.I. 988	Teniers
	2174	M.I. 989	Teniers
	2176	M.I. 991	Teniers
	2177	M.I. 992	Teniers

Cat. Villot (t. II, 1852)	Cat. somm. (1903) et cat. Demonts (1922)	Nº d'inventaire	Attribution actuelle (* signale un changement d'attribution par rapport aux catalogues cités ici)
	2178	M.I. 993	Teniers
	2179	M.I. 994	Teniers
	2180	M.I. 995	Teniers
	2181	M.I. 996	Teniers
	2182	M.I. 997	Teniers
	2183	M.I. 998	Teniers
	2185	M.I. 1000	Teniers
	2186	M.I. 1001	Teniers
	2187	M.I. 1002	Teniers
	2188	M.I. 1003	Teniers
	2189	M.I. 1004	Teniers
	2190	M.I. 1005	Teniers
535	2191	INV. 1911	Veen
	2193	M.I. 1009	atelier de C. de Vos*
	2194 A	R.F. 1182	Vranck
	2195	R.F. 2063	Weyden
	2195 A	M.I. 734	Bouts*
	2196	R.F. 1	Bouts*
588	2197	INV. 1987	Hollande fin XVe s.*
589	2198	INV. 1991	Maitre de la Vue de Sainte Gudule*
	2199	R.F. 1505	d'après H.v. de Goes
594	2201	INV. 1986	atelier de Bouts*
593	2200	INV. 1994	atelier de Bouts*
595	2202	INV. 1982	Weyden*
	2202 A ou B ? (sic !)	R.F. 588	G. David*
	2202 B	INV. 2085	Bruxelles début XVIe s.*
	2202 C	R.F. 1472	Provost*
	2203	R.F. 817	Q. Metsys*
	2203 C	R.F. 46	Flandres XVIe s.
	2204	M.I. 825	Flandres ou Hollande début du XVIe s.*
	2204 A	INV. 1346	Provost*
	2205	INV. 2104	Flandres ou Hollande début du XVIe s.*
	2205 B	INV. 2031	d'après Orley
	2205 D	M.I. 823	Bruges XVIe s.
	2206 B	INV. 1104	Momper
	2207	INV. 2163	attr. à Vadder*
	2208	M.I. 1016	Flandres XVIIe s.
	2209	M.I. 1017	Adr. van Utrecht*
	2210	M.I. 1018	Nijmegen*
	2212	R.F. 839	J.v. Cleve*
	2213	R.F. 840	J.v. Cleve*
	2214	INV. 1098	Stalbemt*
	2298	R.F. 666	Aelst
	2299	R.F. 773	Monogrammiste de Brunswick*

Cat. Villot (t. II, 1852)	Cat. somm. (1903) et cat. Demonts (1922)	N° d'inventaire	Attribution actuelle (* signale un changement d'attribution par rapport aux catalogues cités ici)
598	2300	INV. 1980	Monogrammiste de Brunswick*
	2300 A	R.F. 1163	A. Arentsz
2	2302	INV. 984	Asselyn
3		INV. 985	Asselyn
4	2303	INV. 986	Asselyn
	2303 A	R.F. 792	Bailly
5	2304	INV. 987	Backhuyzen
	2304 A	R.F. 1528	Backhuyzen
6	2305	INV. 988	Backhuyzen
7	2306	INV. 989	Backhuyzen
8	2307	INV. 990	Backhuyzen
11	2310	INV. 1030	Joh. Beerstraten*
12	2311	INV. 1031	Begeyn
13	2312	INV. 1032	Bega
	2312 A	R.F. 1181	Beyeren
18	2314	INV. 1037	Berchem
19	2315	INV. 1038	Berchem
21	2317	INV. 1040	Berchem
23	2319	INV. 1042	Berchem
24	2320	INV. 1043	Berchem
25	2321	INV. 1044	Berchem
26	2322	INV. 1045	Berchem
27	2323	INV. 1046	Berchem
28	2324	INV. 1047	Hollande XVIIe s.*
16	2326	INV. 1035	Bergen
29		INV. 1049	Beschey
31	2327	INV. 1052	Bloemaert
32	2327 A	INV. 1053	Bloemaert
	2327 A (puis) B	R.F. 1167	Neyn*
39	2328	INV. 1061	Hollande XVIIe s.*
40	2329	INV. 1062	Bol
41	2330	INV. 1063	Bol
42	2331	INV. 1064	Bol
43	2332	INV. 1065	Both
44	2333	INV. 1066	Both
51		INV. 1082	Poelenburgh*
53	2334	INV. 1084	Poelenburgh*
55	2335	INV. 1086	Poelenburgh*
	2337	M.I. 907	Brekelenkam
75	2338	INV. 1122	Jonson van Ceulen
	2339	M.I. 910	Hanneman*
	2339 A	R.F. 612	Codde
97	2340	INV. 1179	Craesbeeck
104	2341	INV. 1190	A. Cuyp
105	2342	INV. 1191	A. Cuyp
106	2343	INV. 1192	A. Cuyp
107	2344	INV. 1193	A. Cuyp
109	2345	INV. 1195	A. Cuyp
108	2345 A	INV. 1194	A. Cuyp
113	2346	INV. 1201	Decker
115	2347	INV. 1203	Delen
121	2348	INV. 1213	Dou
122	2349	INV. 1214	Dou
123	2350	INV. 1215	Dou
124	2351	INV. 1216	Dou
125	2352	INV. 1217	Dou
126	2353	INV. 1218	Dou
127	2354	INV. 1219	Dou
128	2355	INV. 1220	Dou
129	2356	INV. 1221	Dou
	2357	M.I. 915	Dou
131	2358	INV. 1223	Dou
130	2359	INV. 1222	Dou
	2359 A	R.F. 1349	Drost
134	2360	INV. 1228	Duck*
135	2361	INV. 1229	Duyster*
156	2362	INV. 1265	Ph. van Dyck
157	2363	INV. 1266	Ph. van Dyck
158	2364	INV. 1267	Eeckhout
161	2365	INV. 1270	Everdingen
	2366	M.I. 921	Everdingen
163	2367-2368	P. Lely	Voir Ecole anglaise
168	2370	INV. 1285	Victors
169	2371	INV. 1286	Victors
171	2372	INV. 1291	Flinck
172	2373	INV. 1292	Flinck
180	2374	INV. 1301	Glauber
182	2376	INV. 1303	Goyen
183	2377	INV. 1304	Goyen
184	2378	INV. 1305	Goyen
	2379	M.I. 924	Goyen
189	2381	INV. 1315	Hagen
	2382	M.I. 925	Hagen
190	2383	INV. 1317	d'après Hals*
	2384	M.I. 926	Hals
	2385	M.I. 927	Hals
	2386	R.F. 424	Hals*
	2387	R.F. 425	Hals
	2388	R.F. 426	Soutman*
	2389	R.F. 302	D. Hals
191	2390	INV. 1319	Heda
192	2391	INV. 1320	Heem
193	2392	INV. 1321	Heem

Cat. Villot (t. II, 1852)	Cat. somm. (1903) et cat. Demonts (1922)	Nº d'inventaire	Attribution actuelle (* signale un changement d'attribution par rapport aux catalogues cités ici)
	2393	M.I. 928	Heemskerck
197	2394	INV. 1332	Helst
198	2395	INV. 1333	Helst
199	2396	INV. 1334	Helst
	2397	M.I. 929	Helt-Stockade*
201	2398	INV. 1336	Heusch
202	2399	INV. 1337	Heyden
203	2400	INV. 1338	Heyden
204	2401	INV. 1399	Heyden
	2402	M.I. 930	Heyden
205	2403	INV. 1342	Hobbema
	2404	M.I. 270	Hobbema
	2405	R.F. 707	Hondecoeter
	2406	M.I. 931	Hondecoeter
	2407	M.I. 932	A. van Utrecht*
	2407 A	R.F. 656	Hondius
215	2408	INV. 1363	Stomer*
216	2409	INV. 1364	Honthorst
218	2410	INV. 1366	Honthorst
219	2411	INV. 1367	Honthorst
	2413	M.I. 933	d'après Rombouts*
223	2414	INV. 1372	P. de Hooch
224	2415	INV. 1373	P. de Hooch
225		INV. 1374	Huchtenburgh
231	2416	INV. 1381	Huysum
232	2417	INV. 1382	Huysum
233	2418	INV. 1383	Huysum
234	2419	INV. 1384	Petit*
235	2420	INV. 1385	Huysum
236	2421	INV. 1386	Huysum
237	2422	INV. 1387	Huysum
238	2423	INV. 1388	Huysum
239	2424	INV. 1389	Huysum
	2425 A	R.F. 708	Huysum
242	2426	INV. 1393	Dujardin
243	2427	INV. 1394	Dujardin
244	2428	INV. 1395	Dujardin
245	2429	INV. 1396	Dujardin
246	2430	INV. 1397	Dujardin
247	2431	INV. 1398	Dujardin
248	2432	INV. 1399	Dujardin
250	2434	INV. 1401	Dujardin
	2435	M.I. 935	Dujardin
259	2436	INV. 1411	Kalf
	2436 A	R.F. 796	Kalf
	2437	M.I. 937	Maes*
	2438	M.I. 938	Kalf

Cat. Villot (t. II, 1852)	Cat. somm. (1903) et cat. Demonts (1922)	Nº d'inventaire	Attribution actuelle (* signale un changement d'attribution par rapport aux catalogues cités ici)
	2438 A	INV. 1413	Keyser
	2438 B (chez Demonts)	INV. 1413	Keyser
	2438 A (chez Demonts)	R.F. 1560	Keyser
261	2439	INV. 1417	Laer
262	2440	INV. 1418	Laer
263		INV. 1419	Lairesse
264	2441	INV. 1420	Lairesse
266	2443	INV. 1422	Lairesse
	2443 A	R.F. 920	Lastman
267	2444	INV. 1431	Lievens
269	2446	INV. 1433	Limborch
270	2447	INV. 1434	Lingelbach
271	2448	INV. 1436	Lingelbach
272	2449	INV. 1437	Lingelbach
273	2450	INV. 1438	Lingelbach
274	2451	INV. 1439	J.v. Loo
275	2452	INV. 1440	J.v. Loo
276	2453	INV. 1441	Sweerts*
	2454	M.I. 939	Brekelenkam*
287	2455	INV. 1452	J.v. der Meer d'Utrecht
	2456	M.I. 1448	Vermeer
291	2457	INV. 1459	Metsu
292	2458	INV. 1460	Metsu
293	2459	INV. 1461	Metsu
294	2460	INV. 1462	Metsu
295	2461	INV. 1463	Metsu
296	2462	INV. 1464	Metsu
297	2463	INV. 1465	Metsu
298	2464	INV. 1466	Ecole Hollandaise XVIIe s.*
	2464 A	R.F. 373	Metsu
339		INV. 1578	Meulener*
335	2465	INV. 1574	Mierevelt
336	2466	INV. 1576	Elias*
337	2467	INV. 1575	Elias*
	2468	M.I. 940	Elias*
322	2469	INV. 1546	Fr.v. Mieris I
323	2470	INV. 1547	Fr.v. Mieris I
324	2471	INV. 1548	W.v. Mieris*
325	2472	INV. 1549	Ecole Hollandaise XVIIe s.*
326	2473	INV. 1550	W.v. Mieris
327	2474	INV. 1551	W.v. Mieris
328	2475	INV. 1552	W.v. Mieris
340	2476	INV. 1580	Moni
341	2477	INV. 1581	Moor
342	2478	INV. 1582	Mor (ou Moro)
343	2479	INV. 1583	Mor (ou Moro)

Cat. Villot (t. II, 1852)	Cat. somm. (1903) et cat. Desmonts (1922)	Nº d'inventaire	Attribution actuelle (* signale un changement d'attribution par rapport aux catalogues cités ici)
	2480	R.F. 216	Key*
	2481	R.F. 217	Key*
	2481 B (chez Demonts)	M.I. 802	atelier de Mostaert*
344	2482	INV. 1586	Moucheron
354	2483	INV. 1600	A.v.d. Neer
355	2484	INV. 1601	A.v.d. Neer
356		INV. 1602	E.v.d. Neer
357	2485	INV. 1603	E.v.d. Neer
358	2486	INV. 1604	Ca. Netscher
359	2487	INV. 1605	Ca. Netscher
360	2488	INV. 1608	Co. Netscher
363	2490	INV. 1668	Nickele
586	2491	INV. 1977	Nooms
368	2492	INV. 1678	J.v. Os
	2493	INV. 1676	J.v. Os
369	2495	INV. 1679	A.v. Ostade
370	2496	INV. 1680	A.v. Ostade
371	2497	INV. 1681	A.v. Ostade
372	2498	INV. 1682	A.v. Ostade
373	2499	INV. 1683	A.v. Ostade
374	2500	INV. 1684	A.v. Ostade
375	2501	INV. 1685	A.v. Ostade
	2502	M.I. 943	A.v. Ostade
	2503	M.I. 944	A.v. Ostade
	2504	M.I. 945	A.v. Ostade
	2505	M.I. 946	A.v. Ostade
	2506	M.I. 947	A.v. Ostade
	2507	M.I. 948	A.v. Ostade
376	2508	INV. 1686	I.v. Ostade
377	2509	INV. 1687	I.v. Ostade
378	2510	INV. 1688	I.v. Ostade
379	2511	INV. 1689	I.v. Ostade
	2512	M.I. 949	A.v. Ostade*
	2513	M.I. 950	I.v. Ostade
	2514	M.I. 951	A.v. Ostade*
	2515	M.I. 952	I.v. Ostade
	2515 A	R.F. 914	Palamedes
381	2516	INV. 1692	Poel
	2517	M.I. 953	Poel
52		INV. 1083	Poelenburgh*
382	2518	INV. 1693	Poelenburgh
384	2519	INV. 1695	Poelenburgh
385	2520	INV. 1696	Poelenburgh
386	2521	INV. 1697	Poelenburgh
387	2522	INV. 1698	Poelenburgh
389	2524	INV. 1700	Poelenburgh

Cat. Villot (t. II, 1852)	Cat. somm. (1903) et cat. Demonts (1922)	Nº d'inventaire	Attribution actuelle (* signale un changement d'attribution par rapport aux catalogues cités ici)
398	2525	INV. 1730	Pot
399	2526	INV. 1731	Potter
400	2527	INV. 1732	Potter
	2528	M.I. 199	Potter
	2529	M.I. 777	Potter
401	2530	INV. 1733	Pynacker
	2532 puis 2532 A	R.F. 709	Pynacker
	2533	M.I. 954	d'après Pynacker*
	2534	M.I. 955	Ravesteyn
	2535	M.I. 956	Ravesteyn
404	2536	INV. 1736	Rembrandt
405	2537	INV. 1737	Ecole de Rembrandt*
406	2538	INV. 1738	Rembrandt
407	2539	INV. 1739	Rembrandt
408	2540	INV. 1740	Rembrandt
409	2541	INV. 1741	attr. à S. Koninck*
410	2542	INV. 1742	Rembrandt
411	2543	INV. 1743	d'après Rembrandt*
416	2544	INV. 1748	atelier ou entourage de Rembrandt*
417	2545	INV. 1749	atelier ou entourage de Rembrandt*
418	2546	INV. 1750	d'après Rembrandt*
419	2547	INV. 1751	Rembrandt
	2548	M.I. 169	Rembrandt
	2549	M.I. 957	Rembrandt
	2550	M.I. 958	d'après Rembrandt*
	2551	M.I. 959	entourage ou atelier de Rembrandt*
412	2552	INV. 1744	Rembrandt
413	2553	INV. 1745	Rembrandt
414	2554	INV. 1746	atelier de Rembrandt*
415	2555	INV. 1747	Rembrandt
420	2555 A	INV. 1753	Rembrandt*
	2555 B	R.F. 921	Roghman
422	2556	INV. 1755	Romeyn
471	2558	INV. 1818	J.v. Ruisdael
472	2559	INV. 1819	J.v. Ruisdael
473	2560	INV. 1820	J.v. Ruisdael
	2560 A	R.F. 1527	J.v. Ruisdael
474	2561	INV. 1821	imitation de J.v. Ruisdael
	2561 A	R.F. 710	J.v. Ruisdael
	2561 B	R.F. 1162	S.v. Ruysdael
	2561 C	R.F. 1483	S.v. Ruysdael
	2561 D	R.F. 1484	S.v. Ruysdael
584	2562	INV. 1975	C. Saftleven
583	2563	INV. 1974	H. Saftleven
	2563 A	R.F. 1285	Geertgen tot Sint Jans

Cat. Villot (t. II, 1852)	Cat. somm. (1903) et cat. Demonts (1922)	N° d'inventaire	Attribution actuelle (* signale un changement d'attribution par rapport aux catalogues cités ici)
477	2564	INV. 1828	Santvoort
478	2565	INV. 1829	Schalcken
480	2566	INV. 1831	Schalcken
481	2567	INV. 1832	Schalcken
486	2568	INV. 1840	Slingelandt
487	2569	INV. 1841	Slingelandt
488	2570	INV. 1842	P.v.d. Bos*
	2570 A	R.F. 759	Slingelandt
	2570 B	R.F. 758	Slingelandt
615		INV. 1843	Snayers*
421	2571	INV. 1754	Ec. holl., XVIIe s.
	2572	M.I. 1014	Sorgh
	2573	M.I. 1015	Teniers*
498	2576	INV. 1861	W.v. Vliet*
499	2577	INV. 1862	Spreeuwen*
500	2578	INV. 1863	Steen
	2579	M.I. 983	Steen
	2580	R.F. 301	Steen
501	2581	INV. 1864	Steenwyck
502		INV. 1865	Steenwyck
503	2582	INV. 1866	Steenwyck
504	2583	INV. 1867	Steenwyck
505		INV. 1868	Steenwyck
506		INV. 1871	Swanevelt
507	2584	INV. 1872	Swanevelt
509	2585	INV. 1874	Swanevelt
510	2586	INV. 1875	Swanevelt
	2586 A	R.F. 903	Tempel
526	2587	INV. 1899	G. ter Borch
527	2588	INV. 1900	G. ter Borch
528	2589	INV. 1901	G. ter Borch
	2591	M.I. 1006	G. ter Borch
533	2592	INV. 1908	Ulft
534		INV. 1909	Ulft
536	2593	INV. 1915	Adr.v.de Velde
537	2594	INV. 1916	Adr.v. de Velde
538	2595	INV. 1917	Adr.v. de Velde
539	2596	INV. 1918	Adr.v. de Velde
540	2597	INV. 1919	Adr.v. de Velde
541	2598	INV. 1920	Adr.v. de Velde
	2599	M.I. 1007	Adr.v. de Velde
542	2600	INV. 1921	W.v. de Velde
545	2601	INV. 1924	A.P.v. de Venne
546		INV. 1927	S. Verelst
547	2602	INV. 1928	J. Verkolje
548	2603	INV. 1929	N. Verkolje
	2603 B	R.F. 1944	Verspronck
549	2604	INV. 1930	Ec. holl. XVIIe s.*
	2605	INV. 1930 *bis*	attr. à J.v. Oost I*
	2605 A	R.F. 956	W.v. Vliet*
551	2606	INV. 1932	Vois
552	2607	INV. 1933	Vois
	2608	M.I. 1011	Vois
553	2609	INV. 1935	J.B. Weenix
554	2610	INV. 1936	J. Weenix
555	2611	INV. 1937	J. Weenix
556	2612	INV. 1938	J. Weenix
	2612 A	R.F. 712	J. Weenix
557	2613	INV. 1939	Werff
561	2617	INV. 1943	Werff
563	2619	INV. 1945	Werff
	2620	M.I. 1012	Werff
565	2621	INV. 1951	Wouwerman
566	2622	INV. 1952	Wouwerman
567	2623	INV. 1953	Wouwerman
568	2624	INV. 1954	Wouwerman
569	2625	INV. 1955	Wouwerman
570	2626	INV. 1956	Wouwerman
571	2627	INV. 1957	Wouwerman
572	2628	INV. 1958	Wouwerman
573	2629	INV. 1959	Wouwerman
574	2630	INV. 1960	Wouwerman
575	2631	INV. 1961	Wouwerman
	2631 A	R.F. 1529	Wouwerman
576	2632	INV. 1962	Wouwerman
577	2633	INV. 1963	Wouwerman
	2634	M.I. 1013	Wouwerman
578	2635	INV. 1966	Wouwerman
579	2636	INV. 1967	Wynants
580	2637	INV. 1968	Wynants
581	2638	INV. 1969	Wynants
582	2639	INV. 1970	Wyntrack
587	2640	INV. 1978	L. Sustris
	2640 A	R.F. 1185	Anvers ou Leyde XVIe s.*
	2641	R.F. 988	Flandres XVIe s.*
	2641 B	R.F. 120	Scorel*
	2643	R.F. 2134	Elias*
	2642 A et B	R.F. 1533-1534	Flandres XVIe s.

Index 5

Tableaux déposés par le Louvre

(avec index alphabétique des lieux de dépôt)

Les tableaux inventoriés sur les vieux inventaires du Louvre (INV.) comme étant déjà localisés à Versailles sont exclus, car ils ont été le plus souvent envoyés à une date très ancienne, sous Louis-Philippe notamment, et ne peuvent de ce fait être considérés *stricto sensu* comme des *dépôts du Louvre*.
Les dates d'envoi à Fontainebleau et Compiègne n'ont pu être précisées chaque fois car elles manquent généralement sur les inventaires. Par Fontainebleau et Compiègne, l'on entend bien sûr les châteaux de ces villes et non les musées municipaux.
Pour alléger au maximum cette liste, titres et dimensions sont à dessein omis ; les prénoms ne sont donnés que dans le cas d'artistes non déjà catalogués au Louvre ou pour éviter les confusions entre artistes porteurs des mêmes noms ou appartenant à la même famille. Seul le catalogue Villot est indiqué comme référence (cas assez rare : environ 92 tableaux) et il n'y avait pas d'intérêt à renvoyer au catalogue Demonts de 1922, la plupart des dépôts à l'exception des M.N.R. s'étant opérés avant.
Il n'a pas été possible de vérifier dans chaque cas — près de 700 tableaux — l'attribution ni même l'existence des œuvres déposées : un certain nombre ont dû hélas ! disparaître... Mais ce recensement — exhaustif — est le premier qui soit publié, et son utilité n'a pas besoin d'être soulignée, même si les imperfections de la présente liste qui n'a été d'ailleurs dressée qu'à partir des seuls inventaires de peinture nordique — ce qui n'exclut pas, bien au contraire, la présence de tableaux hollandais et flamands inédits et restés oubliés dans les autres écoles — se révèlent criantes.

M.N.R. 743	*Adriaenssens* A. - Dunkerque, 1966
M.N.R. 931	*Asch* - Gray, 1959
M.N.R. 983	*Asselyn* (Villot II 1) - Mobilier National, 1960
M.N.R. 929	*Assteyn* B. - Alençon, 1964
M.N.R. 550	*Avercamp* H. (copie ou atelier) - Gray, 1957
M.N.R. 815	*Avont* P. van et *Wouters* F. - Le Puy, 1968
R.F. 1950-3	*Baburen* D. van (réplique d'atelier) - Nantes, 1960
M.N.R. 919	*Backer* J. de - Perpignan, 1957
INV. 991	*Backhuyzen* (Villot II 9) - La Rochelle, 1895
M.I. 902	*Backhuyzen* - Calais, 1970
M.N.R. 515	*Backhuyzen* - Paris, Musée de la Marine, 1952
M.N.R. 774	*Backhuyzen* - La Rochelle, 1957
INV. 992	*Balen* (Villot II 10) - Rodez, 1872
INV. 1799	*Balen* et *Brueghel* J. (I ou II) - Paris, Musée de la Chasse, 1967
M.N.R. 400	*Balen* et *Stalbemt* (?) - Dijon, 1952
M.N.R. 405	*Balen* et *Brueghel* J. I (d'après) - Saint-Etienne, 1951
M.N.R. 969	*Balen* (atelier) - Château-Gonthier, 1957
R.F. 888	*Bartsoen* - Calais, 1968
INV. 1028	*Beecq* J.K. van - Paris, Musée de la Marine
INV. 1029	*Beecq* J.K. van - Paris, Musée de la Marine
R.F. 1949-31	*Beecq* J.K. van - Dieppe, 1949
M.N.R. 935	*Bellevois* J. - Mobilier National, 1970
M.N.R. 826	*Benson* A. (d'après) - Blois, 1960
INV. 1036	*Berchem* (Villot II 17) - Nice, 1947
INV. 1039	*Berchem* (Villot II 20) - Mobilier National, 1955
INV. 1041	*Berchem* (Villot II 22) - Mobilier National, 1955
INV. 20375	*Berchem* (d'après) - Moulins, Préfecture de l'Allier, 1970
R.F. 3077	*Berchem* - Berlin, Ambassade de France, 1931 (disparu 1939-1945)
R.F. 1945-18	*Berchem* - Saint-Etienne, 1946
M.N.R. 111	*Berchem* (copie ou école ?) - Bourges, 1954
M.N.R. 732	*Berchem* (d'après) - Mobilier National, 1964
M.N.R. 930	*Berchem* - Pau, 1955
INV. 1034	*Bergen (Villot II 15)* - Mobilier National, 1955
M.I. 1244	*Bergen* - Cherbourg, 1872
INV. 1048	*Berré* J. - Compiègne
INV. 1050	*Biefve* E. - Mende, 1872
M.N.R. 461	*Bloemaert* - Nancy, 1961
INV. 1055	*Bloemen* J.F. van (Villot II 33) - Maisons-Laffitte, 1964
INV. 1056	*Bloemen* J.F. van (Villot II 34) - Narbonne, 1895
INV. 1057	*Bloemen* J.F. van (Villot II 35) - Epinal, 1895
INV. 1058	*Bloemen* J.F. van (Villot II 36) - Fontainebleau
M.N.R. 425	*Boeckhorst* - Bordeaux, 1952
INV. 2188	*Boel ?* - Fontainebleau
INV. 3962	*Boel* - Calais, 1892
INV. 3963	*Boel* - Compiègne
INV. 3965	*Boel* - Fontainebleau
INV. 3967	*Boel* - Laval, 1892
INV. 3968	*Boel* - Rouen, 1892
INV. 3971	*Boel* - Chambord, 1971 (via le Musée de la Chasse, Paris, 1969)
INV. 3974	*Boel* - Limoges, 1892
INV. 3975	*Boel* - Montpellier, 1892
INV. 3976	*Boel* - Compiègne
INV. 3978	*Boel* - Chambord, 1971 (via le Musée de la Chasse, Paris, 1969)
INV. 3979	*Boel* - Fontainebleau
INV. 3980	*Boel* - Chambéry, 1892
INV. 3981	*Boel* - Lille, 1892
INV. 3982	*Boel* - Sedan, 1892
INV. 3984	*Boel* - Agen, 1892
INV. 3985	*Boel* - Angers, 1892
INV. 3986	*Boel* - Nice, 1892
INV. 3988	*Boel* - Reims, 1892
INV. 3989	*Boel* - Nice, 1892
INV. 3990	*Boel* - Rennes, 1892
INV. 3991	*Boel* - Rouen, 1892
INV. 3992	*Boel* - Rouen, 1892
INV. 3993	*Boel* - Alençon, 1892
INV. 3995	*Boel* - Mâcon, 1892
INV. 3996	*Boel* (ou *Meulen ?*) - Compiègne
INV. 3998	*Boel* - Alençon, 1892
INV. 4001	*Boel* - Chambord, 1971 (via le Musée de la Chasse, Paris, 1969)
INV. 4002	*Boel* - Chambord, 1971 (via le Musée de la Chasse, Paris, 1969)
INV. 4003	*Boel* - Reims, 1892
INV. 4005	*Boel* - Aubusson, 1892 (non retrouvé après 1945 ?)
INV. 4007	*Boel* - Angers, 1892
INV. 4008	*Boel* - Pau, 1892
INV. 4010	*Boel* - Limoges, 1892
INV. 4011	*Boel* - Perpignan, 1892 (disparu avant 1950)
INV. 4013	*Boel* (ou *Nicasius ?*) - Chambéry, 1892
INV. 4014	*Boel* - Sète, 1892
INV. 4016	*Boel* - Lille, 1892
INV. 4017	*Boel* - Chambord, 1971 (via le Musée de la Chasse, Paris, 1969)
INV. 4018	*Boel* - Bordeaux, 1892
INV. 4019	*Boel* - Rennes, 1892
INV. 4020	*Boel* - Carpentras, 1892
INV. 4021	*Boel* - Sète, 1892
INV. 4022	*Boel* - Nancy, 1892
INV. 4023	*Boel* - Sedan, 1892
INV. 4024	*Boel* - Bordeaux, 1892
INV. 4025	*Boel* - Sedan, 1892
INV. 4026	*Boel* - Chambord, 1971 (via le Musée de la Chasse, Paris, 1969)
INV. 4027	*Boel* - Nîmes, 1892
INV. 4028	*Boel* - Lille, 1892
INV. 4031	*Boel* - Montpellier, 1892
INV. 4032	*Boel* - Calais, 1892
INV. 4033	*Boel* - Narbonne, 1892
INV. 4034	*Boel* - Compiègne
INV. 4036	*Boel* - Angers, 1892
INV. 4038	*Boel* - Calais, 1892
INV. 4040	*Boel* - Tours, 1892
INV. 4041	*Boel* - Rennes, 1892
INV. 4042	*Boel* - Tourcoing, 1892

INV. 4044	*Boel* - Compiègne
INV. 4045	*Boel* - Angers, 1892
INV. 4047	*Boel* - Charleville, 1892
INV. 4048	*Boel* - Compiègne
INV. 4049	*Boel* - Laval, 1892
INV. 4050	*Boel* - Chambord 1971 (via le Musée de la Chasse, Paris, 1969)
INV. 4051	*Boel* - Rennes, 1892
INV. 4053	*Boel* - Charleville, 1892
INV. 4054	*Boel* (ou plutôt *Ballin ?*) - Reims, 1892
M.I. 923	*Boel* - Soissons, 1955
M.N.R. 488	*Bol* - Riom, 1953
M.N.T. 493	*Bol* - Le Puy, 1967
M.I. 1319	*Borch* - Bourges, 1872
M.I. 1330	*Borch* - Tours, 1872
R.F. 3078	*Borch* (d'après) - Berlin, Ambassade de France, 1931 (disparu ? 1939-1945)
M.N.R. 852	*Bosch* (d'après) - Hazebrouck, 1961
M.N.R. 416	*Bosschaert* A. - Mobilier National, 1960
M.N.R. 466	*Both* A. ? - Arles, 1955
INV. 1067	*Boucle* (attribué) (Villot II 45) - Paris, Ministère des Finances
INV. 2191	*Boucle* (inventaire : Flandres XVIIe) - Bordeaux, 1896
R.F. 3060	*Boucle* (inventaire : Snyders) - Paris, Musée des Arts Décoratifs, 1930
INV. 1068	*Bout* (Villot II 46 : Boudewyns) - Fontainebleau
R.F. 1113	*Bouts* - Lille, 1957
INV. 1069	*Bramer* L. - Cambrai, 1872
INV. 1073	*Bree* M.I. van - Tourcoing, 1876
INV. 1074	*Bree* M.I. van - Cambrai, 1876
INV. 1087	*Breenbergh* - Montpellier, 1872
INV. 1088	*Breenbergh* - Montpellier, 1872
INV. 1089	*Breenbergh* - Paris, Ministère de la Guerre, 1879 (non retrouvé)
M.I. 1249	*Breenbergh* - Dijon, 1872
M.N.R. 723	*Breenbergh* (attribué) - Mobilier National, 1964
M.N.R. 558	*Brekelenkam* - Riom, 1954
M.I. 1250	*Breydel* - Caen, 1872
INV. 1110	*Bril* - Fontainebleau
INV. 1111	*Bril* - Paris, Ministère des Finances, 1961
INV. 1112	*Bril* (Villot II 74) - Aix-en-Provence, 1872
INV. 1119	*Bril* (Villot II 71) - Rodez, 1953
M.I.1245	*Brouwer* (d'après) - Valenciennes, 1872
M.I. 1246	*Brouwer* (école) - Castres, 1872
M.I. 1247	*Brouwer* (école) - Châteauroux, 1872
M.N.R. 417	*Brouwer* (atelier) - Douai, 1955
INV. 1102	*« Brueghel de Velours »* J. I - Aix-en-Provence, 1872
R.F. 1938-97, 98	*Brueghel* J. I (atelier) - Mobilier National, 1969
M.N.R. 402	*Brueghel* J. I (copie) - Strasbourg, 1954
M.N.R. 421	*Brueghel* J. I (copie) - Orléans, 1953
M.N.R. 430	*Brueghel* J. I (atelier : J. II ?) - Saint-Omer, 1962
M.N.R. 744	*Brueghel* J. I (école) - Gray, 1954
INV. 1107	*« Pieter II Brueghel »* - Issoudun, 1872 (détruit 1939-45)
M.N.R. 382	*Campin* R. (d'après) - Tours, 1952
M.N.R. 705	*Carré* M. - Gray, 1961
M.I. 1019	*Casteels* P. III - Mobilier National, 1974
R.F. 3956	*Caullery* - Cambrai, 1938
M.N.R. 727	*Caullery* - Morez, 1970
M.N.R. 741	*Claesz* - Dunkerque, 1968
M.N.R. 388	*Clerck* - Bar-le-Duc, 1954
M.N.R. 831	*Clerck* - Tarbes, 1956
INV. 3257	*Clève* J. van - Fontainebleau, 1955
M.N.R. 387	*Clève* J. van (atelier ?) - Chambéry, 1960
M.N.R. 436	*Clève* J. van (d'après) - Troyes, 1954
M.N.R. 394	*Clève* M. van - Soissons, 1953
M.N.R. 393	*Coecke* - Tarbes, 1956
M.N.R. 106	*Coninck* D. de - Doullens, 1955
M.I. 1223	*Coques* (attribué) - Saumur, 1872
INV. 1178	*Cort* H. de - Paris, Ministère de la Justice
M.I. 1253	*Cossiau* J. de - Le Mans, 1872
M.I. 1254	*Craesbeeck* - Carpentras, 1872
M.I. 1255	*Craesbeeck* (attribué) - Chaumont, 1872
M.I. 1256	*Craesbeeck* (attribué) - Verdun, 1872
M.I. 1257	*Craesbeeck* (attribué) - Châlon-sur-Saône, 1872
INV. 1187	*Crayer* (Villot II 102) - Valenciennes, 1957
M.N.R. 564	*Crayer* et *Snayers* - Castres, 1951
M.I. 1258	*Cuyp* A. (d'après : copie par Strij ?) - Vendôme, 1872
M.N.R. 502	*Cuyp* B. - Rennes, 1956
INV. 1197	*Dael* (Villot II 110) - Fontainebleau, 1889
INV. 1198	*Dael* (Villot II 111) - Auxerre, 1895
INV. 1199	*Dael* (Villot II 112) - Fontainebleau, 1889
INV. 1200	*Dael* - Compiègne
M.I. 104	*Dael* - La Malmaison, 1974
INV. 1202	*Decker* (Villot II 114) - Fontainebleau, 1875
M.N.R. 480	*Delen* - Rodez, 1952
M.N.R. 474	*Delff* (W.J. ?) - Amiens, 1953
M.N.R. 737	*Denies* I. - Périgueux, 1958
INV. 1205	*Denis* - Abbeville (détruit 1939-45)
INV. 1207	*Denis* - Paris, Ministère de la Justice, puis Paris, Dépôt des Œuvres de l'Art de l'Etat, 1956 (non retrouvé)
INV. 1224	*Dou* (d'après) - Fontainebleau
INV. 1225	*Droogsloot* (Villot II 132) - Douai, 1872 (disparu 1939-45)
INV. 1226	*Droogsloot* - Lons-le Saunier, 1876
M.N.R. 749	*Droogsloot* - Dunkerque, 1968
M.N.R. 775	*Droogsloot* - Nantes, 1954
M.N.R. 927	*Droogsloot* - Mobilier National, 1964
M.N.R. 457	*Duck* - Nîmes, 1957
M.N.R. 537	*Duck* - Dijon, 1952
INV. 1400	*Dujardin* (Villot II 249) - Annecy, 1955
R.F. 1947-14	*Dujardin* (genre de) - Maubeuge, 1947
INV. 1241	*Dyck* A. van (d'après) (Villot II 147 : Van Dyck) - Versailles, 1948
INV. 1247	*Dyck* (d'après) (Villot II 152 : Van Dyck) - Versailles, 1948
INV. 1260	*Dyck* (d'après) - Orléans, 1872
INV. 1264	*Dyck* (d'après) - Paris, Ministère des Finances
INV. 1279	*Dyck* (d'après) Villot II 165 : attr. à Lely) - Maisons-Laffitte, 1971
M.I. 917	*Dyck* - Metz, 1926
M.I. 919	*Dyck* (d'après ou atelier) - Troyes, 1956
M.I. 1261	*Dyck* - Rennes, 1872
M.I. 1262	*Dyck* (imitation) - Ajaccio, 1872
M.I. 1263	*Dyck* (d'après) - Montauban, 1872
M.I. 1264	*Dyck* (d'après) - Douai, 1872
M.I. 1265	*Dyck* (école) - Perpignan, 1872
M.I. 1266	*Dyck* (école) - Brest, 1872
M.I. 1267	*Dyck* (école) - Honfleur, 1872
M.I. 1268	*Dyck* (école) - Aurillac, 1872
R.F. 1946-18	*Dyck* (d'après) - Castres, 1946
M.N.R. 549	*Dyck* - Dunkerque, 1967
M.N.R. 829	*Dyck* (d'après) - Dieppe, 1957
M.N.R. 470	*Eeckhout* - Castres, 1952
INV. 1913	*Eertvelt* (inventaire : Veerfuld) - Paris, Musée de la Marine
M.N.R. 397	*Es* - Strasbourg, 1951
M.N.R. 706	*Everdingen* - Dunkerque, 1966
INV. 1283	*Falens* - Paris, Ministère de l'Intérieur, 1942
INV. 1284	*Falens* - Paris, Ministère de l'Intérieur, 1942
B. 262	*Fisen* (inventaire : Fyt) - La Melleray, 1820-21
INV. 1287	*Flemalle* - Paris, Tuileries (brûlé en 1871)
INV. 1289	*Flemalle* - Tours, 1950
R.F. 1950-6	*Flinck* (genre) (inventaire : attribué à Palamades) - Riom, 1951
M.N.R. 27	*Floris* (d'après) - Mobilier National, 1960
M.N.R. 384	*Floris* (genre de) - Blois, 1957
R.F. 1960-6	*Fouquières* - Senlis, 1961
M.I. 1338	*Franchoys* L. (attribué) (inventaire : Flandres, XVIIe s.) - Pau, 1872
M.N.R. 40	*Franchoys* P. (attribué) - Le Puy, 1955
INV. 1293	*Francken* F. II (atelier) (Villot II 173 : Frans I) - Bourg-en-Bresse, 1957
INV. 1297 bis	*Francken* F. II (atelier) - Nantes, 1872
M.N.R. 369	*Francken* F. II - Château-Gontier, 1957
M.N.R. 413	*Francken* F. II - Tourcoing, 1962
M.N.R. 915	*Francken* F. II - Bourg-en-Bresse, 1953
R.F. 1946-33	*Francken* Jér. II (inventaire : école d'Anvers) - Beaune, 1951
M.I. 1271	*Fyt* - Clermont-Ferrand, 1872
M.I. 1272	*Fyt* (attribué) - Avignon, 1872
M.N.R. 504	*Fyt* - Beauvais, 1956
M.N.R. 742	*Fyt* (ou *Boel ?*) - Nantes, 1955
INV. 4649	*Gallait* - Lille, 1872
INV. 4654	*Gallait* - Bruxelles, Ambassade de France, 1929 (disparu 1939-45)
INV. 4655	*Gallait* - Bruxelles, Ambassade de France, 1929 (disparu 1939-45)
M.N.R. 503	*Gelder ?* - Lille, 1956

INV. 3950	*Gillemans* P.J. (inventaire : Desportes) - Auxerre, 1969
INV. 3951	*Gillemans* - Auxerre, 1969
M.I. 659	*Goes* (d'après) - Bayeux, 1976
M.N.R. 778	*Goubau* A. - Tarbes, 1960
INV. 1302	*Goyen* (Villot II 181) - Alger, 1954 (resté après 1962)
M.N.R. 448	*Goyen* - Nancy, 1954
M.N.R. 699	*Graet* B. - Carcassonne, 1954
M.N.R. 697	*Grevenbroeck* Ch. L. - Alençon, 1953
M.N.R. 698	*Grevenbroeck* Ch. L. - Alençon, 1953
INV. 1309	*Griffier* (Villot II 186) - Compiègne, 1874
INV. 1310	*Griffier* (Villot II 187) - Compiègne, 1874
INV. 1694	*Haag* (inventaire : Haag d'après Wouwerman) - Ministère de la Justice ; réimmatriculé en 1978 comme INV. 20750
B. 264	*Hagen* - Angers, 1819
INV. 1314	*Hagen* (Villot II 188) - Carcassonne, 1955
M.I. 1273	*Hals* F. (d'après) - Dijon, 1872
M.I. 1274	*Hals* F. (d'après) - Reims, 1872
M.I. 1275	*Hals* F. (d'après) - Castres, 1872
M.I. 1276	*Hals* F. (d'après) - Arras, 1872
R.F. 1946-37	*Hals* F. (d'après) - Menton, 1948
M.N.R. 434	*Hanneman* (attribué) - Bordeaux, 1956
M.I. 100	*Heem* J.D. de (d'après) - Sens, 1892
M.I. 1277	*Heem* (attribué) - Cambrai, 1872
M.N.R. 483	*Heem* C. de - Saintes, 1951
M.N.R. 475	*Heem* J.D. de (école) - Troyes, 1953
INV. 1323	*Heemskerck* E. van (Villot II 194) - Arras, 1876
INV. 1324	*Heemskerck* E. van (Villot II 195) - Honfleur, 1872
INV. 1325	*Heemskerck* E. van - Saint-Brieuc, 1876 (non retrouvé)
INV. 1326	*Heemskerck* E. van - Bailleul, 1876
M.N.R. 423	*Heemskerck* E. van - Paris, Musée du Protestantisme, 1955
R.F. 1946-35	*Helmont* Z.J. van - Valenciennes, 1948
M.I. 1278	*Helst* - Pau, 1872
M.N.R. 385	*Hemessen* - Abbeville, 1956
INV. 588	*Heusch* J. de (Villot I 362 : Imitation de S. Rosa) - Moulins, Préfecture de l'Allier, 1942
M.N.R. 738	*Hobbema* - Gray, 1961
M.N.R. 465	*Hoffema* (genre) - Mobilier national, 1964
M.I. 936	*Hoecke* J. van den - voir Rubens (Ecole)
M.I. 1279	*Hoet* G. - Pau, 1872
INV. 1362	*Hondecoeter* M. d' (Villot II 214) - Saint-Brieuc, 1895
INV. 1365	*Honthorst* (Villot II 217) - Lille, 1872
INV. 1368	*Honthorst* - Fontainebleau, 1875
INV. 1369	*Honthorst* (Villot II 220) - Paris, Ministère des Finances
INV. 1371	*Honthorst* (Villot II 222 : attribué à Honthorst) - Rennes, 1876
M.N.R. 481	*Houckgeest* - Arles, 1953
INV. 1376	*Huchtenburgh* (Villot II 226) - Compiègne, 1969
INV. 1390	*Huysum* (Villot II 240) - Paris, Ministère de l'Education Nationale, 1955
INV. 1587	*Huysum* (inventaire : F. Moucheron) - Sénat, 1945
R.F. 1946-36	*Immenraet* Ph. - Strasbourg, 1949
M.N.R. 456	*Jacob Cornelisz.* - Saint-Quentin, 1957
INV. 20751	*Janson* J. - Paris, Ministère de la Justice
R.F. 1953-37	*Jode* H. de - Montpellier, 1955
INV. 1407	*Jordaens* - Valenciennes, 1957
M.I. 1281	*«Jordaens»* - Ajaccio, 1872
M.I. 1282	*Jordaens* - Besançon, 1872
M.I. 1283	*Jordaens* (atelier ?) - Narbonne, 1872
M.I. 1284	*Jordaens* - Pau, 1872
M.I. 1286	*Jordaens* (d'après) - Saint-Lô, 1872
M.I. 1287	*Jordaens* (d'après) - Le Puy, 1872
M.I. 1288	*Jordaens* (d'après) - Montauban, 1872
M.I. 1289	*Jordaens* (d'après) - Pau, 1872
M.I. 1290	*Jordaens* (d'après) - Bergues, 1872
M.I. 1291	*Jordaens* (d'après) - Aix, 1872
M.I. 1292	*Jordaens* (d'après) - Béziers, 1872
M.I. 1313	*Jordaens* (inventaire : Ecole de Rubens) - Libourne, 1872
M.N.R. 58	*Jordaens* (d'après) - Mobilier National, 1960
M.I. 1293	*Kalf* (attribué) - Saint-Lô, 1872
M.N.R. 587	*Kalf* - Strasbourg, 1954
INV. 2186	*Kalf* (école ou d'après) (Villot II 618 : Flandres XVIIe s. et pas de Sorgh) - Fontainebleau (non retrouvé)
M.N.R. 728	*Keirincx* A. - Mobilier National, 1964
M.N.R. 517	*Kessel* - Gray, 1954
M.N.R. 543	*Kessel* - Gray, 1954
M.N.R. 446	*Key* A.-Th. (attribué) - Alençon, 1965
M.I. 1301	*Keyser* (inventaire : Ravesteyn) - Tarbes, 1872
INV. 5526	*Knip* I.A. - Compiègne

R.F. 1956-7	*Knupfer* - Bourges, 1957
M.N.R. 442	*Knupfer* - Mâcon, 1955
M.N.R. 479	*Koedyck* - Arles, 1953
M.N.R. 489	*Koninck* S. - Le Puy, 1965
INV. 1421	*Lairesse* (Villot II 265) - Mâcon, 1895
R.F. 1955-22	*Lastman* (école) - Nantes, 1955
M.N.R. 767	*Lelienbergh* - Périgueux, 1958
M.N.R. 458	*Leyster* - Montargis, 1954 (volé en 1977)
M.I. 1285	*Lievens* (inventaire : attribué à Jordaens) - Pau, 1872
INV. 1432	*Limborch* (Villot II 268) - Le Puy, 1895
INV. 1435	*Lingelbach* - Paris, Sénat
M.N.R. 779	*Loenen* Is. van - Soissons, 1958
R.F. 1951-15	*Loon* Th. van (inventaire : France XVIIe s.) - Toulouse, 1952
M.N.R. 445	*Lucas de Leyde* - Strasbourg, 1951
M.I. 1294	*«Maes»* - Rennes, 1872
M.I. 1295	*Maes* - Le Havre, 1872
M.I. 1296	*Maes* - Perpignan, 1872
M.N.R. 408	*Maes* - Narbonne, 1955
M.N.R. 432	*Maes* - Carcassonne, 1956
M.N.R. 704	*Maes* - Alençon, 1964
M.N.R. 711	*Maes* - Perpignan, 1957
M.N.R. 993	Maître de l'Adoration d'Utrecht - Autun, 1970
M.N.R. 392	Maître de l'Adoration Von Groote - Lille, 1954
M.N.R. 389	Maître de l'Autel de Beyghem - Dijon, 1954
INV. 1979	Maître de la Manne (Villot II 590 : Allemagne XVe s.) - Douai, 1876
INV. 1243-1429	Maître des Mois Lucas (d'après) (inventaire : Lucas de Leyde) - Fontainebleau
M.N.R. 383	Maître de Sainte Catherine (?) - Bourges, 1953
R.F. 3045	*Massys* J. (genre) (inventaire : Ecole de Fontainebleau) - Fontainebleau, 1938
R.F. 639	*Mesdag* - Fontainebleau
M.N.R. 516	*Meyer* - La Rochelle, 1957
INV. 1449	*Miel* (Villot II 284) - Pau, 1895
R.F. 1949-26	*Miel* (inventaire : J.B. Mole) - Besançon, 1949
M.N.R. 467	*Mierevelt* (genre) - Carcassonne, 1953
M.N.R. 468	*Mierevelt* (ou Elias ?) - Carcassonne
M.R.N. 693	*Mierevelt* (d'après ?) - Mobilier National, 1960
M.N.R. 552	*Mieris* W. van - Perpignan, 1957
M.N.R. 554	*Mieris* W. van - Niort, 1954
M.N.R. 555	*Mieris* W. van - Niort, 1954
INV. 1558	*Mignon* (Villot II 334) - Paris, Ministère de l'Education Nationale, 1959
M.I. 1280	*Mol ?* (inventaire : A. Janssens) - Valence, 1872
M.N.R. 449	*Molenaer* J.M. - Dunkerque, 1966
INV. 1103	*Momper* (inventaire : attribué à J.I. Brueghel) - Angers, 1872
INV. 1105	*Momper* et *Vranck* (inventaire : école de J.I. Brueghel) - Fontainebleau
INV. 1579	*Momper* - Nancy, 1876
M.N.R. 410	*Momper* - Dijon, 1953
INV. 1584	*Mor* (attribué) - Tours, 1872
M.I. 1300	*Mor* (d'après) - Cahors, 1872
INV. 1588	*Moucheron* Is. de - Mâcon, 1898
M.N.R. 471	*Mulier* P. I - Arles, 1953
M.N.R. 422	*Neck* J. van - Cognac, 1961
INV. 1592	*Neefs* P. I (Villot II 346) - Grenoble, 1895
INV. 1593	*Neefs* P. I (Villot II 347) - Nîmes, 1895
M.N.R. 486	*Neefs* P. II - Pau, 1952
INV. 1609	*Nicasius* - Fontainebleau
INV. 1610	*Nicasius* - Fontainebleau
INV. 1615	*Nicasius* - Saint-Denis, Maison de la Légion d'Honneur (d'après l'inventaire Villot)
INV. 1617	*Nicasius* - Fontainebleau
INV. 1618	*Nicasius* - Fontainebleau
INV. 1619	*Nicasius* - Saint-Denis, Maison de la Légion d'Honneur (d'après l'inventaire Villot)
INV. 1624	*Nicasius* - Romorantin, 1892
INV. 1625	*Nicasius* - Compiègne
INV. 1626	*Nicasius* - Château de Saint-Germain-en-Laye (d'après l'inventaire Villot)
INV. 1628 à 1637	*Nicasius* - Fontainebleau
INV. 1637	*Nicasius* - Carpentras, 1892
INV. 1638	*Nicasius* - Fontainebleau
INV. 1639	*Nicasius* - Fontainebleau
INV. 1665	*Nicasius* - Compiègne
INV. 1666	*Nicasius* - Valognes, 1896 (disparu 1939-45)
INV. 1666 bis	*Nicasius* - Compiègne

Inventaire	Œuvre
INV. 1667	*Nicasius* - Château de Saint-Germain-en-Laye (d'après l'inventaire Villot)
M.N.R. 460	*Nieulandt* A. van (attribué) - Gray, 1961
M.N.R. 406	*Nieulandt* W. II van - Tours, 1960
M.N.R. 734	*Nooms* - Dieppe, 1954
M.N.R. 556	*Olis* J. - Mâcon, 1955
M.N.R. 513	*Ommeganck* - Vire, 1974
INV. 1370	*Oost* J. van (attribué) (Villot II 221 : Honthorst) - Calais, 1895
INV. 1673	*« Orley »* B. van (Villot II 367) - Orléans, 1876
M.N.R. 937	*Orley* B. van (école) - Chalon-sur-Saône, 1957
M.N.R. 435	*Orley* B. van (atelier ou d'après) - Bourg-en-Bresse, 1951
INV. 1674	*Os* - Valenciennes, 1872
INV. 1675	*Os* - Saint-Cloud (disparu 1870-71)
INV. 1677	*Os* - Roanne, 1895
M.N.R. 473	*Ostade* A. van - Brive, 1952
M.N.R. 482	*Ostade* A. van - Montargis, 1955
M.N.R. 724	*Ostade* A. van - Tourcoing, 1960 (volé en 1972)
INV. 1689 bis	*Ostade* I. van - Paris, Assemblée Nationale (détruit dans l'attentat de 1961)
M.N.R. 459	*Ostade* I. van - Mobilier National, 1964
M.N.R. 766	*Picolet* C. (attribué) - Rodez, 1959
R.F. 392	*Pleysier* A. - Grenoble, 1885
M.N.R. 428	*Poel* - Strasbourg, 1951
B. 210	*Poelenburgh* (inventaire : Breenbergh) - Libourne, 1819
INV. 1080	*Poelenburgh* (Villot II 50 : Breenbergh), Rochefort, 1895
INV. 1694	*Poelenburgh* (Villot II 383) - Gray, 1958
INV. 1699	*Poelenburgh* (Villot II 388) - Nancy, 1895
INV. 1701	*Poelenburgh* (Villot II 390 : attribué à Poelenburgh) - Le Mans, 1892
M.N.R. 450	*Potter Pieter* (attribué) - Lille, 1953
INV. 1702	*Pourbus* P. (Villot II 391) - Belfort, 1876
INV. 1714 bis	*Pourbus* F. II (d'après) - Fontainebleau
INV. 1719	*Pourbus* F. II (école) - Pau (Château), 1930
M.I. 660	*Pourbus* F. II (d'après) - Amiens, 1903
R.F. 171	*Pourbus* F. II (école) - Versailles, 1875
R.F. 172	*Pourbus* F. II (école) - Versailles, 1875
R.F. 3972	*Pourbus* F. II (d'après) (inventaire : école française XVIIe s.) - Pau, (Château), 1936
R.F. 1938-27	*Provost* (inventaire : école de Bruges) - Dijon, 1955
INV. 1734	*Pynacker* (Villot II 402) - Nîmes, 1896
INV. 1735	*Pynacker* (Villot II 403) - La Rochelle, 1895
INV. 1316	*Quast* (attribué) (inventaire : D. Hals) - Draguignan, 1895
M.I. 1331	*Quellinus* E. (attribué) (inventaire : attribué à Thulden) - Pau, 1872
M.I. 1302	*Ravesteyn* - Narbonne, 1872
M.N.R. 327	*Ravesteyn* (genre) - Saint-Etienne, 1954
INV. 1752	*Rembrandt* (d'après) - Cambrai, 1873
M.I. 1303	*Rembrandt* (d'après) - Clermont-Ferrand, 1872
M.I. 792	*Rombouts* Th. (genre) - Le Mans, 1957
M.N.R. 415	*Rossum* J. van - Reims, 1953
INV. 1761	*Rubens* (atelier) (Villot II 426 : Rubens) - Valenciennes, 1957
INV. 1767	*Rubens* (atelier) (Villot II 432 : Rubens) - Valenciennes, 1957
INV. 1801	*Rubens* (atelier) (Villot II 465 : Rubens) - Valenciennes, 1957
INV. 1803	*Rubens* (d'après) (Villot II 468) - Paris, Ministère des Finances, 1939
INV. 1804	*Rubens* (d'après) - Montargis, 1872
INV. 1805	*Rubens* (d'après) - Bar-le-Duc, 1872
INV. 1806	*Rubens* (d'après) - La Rochelle, 1872
INV. 1807	*Rubens* (d'après) - Cahors, 1872
INV. 1808	*Rubens* (d'après) - Orléans, 1872
INV. 1809	*Rubens* (d'après) - Bagnols-sur-Cèze, 1872
INV. 1810	*Rubens* (d'après) (Villot II 467 : attribué à Rubens) - Saint-Etienne, 1955
INV. 1814	*Rubens* (école de) - Nice, 1876
INV. 2007	*Rubens* (Villot II 617 : école flamande XVIIe s. sous l'influence de Venise) - Fontainebleau, 1902
M.I. 936	*Rubens* (école : J. van den Hoecke ?) - Le Mans, 1950
M.I. 961	*Rubens* (école ou d'après) - Blois, 1956
M.I. 1308	*Rubens* (d'après) - Limoges, 1872
M.I. 1309	*Rubens* (d'après) - Orléans, 1872
M.I. 1310	*Rubens* (d'après) - Agen, 1872
M.I. 1311	*Rubens* (école) - Nantua, 1872
M.I. 1312	*Rubens* (école) - Nantes, 1872
M.I. 1314	*Rubens* (école) - Toulouse, 1872
M.I. 1315	*Rubens* (école) - Lille, 1872
M.I. 1316	*Rubens* (école) - Coutances, 1872
M.I. 1317	*Rubens* (école) - Carcassonne, 1872
M.I. 1342	*Rubens* (école) (inventaire : Flandres XVIIe s.) - Bayeux, 1872
R.F. 3	*Rubens* (d'après) - Laval, 1872
R.F. 2308	*Rubens* (d'après) - Paris, Ministère de la Justice, 1929
M.N.R. 573	*Rubens* (d'après) - Auch, 1952
M.N.R. 414	*Rubens* (d'après) - Pau, 1952
M.N.R. 547	*Rubens* (d'après) - Le Havre, 1961
INV. 1817	*Ruisdael* J.V. (Villot II 470) - Douai, 1958
INV. 1822	*Ruisdael* J. van (genre : XVIIIe français ?) (Villot II 475 : Ruisdael) - Agen, 1895
R.F. 1939-19	*Ruisdael* J. van - Orléans, 1969
M.N.R. 508	*Ruysdael* S. van - Dieppe, 1953
M.I. 1318	*Ryckaert* D III - Blois, 1872
M.I. 1334	*Ryckaert* D III (inventaire : Sorgh) - Le Mans, 1872
INV. 1824	*Rysbrack* - Senlis, 1958
INV. 1825	*Rysbrack* - Senlis, 1958
INV. 1825 bis	*Rysbrack* - Corps législatif (actuelle Assemblée Nationale), selon l'inventaire Villot
INV. 1825 ter	*Rysbrack* - Corps législatif (actuelle Assemblée Nationale), selon l'inventaire Villot
INV. 2190	*Rysbrack* (genre) - Tuileries (détruit ? 1870-71)
R.F. 1947-8 à 10	*Saeys* - Valenciennes, 1950
M.N.R. 560	*Saftleven* H. - Strasbourg, 1951
M.N.R. 455	*Santvoort* D. - Rodez, 1952
M.N.R. 433	*Savery* - Carpentras, 1959
INV. 1830	*Schalcken* (Villot II 479) - Bourges, 1872
M.N.R. 740	*Scheyndel* B. (attribué) - Bordeaux, 1952
INV. 1833	*Schoevaerdts* M. - Moulins, Préfecture, 1942
INV. 1834	*Schoevaerdts* M. - Moulins, Préfecture, 1942
INV. 1835	*Schoevaerdts* M. (inventaire : attribué à Chr. Schwartz) - Bar-le-Duc, 1958
INV. 1836	*Schoevaerdts* M. (inventaire : attribué à Chr. Schwartz) - Bar-le-Duc, 1958
M.N.R. 925	*Schoevaerdts* M. - Cahors, 1957
M.N.R. 762	*Schooten* - Riom, 1955
M.N.R. 596	*Schouman* A. - Mobilier national, 1964
M.N.R. 597	*Schouman* A. - Mobilier national, 1964
M.N.R. 600	*Schouman* A. - Narbonne, 1956
M.N.R. 602	*Schouman* A. - Mobilier national, 1964
M.N.R. 532	*Schut* C. (d'après) - Mobilier national
INV. 1838	*Seghers* D. - Montpellier, 1892
M.N.R. 18	*Sellaer* - Blois, 1958
INV. 7958	*Smit* A. - Compiègne
R.F. 3785	*Smits* J. - Mobilier national, 1960
INV. 1851	*Snyders* (attribué) (Villot II 496) - Fontainebleau (non retrouvé)
M.I. 977	*Snyders* - Carpentras, 1966
M.I. 979	*Snyders* (ou P. de Vos ?) - Senlis, 1935
M.I. 1320	*Snyders* (attribué) - Lille, 1872
M.I. 1321	*Snyders* (attribué) - Ajaccio, 1872
M.N.R. 617	*Snyders* (atelier ou d'après) - Dunkerque, 1968
M.N.R. 816	*Snyders* (atelier ou d'après) - Charleville, 1952
INV. 1906	*Soens* J. (Villot II 531 : L. van Uden) - Valenciennes, 1876
INV. 1907	*Soens* J. (Villot II 532 : L. van Uden) - Valenciennes, 1876
M.I. 1248	*Sorgh ?* - Libourne, 1872
INV. 1858	*Spaendonck* C. van - Berlin, Ambassade de France, 1932 (disparu 1939-45)
INV. 1859	*Spaendonck* C. van - Saint-Cloud (détruit 1870-71)
INV. 1854	*Spaendonck* G. van - Fontainebleau
INV. 1855	*Spaendonck* G. van (Villot II 497) - Berlin, Ambassade de France, 1931 (disparu 1939-45)
INV. 1856	*Spaendonck* G. van - Saint-Cloud (détruit en 1870-71)
M.N.R. 514	*Spilberg* J. - Cognac, 1960
M.N.R. 956	*Spranger* (d'après ?) - Blois, 1960
R.F. 587	*Stevens* A. - Compiègne
INV. 1869	*Storck* - Paris, Musée de la Marine
M.N.R. 735	*Streeck* J. van - Périgueux, 1958
INV. 387	*Sustris* Fr. - Compiègne
INV. 1870	*Swanevelt* - Bourg-en-Bresse, 1872
INV. 1873	*Swanevelt* (Villot II 508) - Elysée, 1875
M.N.R. 494	*Sweerts* - Strasbourg, 1951
M.N.R. 491	*Sybilla* M. - Evreux, 1955
INV. 1876	*Teniers*, D. II (inventaire : D. I) - Fontainebleau, 1852
INV. 1882	*Teniers* D. II - Ministère de la guerre (en 1879, selon l'inventaire Villot)
INV. 1885	*Teniers* D. II (Villot II 518) - Grenoble, 1937

INV. 1893	*Teniers* D. II (d'après) - Elysée (en 1879, selon l'inventaire Villot)
INV. 1894	*Teniers* D. II (d'après) - Libourne, 1876
INV. 1895	*Teniers* D. II (d'après) - Meaux, 1872
INV. 1896	*Teniers* D. II (d'après) - Saint-Germain-en-Laye (en 1914, selon l'inventaire Villot)
INV. 1897	*Teniers* D. II (d'après) - Cognac, 1876
INV. 1898	*Teniers* D. II (d'après) - Saint-Cloud (détruit 1870-71)
M.I. 61	*Teniers* D. II (d'après) - Saint-Cloud (détruit 1870-71)
M.I. 980	*Teniers* D. II - Bergerac, 1949
M.I. 999	*Teniers* D. II - Pau, 1952
M.I. 1322	*Teniers* D. II - Pau, 1872
M.I. 1324	*Teniers* D. II - Autun, 1872
M.I. 1325	*Teniers* D. II - Autun, 1872
M.I. 1326	*Teniers D.* II (attribué) - Guéret, 1872
M.I. 1327	*Teniers* D. II (attribué) - Le Mans, 1872
M.I. 1328	*Teniers* D. II (école) - Vesoul, 1872
R.F. 1978-24	*Teniers* D. II (d'après) - Calais, 1978
M.N.R. 403	*Teniers* D. II - Chalon-sur-Saône, 1953
M.N.R. 701	*Teniers* D. II - Montargis, 1955
M.N.R. 917	*Teniers* D. II - Bar-le-Duc, 1961
M.N.R. 921	*Teniers* D. II (d'après) - Mobilier National, 1964
INV. 1211	*Thulden* (Villot II 119 : Diepenbeck) - Valenciennes, 1957
M.I. 1332	*Tilborch* - Poitiers, 1872
M.N.R. 962	*Uden* L. van - Carpentras, 1959
INV. 1909 bis	*Ulft* - Paris, Assemblée Nationale (détruit dans l'attentat de 1961)
INV. 1910	*Vadder* - Châteaudun, 1897
M.I. 1243	*Vadder* (inventaire : J. d'Arthois) - Rennes, 1872
INV. 1922	*Velde* W. II (Villot II 543) - La Rochelle, 1876
INV. 1923	*Velde* W. II (réplique d'atelier ?) (Villot II 544 : école de Velde) - Aurillac, 1872
R.F. 1946-24	*Verbeek* P. - Valenciennes, 1948
M.N.R. 487	*Verbeeck* P.C. (attribué) - Arles, 1953
M.I. 1008	*Verbruggen* G.P. - Paris, Ambassade de Turquie, 1949
M.I. 1345	*Verbruggen* G.P. (inventaire : Flandres XVIIe s.) - Poitiers, 1872
INV. 1926	*Verdussen* J.P. - Saint-Denis, Maison de la Légion d'Honneur (selon l'inventaire Villot)
M.N.R. 932	*Verhaecht* - Mobilier National, 1964
R.F. 1944-3	*Verhagen* P.J. - Valenciennes, 1948
R.F. 1960-3	*Verhagen* P.J. - Dijon, 1960
M.N.E. 964	*Verhagen* P.J. - Valenciennes, 1964
M.N.R. 440	*Verstralen* A. - Mâcon, 1955
M.I. 1270	*Victors* ? - Laon, 1872
M.N.R. 546	*Vinckboons* (d'après) - Nîmes, 1957
M.N.R. 492	*Vinne* V.L. de - Riom, 1953
INV. 1811	*Vos* S. de (Villot II 66 : attribué à Rubens) - Le Puy, 1968
M.I. 975	*Vos* P. de - Valenciennes, 1957
M.I. 976	*Vos* P. de - Valenciennes, 1957
M.I. 1010	*Vos* P. de - Senlis, 1958
M.N.R. 867	*Vranck* S. - Soissons, 1970
M.N.R. 814	*Vranck* (d'après) - Troyes, 1957
INV. 1940	*Werff* (Villot II 558) - Rennes, 1895
INV. 1941	*Werff* (Villot II 559) - Chambéry, 1895
INV. 1942	*Werff* (Villot II 560) - Alger, 1917
INV. 1944	*Werff* (Villot II 562) - Bordeaux, 1895
R.F. 2067	*Weyden* (d'après) - Strasbourg, 1946
M.N.R. 13	*Weyden* (d'après) - Amiens, 1953
M.I. 1333	*Willeboirts* Th. et *Ykens* Fr. - Dieppe, 1872
INV. 1948	*Wit* J. de - Paris, Ministère de la Justice (en 1819, selon l'inventaire Villot)
M.N.R. 427	*Wilde* J.W. van der (attribué) - Strasbourg, 1951
M.N.R. 230	*Wildens* J. (genre) - Bourges, 1954
M.N.R. 426	*Winter* G. de - Bernay, 1955
INV. 1948	*Wit* J. de - Paris, Ministère de la Justice (en 1879, selon l'inventaire Villot)
M.N.R. 777	*Withoos* M. - Bourg-en-Bresse, 1957
M.N.R. 688	*Wittel* G. van - Toulon, 1958
M.N.R. 689	*Wittel* G. van - Toulon, 1958
INV. 1950	*Wolsen* - Melun, 1872
M.N.R. 553	*Wouwerman* - Alençon, 1953
M.N.R. 586	*Wouwerman* - Bergues, 1956
M.N.R. 497	*Wyck* Th. - Alençon, 1964
M.N.R. 926	*Wyck* Th. - Hazebrouck, 1959
M.N.R. 381	*Bruxelles fin XVe* (Maître du diptyque de Dijon) - Dijon, 1952
INV. 2139	*Flandres XVe* (Villot II 592) - Dijon, 1953
R.F. 977	*Flandres XVe* - Albi, 1896
M.N.R. 961	*Flandres XVe* - Autun, 1957
M.N.R. 374	*Flandres fin XVe début du XVIe* - Amiens, 1953
M.N.R. 23	*Hollande fin XVe* - Abbeville, 1953
M.N.R. 378-379	*Hollande ? début du XVIe* - Autun, 1955
INV. 1983	*Anvers XVIe* (Maniériste anversois - Maître de 1518 ?) (Villot II 599 : école flamande XVIe s.) - Montpellier, 1872
M.N.R. 353	*Anvers début du XVIe* - Autun, 1957
M.N.R. 380	*Anvers début du XVIe* - Bourg-en-Bresse, 1957
R.F. 3066	*Flandres début du XVIe* - Reims, 1931
R.F. 1946-20	*Flandres début du XVIe* - Lille, 1946
M.N.R. 386	*Flandres début du XVIe* - Le Puy, 1967
M.N.R. 390	*Flandres début du XVIe* - Dijon, 1952
INV. 1051	*Flandres XVIe* (d'après un maniériste italien) (Villot II 30 : Bloemaert) - Montauban, 1892
R.F. 980	*Flandres XVIe* - Eglise de Château-Renard, Loiret, 1923
R.F. 981	*Flandres XVIe* - Béziers, 1896
R.F. 982	*Flandres XVIe* - Azay-le-Rideau, 1907
R.F. 983	*Flandres XVIe* - Abbeville, 1896
R.F. 984	*Flandres XVIe* - Arras, 1896
R.F. 985	*Flandres XVIe* - Angers, 1896
R.F. 986	*Flandres XVIe* - Beaune, 1896
R.F. 987	*Flandres XVIe* - Beaune, 1896
R.F. 992	*Flandres XVIe* - Chartres, 1896
M.N.R. 26	*Flandres ? (ou France) XVIe* - Toulouse, 1955
M.N.R. 25	*Flandres (?) XVIe* - Blois, 1957
M.N.R. 30	*Flandres XVIe* (d'après A. Allori) - Mobilier National, 1960
M.N.R. 496	*Flandres (ou France ?) XVIe* - Strasbourg, 1962
R.F. 1949-20	*Flandres 2e moitié du XVIe* - Besançon, 1949
R.F. 1938-45	*Flandres fin XVIe* (inventaire : Hollande : école de Goltzius) - Fontainebleau, 1938
R.F. 1946-38	*Leyde début du XVIe* - Strasbourg, 1949
INV. 1981	*Flandres XVIIe* - Paris, Palais de l'Elysée (selon l'inventaire Villot)
INV. 1989	*Flandres XVIIe* - Laval, 1876
INV. 1997	*Flandres (ou Italie ?) XVIIe* - Valenciennes, 1872
INV. 1998	*Flandres XVIIe* (Villot II 616) - Tours, 1876
INV. 1999	*Flandres XVIIe* (copie d'époque d'après une gravure de Schongauer) (Villot II 611) - Vesoul, 1892
INV. 2000	*Flandres XVIIe* - Auxerre, 1872
INV. 2001	*Flandres XVIIe* - Verdun, 1872
INV. 2107	*Flandres XVIIe* - Foix, 1872
INV. 2119	*Flandres XVIIe* - Castres, 1956
INV. 2120	*Flandres XVIIe* - Carpentras, 1872
INV. 2158	*Flandres XVIIe* - Fontainebleau
INV. 2159	*Flandres XVIIe* - Fontainebleau
INV. 2162	*Flandres XVIIe* - Fontainebleau
INV. 2164	*Flandres XVIIe* - Fontainebleau
INV. 2165	*Flandres XVIIe* - Fontainebleau
INV. 2166	*Flandres XVIIe* - Le Havre, 1872
INV. 2167	*Flandres XVIIe* - Le Havre, 1872
INV. 2168	*Flandres XVIIe* - Nantes, 1876
INV. 2169	*Flandres XVIIe* (école de Brueghel J.) - Bayeux, 1872
INV. 2170	*Flandres XVIIe* - Tuileries (détruit ? 1870-71)
INV. 2171	*Flandres XVIIe* - Tuileries (détruit ? 1870-71)
INV. 2172	*Flandres XVIIe* - Laon, 1872
INV. 2173	*Flandres XVIIe* - Valence, 1872
INV. 2176	*Flandres XVIIe* - Rouen, 1872
INV. 2179	*Flandres XVIIe* - Epinal, 1872
INV. 2180	*Flandres XVIIe* - Château de Saint-Germain-en-Laye (en 1914 selon l'inventaire Villot)
INV. 2181	*Flandres XVIIe* - Château de Saint-Germain-en-Laye (en 1914 selon l'inventaire Villot)
INV. 2191 bis	*Flandres XVIIe* - Fontainebleau
M.I. 661	*Flandres ? XVIIe* - Valenciennes, 1872
M.I. 1335	*Flandres XVIIe* - Cluny, 1872
M.I. 1336	*Flandres XVIIe* - Angoulême, 1872
M.I. 1337	*Flandres XVIIe* - Clermont-Ferrand, 1872
M.I. 1339	*Flandres XVIIe* - Béziers, 1872
M.I. 1340	*Flandres XVIIe* - Riom, 1872
M.I. 1341	*Flandres XVIIe* - Périgueux, 1872
M.I. 1343	*Flandres XVIIe* - Douai, 1872
M.I. 1344	*Flandres XVIIe* - Bourg-en-Bresse, 1872
M.I. 1346	*Flandres XVIIe* - Nantes, 1872
R.F. 15	*Flandres XVIIe* - Beauvais, 1872
R.F. 16	*Flandres XVIIe* - Beauvais, 1872
R.F. 1008	*Flandres XVIIe* - Le Havre, 1896
R.F. 1015	*Flandres XVIIe* - Auch, 1896

M.N.R. 412	*Flandres* XVIIe - Auch, 1896
M.N.R. 960	*Flandres* XVIIe - Rodez, 1952
INV. 2123	*Hollande* XVIIe - Draguignan, 1891
INV. 2177	*Hollande* XVIIe - Tours, 1872
M.I. 1347	*Hollande* XVIIe - Reims, 1872
M.I. 1348	*Hollande* XVIIe - Montpellier, 1872
M.I. 1349	*Hollande* XVIIe - Grenoble, 1872
M.I. 1350	*Hollande* XVIIe - Mâcon, 1872
M.I. 1351	*Hollande* XVIIe - Toulouse, 1872
M.I. 1352	*Hollande* XVIIe - Dunkerque, 1872
M.I. 1354	*Hollande* XVIIe - Rennes, 1872
M.I. 1355	*Hollande* XVIIe - Troyes, 1872
R.F. 1938-2	*Hollande (ou France ?)* XVIIe - Tours, 1938
R.F. 1952-12	*Hollande* XVIIe - Paris, Ministère des Finances, 1959
M.N.R. 551	*Hollande* XVIIe - Dieppe, 1954
M.N.R. 720	*Hollande* XVIIe - Mobilier National, 1959
M.N.R. 776	*Hollande* XVIIe - Aurillac, 1960
M.N.R. 934	*Hollande* XVIIe - Mobilier National, 1964
R.F. 1946-19	*Hollande (ou Angleterre ?)* XVIIe - Le Puy, 1979
M.N.R. 773	*Hollande (ou France ?)* XVIIIe - Paris, Mobilier National, 1960

Figurent sur les inventaires du Louvre mais ont été acquis en fait par les villes concernées et ne peuvent donc être considérés stricto sensu comme des *dépôts du Louvre* les tableaux suivants :

R.F. 1976-16	*Bylert* J. van, *Bergère* - Dunkerque, 1977
R.F. 1975-4 à 7	*Lairesse* G. de, *Les quatre âges de l'humanité* - Orléans, 1975
R.F. 1969-7	*Leyde, XVIe*, Retable du Jugement dernier (1955) - Valenciennes, 1969

Index alphabétique des lieux de dépôt

Par simplification, cet index renvoie aux noms mêmes des artistes en omettant les numéros d'inventaire et les corrections d'attributions (copies, attribué à, école, etc.) qui ont été parfois apportées.

Epinal : Bloemen, Flandres XVIIe
Evreux : Sybilla

Foix : Flandres XVIIe
Fontainebleau : Bloemen, Boel, Bout, Bril, Clève, Dael, Honthorst, Kalf, Maître des mois Lucas, Massys, Mesdag, Momper, Nicasius, Pourbus, Rubens, Snyders, Spaendonck, Teniers, Flandres fin XVIe, Flandres XVIIe

Gray : Asch, Avercamp, Brueghel, Carré, Hobbema, Kessel, Nieulandt, Poelenburgh
Grenoble : Neefs, Pleysier, Teniers, Hollande XVIIe
Guéret : Teniers

Hazebrouck : Bosch, Wyck
Honfleur : Dyck, Heemskerck

Issoudun : Brueghel

La Melleray : Fisen
Laon : Victors, Flandres XVIIe
La Rochelle : Backhuyzen, Meyer, Pynacker, Rubens, Velde
Laval : Boel, Rubens, Flandres XVIIe
Le Havre : Maes, Rubens, Flandres XVIIe
Le Mans : Cossiau, Poelenburgh, Rombouts, Rubens, Ryckaert, Teniers
Le Puy : Avont et Wouters, Boel, Franchoys, Jordaens, Koninck, Vos, Flandres XVIe, Hollande XVIIe
Libourne : Jordaens, Poelenburgh, Sorgh, Teniers
Lille : Boel, Bouts, Gallait, Gelder, Honthorst, Potter, Rubens, Snyders, Flandres XVIe, Maître de l'Adoration Von Groote
Limoges : Boel, Rubens
Lons-le-Saunier : Droogsloot

Mâcon : Boel, Knupfer, Lairesse, Moucheron, Olis, Verstralen, Hollande XVIIe
Maisons-Laffitte : Bloemen, Dyck
Maubeuge : Dujardin
Meaux : Teniers
Melun : Wolsen
Mende : Biefve
Menton : Hals
Metz : Dyck
Montargis : Leyster, Ostade, Rubens, Teniers
Montauban : Dyck, Jordaens, Flandres XVIIe
Montpellier : Boel, Jode, Seghers, Anvers XVIe, Hollande XVIIe
Morez : Caullery, Flandres XVIIe
Moulins : Berchem, Heusch, Schoevaerdts

Nancy : Bloemaert, Boel, Momper, Poelenburgh
Nantes : Baburen, Droogsloot, Francken, Fyt (ou Boel), Lastman, Rubens, Flandres XVIIe
Nantua : Rubens
Narbonne : Bloemen, Boel, Jordaens, Maes, Ravesteyn, Schouman
Nîmes : Neefs, Pynacker, Vinckboons
Nice : Boel, Rubens
Nîmes : Duck
Niort : Mieris

Orléans : Brueghel, Dyck, Lairesse, Orley, Rubens, Ruisdael

Paris

– *Ambassade de Turquie* : Verbruggen
– *Assemblée Nationale* : Ostade, Rysbrack, Ulft
– *Dépôt des œuvres d'art de l'Etat* : Denis
– *Elysée* : Swanevelt, Teniers, Flandres XVIIe
– *Ministère de l'Education Nationale* : Huysum, Mignon
– *Ministère de la Guerre* : Breenbergh, Teniers
– *Ministère des Finances* : Boucle, Bril, Dyck, Honthorst, Rubens, Hollande XVIIe
– *Ministère de l'Intérieur* : Falens
– *Ministère de la Justice* : Cort, Haag, Janson, Rubens, Wit
– *Mobilier National* : Asselyn, Berchem, Bergen, Bosschaert, Breenbergh, Brueghel, Casteels, Droogsloot, Floris, Hobbema, Jordaens, Kalf, Mierevelt, Ostade, Schouman, Schut, Smits, Teniers, Verhaecht, Flandres XVIIe, Hollande XVIIe, Hollande XVIIIe
– *Musée de la Chasse* : Balen et Brueghel
– *Musée de la Marine* : Backhuyzen, Beecq, Bellevois, Eertvelt, Storck
– *Musée du Protestantisme* : Heemskerck
– *Sénat* : Huysum, Lingelbach
– *Tuileries* : Flemalle, Rysbrack, Flandres XVIIe

Pau (Musée Municipal) : Berchem, Franchoys, Helst, Hoet, Jordaens, Lievens, Miel, Neefs, Quellinus, Rubens, Teniers
Pau (Château) : Pourbus
Périgueux : Denies, Lelienbergh, Streeck, Flandres XVIIe
Perpignan : Backer, Boel, Dyck, Maes, Mieris
Poitiers : Tilborch, Verbruggen

Reims : Boel, Hals, Rossum, Flandres XVIe, Hollande XVIIe
Rennes : Boel, Cuyp, Dyck, Honthorst, Maes, Vadder, Werff, Hollande XVIIe
Riom : Bol, Brekelenkam, Flinck, Schooten, Vinne, Flandres XVIIe
Roanne : Os
Rochefort : Poelenburgh
Rodez : Balen, Bril, Delen, Picolet, Santvoort, Flandres XVIIe
Romorantin : Nicasius
Rouen : Boel, Flandres XVIIe
Rueil-Malmaison (La Malmaison) : Dael

Saint-Brieuc : Heemskerck, Hondecoeter
Saint-Cloud : Os, Spaendonck, Teniers
Saint-Denis (Légion d'Honneur) : Nicasius, Verdussen
Saint-Etienne : Berchem, Ravesteyn, Rubens
Saint-Germain-en-Laye : Nicasius, Teniers, Flandres XVIIe
Saint-Lô : Jordaens, Kalf
Saint-Omer : Brueghel
Saint-Quentin : Jacob Cornelisz
Saintes : Heem
Saumur : Coques
Sedan : Boel
Senlis (Musée de la Chasse) : Fouquières, Rysbrack, Snyders, Vos
Sens : Heem
Sète : Boel
Soissons : Boel, Clève, Loenen, Vranck
Strasbourg : Brueghel, Es, Immenraet, Kalf, Lucas de Leyde, Poel, Saftleven, Sweerts, Wilde, Weyden, Flandres XVIe, Leyde XVIe

Tarbes : Clerck, Coecke, Goubau, Keyser
Toulon : Wittel
Toulouse : Loon, Rubens, Flandres XVIe, Hollande XVIIe
Tourcoing : Boel, Bree, Francken, Ostade
Tours : Boel, Borch, Campin, Flemalle, Mor, Nieulandt, Flandres XVIIe, Hollande XVIIe
Troyes : Clève, Dyck, Heem, Vranck, Hollande XVIIe

Valence : Mol, Flandres XVIIe
Valenciennes : Brouwer, Crayer, Helmont, Jordaens, Leyde XVIe, Os, Rubens, Saeys, Soens, Thulden, Verbeeck, Verhagen, Vos, Flandres XVIIe
Valognes : Nicasius
Vendôme : Cuyp
Verdun : Craesbeeck, Flandres XVIIe
Versailles : Dyck, Pourbus
Vesoul : Teniers, Flandres XVIIe
Vire : Ommeganck

Index 6

Liste des copies

Index 7

Liste des graveurs cités dans les notices

Graveurs cités	Notices des tableaux où sont cités des graveurs
Callot J.	Casteels INV. 1300 *bis*
	Wouwerman P. INV. 1966
Galle Ph.	Bredael INV. 1072
Lommelin A.	Wolfvoet D.L. 1978-1
Meyssens J.	Brueghel J. I (genre INV. 1100
	Brueghel J. I (genre) INV. 1101
Panneels W.	Rubens (d'après) R.F. 1938-23
Suyderhoef J.	Hals F. (d'après) INV. 1317
Vosterman L.	Dyck A. van (d'après) INV. 1232
	Rubens (d'après) M.I. 968
Worlidge Th.	Drost R.F. 1751

Index 8

Provenances

(à l'exception des nombreux tableaux déposés par le Louvre dans les musées de province et les ministères dont une liste sommaire figure à l'index 5).

Liste en ordre alphabétique à droite et chronologique à gauche des tableaux entrés sous :

- Louis XIV
- Louis XV
- Louis XVI
- Collection de la Couronne
- Académie Royale
- « Ancienne collection »
- Révolution (Achats. Saisies. Conquêtes)
- Consulat - Ier Empire (Achats. Dons. Conquêtes. Echanges)
- Restauration
- Louis-Philippe
- IIe République et Second Empire (Achats. Dons et legs)
- IIIe République (Achats. Dons et legs)
- IVe République (Achats. Dons et legs)
- Ve République (Achats. Dons et legs)

Provenances
Classement chronologique

Provenances
Classement alphabétique

Louis XIV (1661-1715)

1. Œuvres mentionnées dans l'inventaire des collections royales rédigé par le peintre Charles Le Brun en 1683*

* Vu le manque d'informations sur la formation du noyau initial de cette collection, on n'a pas distingué les modes d'acquisition (dons ou achats), qui sont précisés autant que possible dans les notices.

a) Dates d'entrée connues

1662
Dyck (A. van - d'après) INV. 1232

1671
Cleve INV. 2105
Dyck (A. van) INV. 1233, 1238, 1242, 1243, 1246
Rembrandt INV. 1747
Rubens INV. 1763 et INV. 1768
Rubens (d'après) INV. 1765

1674
Bril INV. 207

1678-1679
Post INV. 1722 à 1729

1682
Seghers (G.) INV. 1976

b) Dates d'entrée non connues

Bril INV. 1085, 1108, 1109, 1115, 1117, 1121
Brueghel INV. 1120
David INV. 1995
Dyck (A. van) INV. 1230, 1239
Heem (J.D. de) INV. 1321
Momper INV. 1116
Monogrammiste de Brunswick INV. 1980
Moro INV. 1583
Neefs (P.I.) INV. 1591
Pourbus INV. 1707
Rubens (d'après) INV. 1794
Seghers (D.) INV. 797
Sustris (L.) INV. 1978, 8570
Venne INV. 1924
Flandres ou Hollande, début XVIe INV. 2104
Flandres, 2e moitié du XVIe INV. 2100

1. Œuvres mentionnées dans l'inventaire des collections royales rédigé par le peintre Charles Le Brun en 1683.

Bril INV. 207, 1085, 1108, 1109, 1115, 1117, 1121 ; Brueghel (J. II) INV. 1120 ; Cleve INV. 2105 ; David INV. 1995 ; Dyck (A. van) INV. 1230, 1233, 1238, 1239, 1242, 1243, 1246 ; Dyck (A. van - d'après) INV. 1232 ; Heem (J.D. de) INV. 1321 ; Momper INV. 1116 ; Monogrammiste de Brunswick INV. 1980 ; Moro INV. 1583 ; Neefs (P. I) INV. 1591 ; Post INV. 1722 à 1729 ; Pourbus INV. 1707 ; Rembrandt INV. 1747 ; Rubens INV. 1763, 1768 ; Rubens (d'après) INV. 1765, 1794 ; Seghers (D.) INV. 797 ; Seghers (G.) INV. 1976 ; Steenwyck INV. 1864 ; Sustris (L.) INV. 1978, 8570 ; Venne INV. 1924 ; Flandres ou Hollande début XVIe INV. 2104 ; Flandres milieu XVIe INV. 2100.

Provenances
Classement chronologique

2. Œuvres entrées après 1683

a) Dates d'entrée connues

Entre 1683-96
Mignon INV. 1556

1685
Dyck (A. van) INV. 1231
Rubens INV. 1797

1690
Thulden INV. 1905

1693
Bril INV. 1118
Brueghel (J. I) INV. 1094
Poelenburg INV. 1082
Rubens INV. 1769 à 1789

b) Dates d'entrée non connues

Boucle INV. 1852, 1853
Dou INV. 1220, 1221
Dyck (A. van) INV. 1234
Francken INV. 1294
Francken (d'après) INV. 1990
Mignon INV. 1553
Momper INV. 1096, 1097, 1104
Poelenburg INV. 1083
Pourbus INV. 1708
Snayers INV. 2009
Teniers (D. II - genre de) INV. 8881, 8882

Provenances
Classement alphabétique

2. Œuvres entrées après 1683.

Boucle INV. 1852, 1853 ; Bril INV. 1118 ; Brueghel (J. I) INV. 1094 ; Dou INV. 1220, 1221 ; Dyck (A. van) 1231, 1234 ; Francken INV. 1294 ; Francken (d'après) INV. 1990 ; Mignon INV. 1553, 1556 ; Momper INV. 1096, 1097, 1104 ; Poelenburgh INV. 1082, 1083 ; Pourbus INV. 1708 ; Rubens INV. 1769 à 1789, 1797 ; Snayers INV. 2009 ; Teniers (D. II - genre de) INV. 8881, 8882 ; Thulden INV. 1905.

Nous réservons à part le cas des Bernaerts (INV. 1622, 1623, 1627, 1627 *bis*, 1631, 1640, 1643, 1650, 1654, 1660, 1662, 1663, 20748, 20749) dont le mode d'entrée dans les collections royales reste incertain.

Louis XV (1715-1774)

Pour les tableaux entrés sous Louis XV et Louis XVI, il va de soi qu'il ne s'agit que d'achats.

1741
Berchem INV. 1042
Dou INV. 1219
Netscher INV. 1604, 1605
Wouwerman (Ph.) INV. 1953, 1954, 1957, 1961, 1962

1742
Dou INV. 1218
Miel INV. 1450, 1451
Mieris (W. van) INV. 1550, 1551
Rembrandt INV. 1736
Rubens INV. 1760, 1798
Teniers INV. 1879

1749
Rysbrack (commandes) INV. 1825 *quater*, 1826, 1827

1751
Jordaens INV. 1402

Avant ou en 1760
Metsu INV. 1461

Berchem INV. 1042 ; Dou INV. 1218, 1219 ; Jordaens INV. 1402 ; Miel INV. 1450, 1451 ; Mieris (W. van) INV. 1550, 1551 ; Netscher (Gaspar) INV. 1604, 1605 ; Rembrandt INV. 1736 ; Rubens INV. 1760, 1798 ; Rysbrack INV. 1825 *quater*, 1826, 1827 ; Teniers INV. 1879 ; Wouwerman (Ph.) INV. 1953, 1954, 1957, 1961, 1962 ; Metsu INV. 1461 (mentionné en 1760 mais a pu être acquis au siècle précédent).

Louis XVI (1774-1792)

Sans date connue

Huysum INV. 1386 à 1389

1773
Mieris INV. 1547

Asselijn INV. 984, 985, 986 ; Backhuysen INV. 987, 989 ; Berchem INV. 1037, 1038 ; Boel INV. 2187 *bis* ; Borch (G. ter) INV. 1899, 1900 ; Both INV. 1065, 1066 ; Craesbeeck INV. 1179 ; Cuyp (A.) INV. 1190, 1191 ; Decker INV. 1201 ; Dou INV. 1215, 1216, 1223 ; Duck INV. 1228 ; Dujardin INV. 1393, 1394, 1395, 1396, 1397, 1401 ; Dyck (A. van)

Provenances
Classement chronologique

1775
Dyck (A. van) INV. 1236

1776
Asselijn INV. 984, 985, 986
Egmont (attribué) INV. 2901
Flémalle INV. 161
Swanevelt INV. 1871, 1872

1777
Lievens INV. 1431
Rembrandt INV. 1739
Rubens INV. 1762
Thulden INV. 1904.
Hollande, 2e moitié XVIIe INV. 1061

Entre 1779 et 1785
Mieris INV. 1546

1783
Both INV. 1066
Cuyp INV. 1190
Decker INV. 1201
Dou INV. 1216
Dujardin INV. 1394, 1397
Heyden INV. 1337
Lairesse INV. 1420
Limborch INV. 1433
Metsu INV. 1460
Pynacker INV. 1733
Ruysdael INV. 1818, 1819
Saftleven INV. 1974
Schalcken INV. 1829
Slingelandt INV. 1840
Teniers INV. 1878
Velde (A. van de) INV. 1917
Verkolje INV. 1929
Weenix (Y.B.) INV. 1935
Werff INV. 1943, 1945
Wouwerman INV. 1951, 1956

1784
Backhuyzen INV. 989
Berchem INV. 1037, 1038
Craesbeeck INV. 1179
Dou INV. 1215, 1223
Duck INV. 1228
Dujardin INV. 1395, 1396
Dyck (A. van) INV. 1244
Goyen INV. 1304
Helst INV. 1332
Huysum INV. 1385
Jordaens INV. 1404
Kalf INV. 1411
Koninck (attribué) INV. 1471
Lairesse INV. 1419
Metsu INV. 1463
Netscher (Const.) INV. 1608
Ostade (A. van) INV. 1680, 1682
Ostade (I. van) INV. 1688
Potter (Pa.) INV. 1732
Rembrandt INV. 1740, 1751
Rubens INV. 1795
Ruysdael INV. 1820
Schalcken INV. 1832
Teniers INV. 1877, 1883, 1887
Velde (A. van de) INV. 1915, 1918, 1920
Vois INV. 1932, 1933
Witte INV. 516
Wouwerman INV. 1952, 1955
Wijnants INV. 1967

Avant 1785
Heyden INV. 1339
Ulft INV. 1909

Provenances
Classement alphabétique

INV. 1236, 1244 ; Egmont (J. d' - attr. à) INV. 2901 ; Flémalle INV. 161 ; Goyen INV. 1304 ; Helst INV. 1332 ; Heyden INV. 1337, 1339 ; Huysum INV. 1381, 1385 à 1389 ; Jordaens INV. 1404 ; Kalf INV. 1411 ; Koninck (attr. à) INV. 1471 ; Lairesse INV. 1419, 1420 ; Lievens INV. 1431 ; Limborch INV. 1433 ; Metsu INV. 1460, 1463 ; Mieris (Fr. I) INV. 1546, 1547 ; Moucheron INV. 1586 ; Netscher (Const.) INV. 1608 ; Ostade (A. van) INV. 1679, 1680, 1682 ; Ostade (I. van) INV. 1688 ; Potter (Pa.) INV. 1732 ; Pynacker INV. 1733 ; Rembrandt INV. 1739, 1740, 1751 ; Rembrandt (école) INV. 1737 ; Rembrandt (atelier) INV. 1746 ; Rubens INV. 1762, 1795 ; Ruisdael (J. van) INV. 1818, 1819, 1820 ; Saftleven (H.) INV. 1974 ; Schalcken INV. 1829, 1831, 1832 ; Slingelandt INV. 1840 ; Swanevelt INV. 1871, 1872 ; Teniers (D. II) INV. 1877, 1878, 1883, 1887 ; Thulden INV. 1904 ; Ulft INV. 1909 ; Velde (A. van de) INV. 1915, 1917, 1918, 1920 ; Verkolje INV. 1929 ; Vois INV. 1932, 1933 ; Weenix (J.B.) INV. 1935 ; Werff INV. 1943, 1945 ; Witte INV. 516 ; Wouwerman (Ph.) INV. 1951, 1952, 1955, 1956 ; Wijnants INV. 1967, 1968 ; Hollande 2e moitié XVIIe INV. 1061.

Provenances Classement chronologique	Provenances Classement alphabétique

1785
- Backhuyzen INV. 987
- Boel INV. 2187 *bis*
- Borch INV. 1900
- Both INV. 1065
- Cuyp INV. 1191
- Dujardin INV. 1401
- Huysum INV. 1381
- Moucheron INV. 1586
- Ostade, A. van INV. 1679
- Rembrandt (école) INV. 1737
- Rembrandt (atelier) INV. 1746
- Schalcken INV. 1831
- Wijnants INV. 1968

1786
- Dujardin INV. 1393

Collection de la Couronne

(tableaux entrés peut-être avant 1789 mais non mentionnés dans les inventaires de l'Ancien Régime).

Gijsels INV. 1090, 1091 ; Neer (E.H. van der) INV. 1602 ; Ostade (A. van) INV. 1683 ; Provost (?) INV. 1346 ; Vos (P. de) INV. 1846 ; Hollande XVIIe s. INV. 1047.

Collection de l'Académie royale

de peinture et de sculpture (transférée au Louvre sous la Révolution).

Falens INV. 1281, 1282 ; Loo INV. 1439.

Ancienne collection

(tableaux d'origine indéterminée mais figurant déjà, sous cette appellation, dans l'Inventaire Napoléon rédigé vers 1810, et devant correspondre, pour la plupart, à des saisies de collections d'émigrés).

Baden INV. 1599 ; Bassen INV. 2184 ; Begeyn INV. 1031 ; Bernaerts (attr. à) INV. 3953 ; Bloemen (P. van) INV. 2178 ; Bos INV. 1842 ; Brouwer INV. 1070 ; Casteels INV. 1300 *bis*, 1300 *ter* ; Cuyp (A.) INV. 1195 ; Duchatel INV. 1227 ; Franchoys INV. 1249 ; Fyt INV. 1299, 1300 ; Goyen INV. 1305 ; Hals (d'après) INV. 1317 ; Huchtenburg INV. 1375 ; Janssens (Jér.) INV. 1392 ; Key (attr. à) INV. 2004 ; Meer (J. van der, dit d'Utrecht) INV. 1452 ; Meulener INV. 1578 ; Miereveld INV. 1574 ; Mignon INV. 1557 ; Moro INV. 1721 ; Neefs (P. I) INV. 1594 ; Petit INV. 1384 ; Poelenburgh INV. 1693 ; Pynas J. INV. 1269 ; Rembrandt INV. 1744 ; Rubens INV. 1812, 1813, 1816 ; Ruysdael (J. van) INV. 1821 ; Ryckaert (imitation ancienne) INV. 1106 ; Slingelandt INV. 1841 ; Snayers INV. 1843 ; Spaendonck INV. 1857 ; Stalbemt INV. 1098 ; Steenwyck INV. 1866, 1867, 1868 ; Teniers (D. II - attr.) INV. 2187 ; Vadder (attr.) INV. 2163 ; Verelst INV. 1927 ; Vliet INV. 1861 ; Wouwerman (Ph.) INV. 1963, 1966 ; Hollande fin XVe INV. 1987 ; Flandres 1re moitié XVIIe INV. 2005 ; Ecole indéterminée XVIIe INV. 8564 ; Hollande 1re moitié XVIIe s. INV. 1754 ; Hollande 2e moitié XVIIe s. INV. 2185 et 8850.

Provenances
Classement chronologique

Provenances
Classement alphabétique

Période révolutionnaire (1792-1799)

Achats :

1793
Jordaens INV. 1406
Rembrandt INV. 1742
Rubens INV. 1796

1795
Glauber INV. 1301
Stomer INV. 1363

1796
Victors INV. 1285

1797
Flinck INV. 1291

Achats :

Flinck INV. 1291 ; Glauber INV. 1301 ; Jordaens INV. 1406 ; Rembrandt INV. 1742 ; Rubens INV. 1796 ; Stomer INV. 1363 ; Victors INV. 1285.

Confiscation des biens d'Eglise :

a) Paris, couvents :
FILLES-BLEUES, Bouts (atelier) INV. 1986, 1994.
GRANDS-AUGUSTINS, Flemalle INV. 1288 ; Pourbus (F. II atelier) INV. 1712.
JACOBINS-SAINT-HONORÉ, Pourbus (F. II) INV. 1705.
PETITS-PÈRES, Kessel INV. 1892 ; Mol INV. 1577.

b) Paris, églises :
SAINT-LEU-SAINT-GILLES, Pourbus (F. II) INV. 1704.
SAINT-SULPICE, Floris INV. 20746.

c) Province :
VILLENEUVE-SUR-YONNE, Veen INV. 1997 *bis*.

Saisies révolutionnaires chez les émigrés :

Note : Vu la complexité du mécanisme des saisies, on n'a pas cru devoir en préciser les dates.

a) Paris :
ANGIVILLER : Rembrandt INV. 1738, 1753 ; Teniers (D. II) INV. 1890.
ARGENTRÉ : Lingelbach INV. 1438.
ARTOIS : Ostade (I. van) INV. 1686.
AUTICHAMP : Dujardin INV. 1398.
BERNARD : Saftleven C. INV. 1975.
BOURGEOIS-VIALARD DE SAINT-MAURICE : Man INV. 1549 ; Lingelbach INV. 1434 ; Hollande, 2e moitié XVIIe INV. 1549.
BOUTIN : Wijnants INV. 1969.
BRETEUIL : Berchem INV. 1045 ; Bergen INV. 1035 ; Dujardin INV. 1399 ; Huysym INV. 1382, 1383 ; Miel INV. 1447, 1448 ; Neefs (P. I - école) INV. 1598 ; Ostade (I. van) INV. 1687 ; Romeyn INV. 1755 ; Snyders INV. 1850 ; Verkolje INV. 1928.
BRISSAC : Borch (G. ter) INV. 1901 ; Bril INV. 1113, 1114 ; Dou INV. 1217 ; Laer INV. 1417, 1418 ; Metsu INV. 1464, 1465 ; Neer (E. van der) INV. 1603 ; Ostade (A. van) INV. 1685 ; Poelenburgh INV. 1695, 1697 ; Potter (P.a.) INV. 1731 ; Rembrandt INV. 1745, 1748 ; Snyders INV. 1849 ; Teniers (D. II) INV. 1881, 1884, 1888, 1889 ; Velde (A. van de) INV. 1916 ; Wouwerman (Ph.) INV. 1959.
CHOISEUL : Poel INV. 1692 ; Rembrandt (d'après) INV. 1750.
CLERMONT-D'AMBOISE : Cuyp (A.) INV. 1192 ; Neefs (P. II) INV. 1596, 1597.
CONDÉ : Honthorst INV. 1366, 1367.
CONTI : Oost (J. II van) INV. 1672.
CRAWFORD : Mieris (W. van) INV. 1548 ; Spreuween INV. 1862.
HARCOURT : Snyders (atelier) INV. 1848 ; Vos (P. de) INV. 1845.
MILLIOTTY : Bloemaert (A.) INV. 1052 ; Bol INV. 1062 ; Crayer INV. 1186 ;

Provenances
Classement chronologique

Provenances
Classement alphabétique

Metsu INV. 1459.
MONTBARROY : Werff INV. 1939.
MONTMORENCY-LUXEMBOURG : Poelenburgh INV. 1696, 1698.
NOAILLES : Bol INV. 1063 ; Cuyp (A.) INV. 1193 ; Dou INV. 1222 ; Dyck (A. van) INV. 1248, 1265, 1266 ; Flinck INV. 1292 ; Lairesse INV. 1422 ; Poelenburg INV. 1084 à 1086 ; Rembrandt (école) INV. 1743 ; Teniers (D. II le J.) INV. 1891 ; Velde INV. 1919.
ORLÉANS (duc d') : Rubens INV. 854 ; Mignon INV. 1554 et INV. 1555 (?) ; Vos (P. de) INV. 1844.
PESTRE-SENEF : Brueghel (J. I genre de) INV. 1100, INV. 1101 ; Elias INV. 1575, 1576 ; Goyen INV. 1303 ; Gryef INV. 1308 ; Hagen INV. 1315 ; Loo INV. 1440 ; Moni INV. 1580 ; Neer (A. van der) INV. 1600 ; Ostade (A. van) INV. 1684 ; Wouwerman INV. 1960.

b) Province :

PENTHIÈVRE (Châteauneuf-sur-Loire) : Francken INV. 1295 ; Hemessen INV. 1335 ; Sustris (L.) INV. 1759.

Conquêtes :

1794, FURNES, HÔTEL DE VILLE : Jordaens INV. 1403.
1794, LIÈGE, CHARTREUX : Francken INV. 1296.
1794, TOURNAI, ABBAYE SAINT-MARTIN : Duyster INV. 1229.
1794 (?) : BELGIQUE (?) : Hollande XVIIe s. INV. 1930.
1795, LA HAYE, STADHOUDER : Berchem INV. 1040 ; Brueghel (J. I) INV. 1099 ; Delen INV. 1203 ; Diepenbeck INV. 1210 ; Dyck (A. van) INV. 1235 ; Dyck (A. van - d'après) INV. 1237 ; Heyden INV. 1338 ; Honthorst INV. 1364 ; Houckgeest INV. 1374 ; Mieris (F. van) INV. 1552 ; Moor INV. 1581 ; Neefs (P. I) INV. 1595 ; Ommeganck INV. 1670 ; Os (J. II van) INV. 1676, 1678 ; Pot INV. 1730 ; Rubens INV. 1800 ; Schweickhardt INV. 1837 ; Weenix (J.) INV. 1938 ; Wouverman (Ph.) INV. 1958 ; Wijntrack INV. 1970.
1796, MILAN, BIBLIOTHÈQUE AMBROSIENNE : Brueghel (J. I) INV. 1092, 1093 ; Rubens INV. 1764.
1798, ROME, PALAIS BRASCHI : Denis INV. 1206 ; Dyck (A. van) INV. 1240.
1799, TURIN, GALERIE ROYALE : Dou INV. 1213 ; Weyden INV. 1982.

Dons :

CLAUZEL : Dou INV. 1213.

Consulat et Empire (1799-1815)

Achats :

1800
Ulft INV. 1908

1801
Heusch INV. 1336
Hooch INV. 1373
Ostade (A. van) INV. 1681
Victors INV. 1286
Weenix (J.) INV. 1937

1803
Eeckhout INV. 1267
Everdingen INV. 1270
Hollande, 2e moitié du XVIIe INV. 1466

Achats :

Bega INV. 1032 ; Eeckhout INV. 1267 ; Everdingen INV. 1270 ; Heusch INV. 1336 ; Hooch INV. 1372, 1373 ; Metsys INV. 1444 ; Ommeganck INV. 1671 ; Ostade (A. van) INV. 1681 ; Ulft INV. 1908 ; Victors INV. 1286 ; Weenix (J.) INV. 1937 ; Hollande 2e moitié du XVIIe INV. 1466.

Provenances
Classement chronologique

1805
Hooch INV. 1372

1806
Metsys INV. 1444

avant 1810
Bega INV. 1032
Ommeganck INV. 1671

Dons :

1808 : GIRARD

Provenances
Classement alphabétique

Dons :

GIRARD (1808) ; Backhuyzen INV. 988.

Conquêtes :

ROME, 1802-1803 : Oost (J. I attribué) INV. 1930 *bis* ; Santvoort INV. 1828.
ALLEMAGNE, 1806 : Bol INV. 1064 ; Francken INV. 1412 ; Heem (J. D. de) INV. 1320 ; Moro INV. 1583 ; Rembrandt (entourage) INV. 1749.
MUNICH, GALERIE, 1806 : Fyt INV. 1298 ; Vos (P. de) INV. 1847.
KASSEL, GALERIE, 1807 : Weenix (J.) INV. 1936.
VIENNE, GALERIE IMPÉRIALE, 1809 : Heda (W.C.) INV. 1319 ; Lingelbach INV. 1436.
GÊNES, SANTA MARIA DELLA PACE, 1813 ; Cleve INV. 1996.

Echanges :

AUTUN, CATHÉDRALE NOTRE-DAME : Eyck INV. 1271.

Restauration (1815-1830)

Achats :

1816
Backhuyzen INV. 990
Berchem INV. 1046
Cuyp INV. 1194
Sweerts INV. 1441
Teniers (D. II) INV. 1880, 1886

1817
Berchem INV. 1043, 1044
Helst INV. 1333, 1334
Jordaens INV. 1405
Metsu INV. 1462
Ostade (I. van) INV. 1689
Steen INV. 1863
Steenwyck INV. 1865
Swanevelt INV. 1874, 1875

1819
Dael INV. 1196
Jonson INV. 1122

1821
Bredael INV. 1072

1822
Beerstraten INV. 1030
Coninxloo INV. 1984
Huysmans INV. 1377, 1378, 1379, 1380
Maître de la vue de Sainte-Gudule INV. 1991

1823
Poelenburg INV. 1700

Achats :

Backhuyzen INV. 990 ; Beerstraten INV. 1030 ; Berchem INV. 1043, 1044, 1046 ; Bredael INV. 1072 ; Coninxloo INV. 1984 ; Cuyp INV. 1194 ; Dael INV. 1196 ; Helst INV. 1333, 1334 ; Huysmans INV. 1377, 1378, 1379, 1380 ; Jonson INV. 1122 ; Jordaens INV. 1405, 1408 ; Lingelbach INV. 1437 ; Maître de la vue de Sainte-Gudule INV. 1991 ; Metsu INV. 1462 ; Orley (d'après) INV. 2031 ; Ostade (I. van) INV. 1689 ; Poelenburgh INV. 1700 ; Steen INV. 1863 ; Steenwyck INV. 1865 ; Swanevelt INV. 1874, 1875 ; Sweerts INV. 1441 ; Teniers (D. II) INV. 1880, 1886 ; Bruxelles, début XVIe INV. 2085.

Provenances
Classement chronologique

Provenances
Classement alphabétique

1824
Jordaens INV. 1408
Lingelbach INV. 1437

1828
Orley (d'après) INV. 2031
Bruxelles - Début du XVIe siècle INV. 2085

Règne de Louis-Philippe (1830-1848)

Achats :

1834
Dyck, van (école) INV. 1188
Maître des Demi-Figures INV. 2156

1835
Veen INV. 1911

1836
Decaisne INV. 3759

1838
Keyser INV. 1413

1840
Nickele INV. 1668

1843
Bloemaert INV. 1053
Mommers INV. 2161

1844
Beschey INV. 1049
Francken INV. 1297

1846
Coecke van Aelst INV. 2003
Nooms INV. 1977

1847
Gossaert INV. 1442, 1443

1838-1840
Vos (C. de - d'après) INV. 952, 953

Achats :

Beschey INV. 1049 ; Bloemaert INV. 1053 ; Coecke van Aelst INV. 2003 ; Decaisne INV. 3759 ; Dyck (A. van - école) INV. 1188 ; Francken INV. 1297 ; Gossaert INV. 1442, 1443 ; Keyser INV. 1413 ; Maître des demi-figures INV. 2156 ; Mommers INV. 2161 ; Nickele INV. 1668 ; Nooms INV. 1977 ; Veen INV. 1911 ; Vos (C. de) (d'après) INV. 952, INV. 953.

Seconde République et Second Empire (1848-1870)

Achats :

1850
Rubens INV. 1793
Hobbema INV. 1342

1851
Memling INV. 1453 et 1454

1852
Velde (W. van de) INV. 1921

1853
Neer (A. van der) INV. 1601

Achats :

Bouts M.I. 734 ; Dyck (A. van - école), M.I. 208 ; Hobbema INV. 1342, M.I. 270 ; Juste de Gand M.I. 644 à 657 ; Memling INV. 1453, 1454, M.I. 247 à 249 ; Neer (A. van der) INV. 1601 ; Potter (Paulus) M.I. 199, 777 ; Rembrandt M.I. 169 ; Rubens INV. 1793, M.I. 212 ; Velde (W. van de) INV. 1921 Vermeer M.I. 1448 ; Waldorp M.I. 90.

Provenances
Classement chronologique

1854
Waldorp M.I. 90

1857
Rembrandt M.I. 169

1858
Potter M.I. 199
Dyck (A. van - école) M.I. 208

1859
Rubens M.I. 212

1860
Memling M.I. 247 à 249

1861
Hobbema M.I. 270
Juste de Gand M.I. 644 à 657

1868
Bouts M.I. 734

1869
Potter M.I. 777

1870
Vermeer M.I. 1448

Dons et legs :

1850
Cottini
Pierret

1852
Morny

1855
Moreau

1856
Sauvageot

1862
Chapitre de Notre-Dame de Paris

1864
Cart Balthazar

1866
Callou

1869
La Caze

Provenances
Classement alphabétique

Dons et legs :

Callou : Ferguson M.I. 712.
Cart Balthazar : Baellieur M.I. 699.
Chapitre de Notre-Dame de Paris : Crayer M.I. 337.
Cottini : Vos (M. de) INV. 1931.
La Caze : Adriaen van Utrecht M.I. 932, 1017 ; Arthois M.I. 901 ; Borch (G. Ter) M.I. 1006 ; Brekelekam M.I. 907, 939 ; Brueghel (J. I) M.I. 908 ; Brueghel (J. I - d'après) M.I. 909 ; Clerck M.I. 960 ; Craesbeck M.I. 906 ; Dou M.I. 915 ; Dujardin M.I. 935 ; Dyck (A. van) M.I. 916, 918 ; Elias M.I. 940 ; Everdingen M.I. 921 ; Fyt M.I. 922 ; Goyen M.I. 924 ; Hagen M.I. 925 ; Hals M.I. 926, 927 ; Hanneman (attribué) M.I. 910 ; Heemskerck M.I. 928 ; Helt-Stocade M.I. 929 ; Heyden M.I. 930 ; Hondecoeter (M. de) M.I. 931 ; Hulle (attribué à) M.I. 920 ; Huysmans (atelier) M.I. 934 ; Kalft M.I. 938 ; Ludens M.I. 905 ; Maes (attribué) M.I. 937 ; Mol M.I. 941 ; Nijmegen M.I. 1018 ; Ostade (A. van) M.I. 943 à 949, 951 ; Ostade (I. van) M.I. 950, 952 ; Poel M.I. 953 ; Pynacker (d'après) M.I. 954 ; Quast (attribué) M.I. 904 ; Ravesteyn M.I. 955, 956 ; Rembrandt M.I. 957 à 959 ; Rombouts (T. - d'après) M.I. 933 ; Rubens M.I. 962 à 967, 969 ; Rubens (atelier) M.I. 971 ; Rubens (d'après) M.I. 968, M.I. 970 ; Snyders M.I. 978, 980, 981, 982 ; Sorgh M.I. 1014, M.I. 903 ; Steen M.I. 983 ; Sustermans (d'après) M.I. 984 ; Teniers (D. II) M.I. 986 à 989, 991 à 998, 1000 à 1005, 1015 ; Teniers (D. II - genre de) M.I. 985 ; Thomas van Yperen M.I. 973 ; Thulden M.I. 974 ; Vaillant M.I. 1364 ; Velde M.I. 1007 ; Vois M.I. 1011 ; Vos (C. de - atelier) M.I. 1009 ; Werff M.I. 1012 ; Wouwerman (Ph.) M.I. 1013 ; Flandres XVIIe M.I. 972, 1016.
Moreau : Ryckaert III M.I. 146.
Morny : Massys (J.) INV. 1446.
Pierret : Francken INV. 1095.
Sauvageot : Bellegambe M.I. 817 ; Breydel M.I. 801 ; Caulery M.I. 828 ; Cronenburg M.I. 819 ; Dyck (A. van - d'après) M.I. 804 ; Martszen de Jonge M.I. 812 ; Miereveld (atelier) M.I. 805, M.I. 806 ; Mostaert (J. - atelier) M.I. 802 ; Weyden (d'après) M.I. 818 ; Bruges, milieu XVIe s. M.I. 823 ; Flandres 2e moitié XVIe s. M.I. 842 ; Flandres début XVIIe s. M.I. 813 ; Flandres ou Hollande 1re moitié XVIe s. : M.I. 825 ; Flandres début XVIIe s. M.I. 820 ; Hollande 2e moitié XVIIe s. M.I. 811, 827, 830.

Provenances
Classement chronologique

Provenances
Classement alphabétique

Troisième République (y compris la période 1940-1945)

Achats :

1874
Scorel R.F. 120

1881
Steen R.F. 301

1883
Metsu R.F. 373

1885
Hals R.F. 424
Hals (entourage) R.F. 425
Soutman R.F. 426

1889
Coter R.F. 534

1890
David R.F. 588

1891
Hondius R.F. 656

1892
Flandres 2e moitié xve R.F. 700

1893
Bailly R.F. 792
Brueghel (II) R.F. 829
Metsys R.F. 817
Monogrammiste de Brunswick R.F. 773

1895
Lastman R.F. 920
Roghman R.F. 921

1899
Arentsz R.F. 1163
Ruysdael (S. van) R.F. 1162

1900
Beyeren R.F. 1181
Vrancx R.F. 1182
Anvers 1re moitié xvie R.F. 1185

1901
Frederic R.F. 1330

1902
Gerard de saint Jean R.F. 1285
Orley R.F. 1473
Provost R.F. 1472

1903
Goes (d'après) R.F. 1505
Marmion (entourage) R.F. 1490
Ruysdael (S. van) R.F. 1483-1484

1904
Poel R.F. 1509

1908
Memling R.F. 1723

1909
Breen R.F. 1738
Drost R.F. 1751
Flandres - milieu xviie R.F. 1739

1910
Bray R.F. 1760

1913
Weyden R.F. 2063

Achats :

Arentsz R.F. 1163 ; Bailly R.F. 792 ; Benson (atelier) R.F. 2248 ; Beuckelaer R.F. 2659 ; Beyeren R.F. 1181 ; Bray R.F. 1760 ; Breen R.F. 1738 ; Brueghel (II) R.F. 829 ; Claus R.F. 1313 ; Coter R.F. 534 ; David R.F. 588, 2228 ; Drost R.F. 1751 ; Fabritius R.F. 3834 ; Frederic R.F. 1330 ; Gerard de Saint-Jean R.F. 1285 ; Gelder R.F. 2610 ; Goes (d'après) R.F. 1505 ; Hals R.F. 424 ; Hals (entourage) R.F. 425 ; Hondius R.F. 656 ; Jacob Cornelisz van Oostsanen R.F. 1945-20 ; Juan de Flandes R.F. 2557 ; Lastman R.F. 920 ; Marmion (entourage) R.F. 1490 ; Metsu R.F. 373 ; Memling R.F. 1723 ; Metsys R.F. 817 ; Monogrammiste de Brunswick R.F. 773 ; Orley R.F. 1473 ; Poel R.F. 1509 ; Provost R.F. 1472 ; Roghman R.F. 921 ; Ruysdael (S. van) R.F. 1162, 1483, 1484 ; Scorel R.F. 120 ; Soutman R.F. 426 ; Spranger R.F. 3955 ; Steen R.F. 301 ; Sustris R.F. 3840 ; Vadder R.F. 1939-25 ; Valkenborgh (L. van) R.F. 2427 ; Vrancx R.F. 1182 ; Weyden R.F. 2063 ; Flandres 2e moitié xve R.F. 700 ; Anvers 1re moitié xvie R.F. 1185, 2249 ; Flandres milieu xviie R.F. 1739 ; Hollande xvie R.F. 1942-11.

Dépôt de la Bibliothèque Nationale (1943) :

Bruges début xvie INV. 20224 ; Weyden (d'après) INV. 20223.

Transfert du Musée de Cluny (1896) :

Bosch (d'après) R.F. 970 ; Anvers début xvie R.F. 988 ; Flandres début xviie R.F. 1012 ; Flandres 1re moitié xviie R.F. 996.

Provenances
Classement chronologique

1919
Benson (atelier) R.F. 2248
David R.F. 2228
Anvers (1re moitié XVIe) R.F. 2249

1924
Valckenborgh (L. van) R.F. 2427

1926
Gelder R.F. 2610
Juan de Flandes R.F. 2557

1928
Beuckelaer R.F. 2659

1934
Fabritius R.F. 3834

1936
Spranger R.F. 3955

1939
Vadder R.F. 1939-25

1942
Hollande XVIe R.F. 1942-11

Dons et legs :

1871
MONGÉ-MISBACH

1873
GODARD-DESMARETS
LANTÉ

1876
LAMOIGNON

1878
DUCHATEL

1881
« L'ART »
DOUBLE
GATTEAUX
THIERS

1883
FOUCART

1884
BANCEL

1890
MACIET

1891
KLEINBERGER

1892
MANTZ
MOREAUX
QUEUX DE SAINT-HILAIRE

1893
MACIET
SEDELMEYER

1894
ANDRÉ
LEMONIER

1895
BAUDIN
MACIET
SEDELMEYER

1896
SEDELMEYER

Provenances
Classement alphabétique

Dons et legs :

ALLART DU CHOLET : Craesbeck (genre de) R.F. 3973.
ANDRÉ : Memling R.F. 886.
ANINGER : Heem (J. II de) R.F. 1939-10.
ARCONATI VISCONTI : Jacob d'Utrecht R.F. 2091.
« L'ART » : Hals (D.) R.F. 302.
BANCEL : Maître de 1499 ; R.F. 2370.
BAUDIN : Vliet R.F. 956.
BENOIT : Dalem R.F. 2217 ; Bosch R.F. 2218.
BEISTEGUI : Dyck (A. van) R.F. 1942-34 ; Rubens R.F. 1942-33.
BOUCHER : Rembrandt (d'après) R.F. 2667 *bis*.
BRAUER : Cleve (d'après) R.F. 2288.
BUMA HETSTAATJE : Valckenborgh (F. van) R.F. 2432.
BEISTEGUI : Dyck (A. van) R.F. 1942-34 ; Rubens R.F. 1942-33.
CANDÉ : Meijer R.F. 1939-16.
CASSAGNADE : Poelenburgh R.F. 1943-9.
CHATRY DE LA FOSSE : Berckheyde R.F. 2341 ; Heyden R.F. 2340.
CHEVREAU, BARON DE CHRISTIANI : Gossaert (d'après) R.F. 3051 ; Pourbus I R.F. 3049 ; Snyders R.F. 3046 ; Vinckboons (d'après) R.F. 3055.
COMMINGES-GUITAUD : Boucquet R.F. 1155.
COSSON : Brueghel (Jan I) INV. 1100 ; Hollande milieu du XVIIe R.F. 2546.
LA COSTE : Metsys (d'après) R.F. 1730.
COTTIER : Verspronck R.F. 1944.
CROY : Avercamp R.F. 2854 ; Beerstraten (J. A.) R.F. 3715 ; Bega R.F. 2880 ; Beyeren R.F. 3705, 3724 ; Bout R.F. 3714 ; Brakenburg R.F. 3708 ; Craesbeck R.F. 2860 ; Cross (P. van der) R.F. 3706 ; Dubbels R.F. 3718 ; Dusart R.F. 3716 ; Everdingen R.F. 3704 ; Gillig R.F. 3720 ; Goyen R.F. 3726 ; Heyden R.F. 3723 ; Honthorst R.F. 2852 ; Honthorst (d'après) R.F. 2856 ; Hoogstraten R.F. 3722 ; Maes R.F. 2858, 2859 ; Marseus van Schrieck R.F. 3711 ; Meer (J. II van der) R.F. 2862 ; Nauwinck R.F. 2855 ; Nooms R.F. 3727 ; Os INV. 3707 ; Palamedez R.F. 2875, 2876, 2877, 2878, 2879 ; Poel R.F. 2884 ; Rombouts (G.) R.F. 2861 ; Roosendael R.F. 3717 ; Ruisdael (S. van) R.F. 3725 ; Snyers R.F. 3710 ; Spaedonck R.F. 2853 ; Storck R.F. 3713 ; Streek (d'après) R.F. 3719 ; Verspronck R.F. 2863 ; Vinne R.F. 3712 ; Vliet (imitation) R.F. 3719 ; Werff R.F. 3709 ; Wytmans R.F. 2885 ; Hollande 1re moitié XVIIe R.F. 2857, 3721.
COTTINI : Cossiers R.F. 1160.
DAVID-NILLET : Couwenbergh R.F. 3776.
DOISTAU : Benson R.F. 2821 ; Cleve R.F. 2230.
DORVILLE : Weenix (J.) R.F. 1943-7.
DOUBLE : Cocques R.F. 290.
DUCHÂTEL : Key R.F. 216, 217 ; Memling R.F. 215.
DURRIEU : Huys R.F. 3936.
DUVEEN : Patenier R.F. 2429
FLAMENG : Dyck (A. van - d'après) R.F. 2393.

Provenances
Classement chronologique

1898
COMMINGES-GUITAUD

1899
COTTINI
KLEINBERGER

1901
REBOULEAU

1902
RATTIER
VANDEUL

1903
COTTIER
LAFONTAINE

1904
GRANDIDIER
KAEMPFEN
ROTHSCHILD (BARON A. DE)

1905
KANN
GAY

1906
MACIET

1907
LACOSTE

1909
GAY (Mme VICTOR)

1914
ARCONATI-VISCONTI
SCHLICHTING

1915
SOUSCRIPTION PUBLIQUE

1916
HUARD
WEBER

1917
PLOYER

1918
BENOIT

1919
LEPRIEUR
MAY
RODRIGUÈS
SULZBACH

1920
BRAUER
WYSE

1921
CHATRY DE LA FOSSE
POTOCKI

1922
ROTHSCHILD (BARONNE SALOMON DE)

1923
FLAMENG

1924
BUMA-HETSTAATJE
DUVEEN

1925
KLEINBERGER

1926
COSSON

Provenances
Classement alphabétique

FOUCART : Claissens R.F. 242 ; Gossaert R.F. 23.
FRIEDSAM : Brouwer R.F. 2559.
GATTEAUX : Memling R.F. 309.
GAY (M. et Mme WALTER) : Beeldemaker R.F. 1938-26 ; Eyck (entourage) R.F. 1938-22 ; Jacobsz (attribué) R.F. 1938-24 ; Rubens (d'après) R.F. 1938-23 ; Sittow (d'après) R.F. 1547 ; Willeboirts R.F. 1938-28 ; Flandres 2e moitié XVe R.F. 1938-17 ; Hollande 2e moitié XVIIe R.F. 1938-18.
GAY (Mme VICTOR) : Bouts (d'après) R.F. 1732.
GODARD-DESMARETS : Huysmans R.F. 50 à 54.
GRANDIDIER : Francken le Jeune (atelier) R.F. 1535 ; Flandres début XVIe R.F. 1533, 1534.
GELDER : Flandres XVIIe R.F. 1937-11.
HARTOG : Doomer R.F. 3733.
HUARD : Bruges mi-XVIe R.F. 2179.
JAMOT : Flandres ou France fin XVIe R.F. 1941-9.
KAEMPFEN : Ostade (A. van) R.F. 1518.
KANN : Keyser R.F. 1560.
KLEINBERGER : Aelst R.F. 666, 2502 ; Neyn R.F. 1167.
LAFONTAINE : Coter R.F. 1482.
LAMOIGNON : Cleve R.F. 187 ; Rubens R.F. 188.
LANTÉ : Flandres 1re moitié XVIe R.F. 46.
LAX : Steen (d'après) R.F. 3830.
LEPRIEUR : Maître de la Madeleine Mansi (attribué au) R.F. 2250.
LEMONNIER : Cleve R.F. 839, 840.
MACIET : Cleve R.F. 2068 ; Codde R.F. 612 ; Scheltema R.F. 1588 ; Tempel R.F. 903.
MANTZ : Brueghel (P. I) R.F. 730.
MARIE : Stomer R.F. 2810.
MAY : Tengnagel R.F. 2246.
MONGÉ-MISBACH : Bouts R.F. 1.
MOREAUX : Huysum R.F. 708 ; Weenix R.F. 712 ; Hondecoeter R.F. 707 ; Pynacker R.F. 709 ; Ruisdael (J. I van) R.F. 710 ; Teniers (D. II) R.F. 711.
PÉREIRE : Rembrandt R.F. 3743, 3744.
PLOYER : Bargas R.F. 2191.
POTOCKI : Rembrandt (d'après) R.F. 2379.
PORGÈS : Goyen R.F. 3151.
QUEUX DE SAINT-HILAIRE : Slingelandt INV. 758, 759.
RATTIER : Metsys R.F. 1475.
REBOULEAU : Elias R.F. 1213.
RENARD : Vogels R.F. 1979-44
RODRIGUES : Savery R.F. 2224.
ROTHSCHILD (BARON A. DE) : Backhuysen R.F. 1528 ; Hobbema R.F. 1526 ; Ruisdael (J. I van) R.F. 1527 ; Teniers (D. II) R.F. 1530, 1531 ; Wouwerman (Ph.) R.F. 1529.
ROTHSCHILD (BARONNE SALOMON DE) : Eeckhout (d'après) R.F. 2384.
SCHLICHTING : Bol R.F. 2127 ; Dyck (A. van - d'après) R.F. 2117 à 2119 ; Elias R.F. 2134 ; Goltzius R.F. 2125 ; Grebber R.F. 2136 ; Hals (F. imitation de) R.F. 2130 ; Helst R.F. 2129 ; Leyster R.F. 2131 ; Maes R.F. 2132 ; Maître du Martyre de Saint Jean R.F. 2128 ; Massys R.F. 2123 ; Miereveld (atelier) R.F. 2133 ; Orley (d'après) R.F. 2120 ; Rubens R.F. 2121, 2122 ; Sustermans (atelier) R.F. 2124 ; Verspronck R.F. 2135 ; Flandres ou Espagne 2e moitié XVIe R.F. 2162 ; Anvers 1re moitié XVIIe R.F. 2126.
SCHLESINGER : Wijnants R.F. 2422.
SCHLOSS : Nooms R.F. 1939-18.
SEDELMEYER : Kalf R.F. 796 ; Palamedesz R.F. 914 ; Siberechts R.F. 1025.
SOCIÉTÉ DES AMIS DU LOUVRE : Bouts R.F. 2622 ; Flandres 2e moitié XVe R.F. 2822.
SULZBACH : Maître de la légende de Sainte Madeleine R.F. 2259.
SOMBORN : Breenbergh R.F. 1937-4.
SOUSCRIPTION PUBLIQUE : Rysselberghe R.F. 1977-357.
THIERS : Borch (G. ter) INV. 20371 ; Borch (G. *ter* - atelier) R.F. 3983 ; Neefs (P. I) INV. 20372 ; Ruisdael (J. van - imitation) INV. 20373.
UNGER : Claesz R.F. 1939-11.
VANDEUL : Drost R.F. 1349.
VILMORIN : Navez R.F. 3939.
WEBER : Maître de la Madeleine Mansi (d'après) R.F. 2176.
WILDENSTEIN : Vaillant R.F. 2562.
WYROUBOFF : Cuyp (B.) R.F. 1942-6.
WYSE : Bol (genre) R.F. 2269.

Provenances
Classement chronologique

1927
Friedsam
Soc. des Amis du Louvre
Wildenstein

1928
Boucher

1929
Chevreau (Baron de Christiani)
Doistau
Marie
Soc. des Amis du Louvre

1930
Porgés
Renard

1932
Croy

1933
David-Nillet
Hartog
Pereire

1934
Lax

1935
Durrieu
Vilmorin

1936
Allard du Chalet

1937
Gay (M. et Mme Walter)
Gelder
Somborn

1939
Anninger
Candé
Schloss
Unger

1941
Jamot

1942
Beistegui
Dorville
Wyrouboff

1943
Cassagnade

Achats pour le Musée du Luxembourg :

1887
Mesdag R.F. 497

1893
Duyts R.F. 848
Tétar van Elven R.F. 1979-43

1896
Motte R.F. 1979-38
Willaert R.F. 1053

1898
Frederic R.F. 1152

1899
Stevens R.F. 1979-41

Provenances
Classement alphabétique

Achats pour le Musée du Luxembourg :

Baertsoen R.F. 1977-29 et R.F. 1977-30 ; Braekeleer R.F. 1196 ; Briet R.F. 1186 ; Charlet R.F. 1979-32 ; Claus R.F. 1313 ; Cluysenaer R.F. 1979-36 ; Delville R.F. 1979-34 ; Duyts R.F. 848 ; Frederic R.F. 1152 ; Gilsoul R.F. 1314, INV. 20676 ; Gorter R.F. 1979-35 ; Laermans R.F. 1324 ; Marcette R.F. 1979-36 ; Mesdag R.F. 497 ; Motte R.F. 1979-38 ; Rassenfosse R.F. 1979-39 ; Ronner R.F. 1979-40 ; Soest R.F. 1187 ; Stevens R.F. 1979-41 ; Tetar van Elven R.F. 1979-43 ; Verhaeren R.F. 1331, 1332 ; Wauters R.F. 1979-45 ; Willaert R.F. 1053.

Provenances
Classement chronologique

1900
Braekeleer R.F. 1196
Briet R.F. 1186
Claus R.F. 1313
Gilsoul R.F. 1314
Laermans R.F. 1324
Soest R.F. 1187

1901
Baertsoen R.F. 1977-29
Verhaeren R.F. 1331, 1332

1904
Baertsoen R.F. 1977-30
Gorter R.F. 1979-35

1909
Charlet R.F. 1979-32

1910
Marcette R.F. 1979-36

Avant 1912
Delville R.F. 1979-34

1913
Rassenfosse R.F. 1979-39

1916
Cluysenaar R.F. 1979-33
Gilsoul INV. 20676
Ronner R.F. 1979-40
Wauters R.F. 1979-45

Dons pour le Musée du Luxembourg (et annexe du Jeu de Paume : Ecoles étrangères à partir de 1922).

1901
MILCENDEAU

1903
MICHONIS

1915
SOUSCRIPTION PUBLIQUE

1920
ASSELBERGS

1921
BUYSSE
CHARLIER
ZILCKEN

1926
PREYER

1930
MAUGIN

1931
RENARD

1932
LHEUREUX

1933
DAVID-NILLET

Sans date
MISTLER

Provenances
Classement alphabétique

Dons pour le Musée du Luxembourg (et annexe du Jeu de Paume : Ecoles étrangères à partir de 1922).

ASSELBERGS : Asselbergs R.F. 1979-31
BUYSSE : Buysse R.F. 1977-97.
CHARLIER : Strijdonck R.F. 1979-42.
DAVID-NILLET : Israels R.F. 3783.
LHEUREUX : Ensor R.F. 1977-165.
MAUGIN : Jonghe R.F. 3074.
MICHONIS : Frederic R.F. 1492 à 1494 ; R.F. 1977-439.
MILCENDEAU : Evenepoel R.F. 1977-169.
MISTLER : Smits R.F. 1977-330.
PREYER : Blommers R.F. 2553 ; Bosboom R.F. 2549 ; Maris R.F. 2551 ; Mauve R.F. 2552 ; Israels R.F. 2550.
RENARD : Vogels R.F. 1979-44.
ZILCKEN : Zilcken R.F. 1979-52.
SOUSCRIPTION PUBLIQUE : Rysselberghe R.F. 1977-357.

Provenances Classement chronologique	Provenances Classement alphabétique

Quatrième République (1946-1958)

Achats :

1945
Clerck R.F. 1945-17

1946
Flandres 2e moitié du XVIe R.F. 1946-9

1949
Miel R.F. 1949-25

1950
Heyden R.F. 1950-41
Ruysdael (S. van) R.F. 1950-48
Flandres - milieu du XVIIe siècle R.F. 1950-32
Hollande ou Flandres - 1re moitié du XVIIe siècle R.F. 1950-5
Anvers - 2e moitié du XVIe siècle R.F. 1950-42

1951
Christus R.F. 1951-45

1954
Brugghen R.F. 1954-1

Dons et legs :

1948
HARAUCOURT
NICOLAS
PETER (usufruit abandonné en 1968)

1949
PEREIRE (usufruit terminé en 1974)
E. DE ROTHSCHILD

1951
LEMAND

1958
MÈGE

Achats :

Brugghen (H. *ter*) R.F. 1954-1 ; Christus R.F. 1951-45 ; Clerck R.F. 1945-17 ; Heyden R.F. 1950-41 ; Miel R.F. 1949-25 ; Ruysdael (S. van) R.F. 1950-48 ; Flandres 2e moitié XVIe R.F. 1946-9 ; Flandres milieu du XVIIe R.F. 1950-32 ; Hollande ou Flandres, 1re moitié XVIIe R.F. 1950-5 ; Anvers 2e moitié du XVIe R.F. 1950-42.

Dons et legs :

HARAUCOURT : Rops R.F. 1948-30.
LEMAND : Schalcke R.F. 1951-1.
MÈGE : Clève (d'après) R.F. 1958-6 ; Maître de Francfort (attribué à) R.F. 1958-5.
NICOLAS : Rembrandt R.F. 1948-34, R.F. 1948-35.
PEREIRE : Brueghel (A.) R.F. 1949-4 ; Hals (F. - d'après) R.F. 1949 -1 ; Welde le Jeune R.F. 1949-3.
PETER : Stevens R.F. 1948-19.
E. DE ROTHSCHILD : Dyck (A. van) R.F. 1949-36.

Office des Biens privés (Fonds de la Récupération française artistique, 1950-1952) :

Alsloot M.N.R. 431 ; Apshoven (attribué) M.N.R. 676 ; Asch M.N.R. 707 ; Beelt M.N.R. 923 ; Beert M.N.R. 563 ; Bega M.N.R. 933 ; Blieck (d'après) M.N.R. 495 ; Bloemen J.F. (genre de) M.N.R. 671 ; Bosschaert M.N.R. 583 ; Both (d'après) M.N.R. 810 ; Braekeleer (A. de) M.N.R. 772 ; Brouwer (d'après) M.N.R. 914 ; Calraet M.N.R. 886 ; Clerck M.N.R. 395 ; Codde M.N.R. 452 ; Coques (attribué) M.N.R. 730 ; Coter M.N.R. 375, 376 ; Cuyp (A.) M.N.R. 490 ; Cuyp (J.G.) M.N.R. 437, 454 ; Cuyp (J.) (genre de) M.N.R. 700 ; Delen M.N.R. 695 ; Duck (d'après) M.N.R. 678 ; Fabritius (d'après) M.N.R. 464 ; Floris M.N.R. 396 ; Floris (atelier) M.N.R. 276 ; Francken le Jeune M.N.R. 419 ; Francken le Jeune (d'après) M.N.R. 582 ; Fyt M.N.R. 863 ; Gassel M.N.R. 377 ; Geest M.N.R. 424 ; Goyen M.N.R. 438 ; Haag M.N.R. 363 ; Hals (D.) M.N.R. 484 ; Heck M.N.R. 500 ; Heda (d'après G.W.) M.N.R. 439 ; Heem (D. II de) M.N.R. 794 ; Heem (J.D. de - attr.) M.N.R. 441 ; Hoecke (attribué) M.N.R. 691 ; Hondecoeter (G. de) M.N.R. 813) ; Hooch (H. de) M.N.R. 884 ; Jager M.N.R. 687 ; Janssens (Jan) M.N.R. 477 ; Knupfer M.N.R. 472 ; Loo M.N.R. 498 ; Maître de Delft (entourage) M.N.R. 444 ; Meijer M.N.R. 710 ; Molenaer (J.M.) M.N.R. 443, 771 ; Momper M.N.R. 418 ; Mostaert (G. - atelier) M.N.R. 399, 545 ; Netscher (G.) M.N.R. 696 ; Ockers (attribué) M.N.R. 747 ; Ostade (I van - d'après) M.N.R. 512 ; Pietersz (P.) M.N.R. 447 ; Poel M.N.R. 702, 733 ; Poelenburgh M.N.R. 506 ; Potter (Pieter) M.N.R. 451 ; Prins M.N.R. 511 ; Roestraten M.N.R. 780 ; Rubens M.N.R. 411 ; Rubens (d'après) M.N.R. 404, 429 ; Rubens (école) M.N.R. 982 ; Ruisdael (J. van) M.N.R. 501 ; Saeys M.N.R. 791 ; Savery M.N.R. 952 ; Schooten M.N.R. 708 ; Stevens M.N.R. 729, 963 ; Sweerts

Provenances
Classement chronologique

Provenances
Classement alphabétique

M.N.R. 478 ; Teniers le Jeune M.N.R. 731, 913 ; Tilborch M.N.R. 825 ; Troyen M.N.R. 544 ; Valckenborgh (G. van) M.N.R. 614 ; Velsen M.N.R. 559 ; Verboeckhoven M.N.R. 860 ; Verelst M.N.R. 703 ; Verhaecht M.N.R. 401 ; Vertangen M.N.R. 725 ; Vliet (H.C. - attr.) M.N.R. 977 ; Vois (d'après) M.N.R. 922 ; Vrymoet M.N.R. 739 ; Weyden (imitateur) M.N.R. 853 ; Woflfort (atelier) M.N.R. 407 ; Wouters M.N.R. 485 ; Wouwerman (Ph.) M.N.R. 928 ; Wtewael (d'après) M.N.R. 462 ; Wijnants M.N.R. 974 ; Wijnants (d'après) M.N.R. 589 ; Hollande milieu XVIe M.N.R. 469 ; Hollande 2e moitié XVIIe M.N.R. 936 ; Flandres XVIIIe M.N.R. 941.

Cinquième République (depuis 1959)

Achats :

1959
Es R.F. 1959-28
Moreelse R.F. 1959-29

1964
Lairesse R.F. 1964-8

1965
Ruysdael (S. van) R.F. 1965-16

1966
Sittow R.F. 1966-11

1967
Sweerts R.F. 1967-11

1976
Gallait R.F. 1976-2

1979
Wtewael R.F. 1979-23

Dons et legs :

1961
LYON (usufruit terminé en 1977)
SNAPPERS

1962
LEBAUDY

1968
MASSON (usufruit)

1969
DREYFUS

1970
HALLSBOROUGH
MACQUART-BARBIER

1971
DERVAL (usufruit)
NOAILLES (usufruit)

1972
ALSOP-MOLLARD
RIECHERS

1973
AULANIER
GROG (usufruit)
STEIN

Achats :

Es R.F. 1959-28 ; Gallait R.F. 1976-2 ; Lairesse R.F. 1964-8.
Moreelse R.F. 1959-29 ; Ruisdael (S. van) R.F. 1965-16 ; Sittow R.F. 1966-11.
Sweerts R.F. 1967-11 ; Wtewael R.F. 1979-23.

Dons et legs :

ALSOP-MOLLARD : Stevens R.F. 1972-36.
ANONYME : Bloemaert R.F. 1976-14 ; Barendsz R.F. 1975-25 (usufruit) ; Orley R.F. 1976-1 (usufruit).
AULANIER : Provost R.F. 1973-4.
DERVAL : Benson R.F. 1971-19 (usufruit).
DREYFUS : Vliet R.F. 1976-2 ; Lisse R.F. 1969-3.
GROG : Brueghel R.F. 1973-37 ; Maître de 1518 R.F. 1973-38 ; Maître des Demi-Figures R.F. 1973-32 ; Maître du Feuillage en Broderie R.F. 1973-35 et R.F. 1973-36 ; Marinus van Reymerswaele R.F. 1973-34 ; Hollande 1re moitié du XVIIe R.F. 1973-31 (usufruit).
HALLSBOROUGH : Coorte R.F. 1970-53, 1970-54.
HEUGEL : Rubens (d'après) R.F. 1977-448, 1977-449 (usufruit).
LEBAUDY : Leyde (L. de) R.F. 1962-17.
LEQUIME : Navez R.F. 1975-16 ; Ravet R.F. 1975-15.
LYON : Dyck (A. van - d'après) R.F. 1961-83, 1961-84 ; Flinck R.F. 1961-69 ; Heyden R.F. 1961-88 ; Goyen R.F. 1961-85 à 1961-87 ; Hobbema (d'après) R.F. 1961-47 ; Rijckere R.F. 1961-48 ; Teniers (D. II) R.F. 1961-79.
MACQUART-BARBIER : Moucheron (genre) R.F. 1970-48.
MASSON : Stevens A. (genre) R.F. 1968-15 (usufruit).
NOAILLES : Velde R.F. 1971-3 (usufruit).
PIATIGORSKI : Hooch (P. de) R.F. 1974-29.
RIECHERS : Teniers (D. I) R.F. 1972-11.
ROTHSCHILD (MME B. DE) : Memling R.F. 1974-30 (usufruit).
SIGNAC : Rysselberghe R.F. 1976-79.
SNAPPERS : Janssens Elinga (d'après) R.F. 1961-14.
STEIN : Noordt R.F. 1973-3.

Provenances
Classement chronologique

1974
PIATIGORSKI
ROTHSCHILD (MME B. DE) (usufruit)

1975
LEQUIME
ANONYME (usufruit)

1976
ANONYME
ANONYME (usufruit)
SIGNAC (usufruit abandonné en 1979)

1977
HEUGEL (usufruit)

Provenances
Classement alphabétique

Dation (loi du 11 décembre 1968)

Rubens R.F. 1977-13.

Office des Biens privés (Fonds de la Récupération française artistique, 1967) :

Ostade (A. van) M.N.R. 989 ; Vliet (attribué) M.N.R. 977.

Transfert du dépôt des œuvres d'art de l'Etat (1969) :

Masereel INV. 20709.

Reversement du Musée National d'Art Moderne (1977 et 1979) :

Asselbergs R.F. 1979-31 ; Baertsoen R.F. 1977-29 et R.F. 1977-30 ; Buysse R.F. 1977-97 ; Charlet R.F. 1979-32 ; Cluysenaar R.F. 1979-33 ; Delville R.F. 1979-34 ; Ensor R.F. 1977-165 ; Evenepoel R.F. 1977-169 ; Frederic R.F. 1977-439 ; Gilsoul R.F. 1977-412 ; Gorter R.F. 1979-35 ; Leys R.F. 1977-226 ; Marcette R.F. 1979-36 ; Mathieu R.F. 1979-37 ; Meyer de Haan R.F. 1977-260 ; Motte R.F. 1979-38 ; Rassenfosse R.F. 1979-39 ; Ronner R.F. 1979-40 ; Rysselberghe R.F. 1977-357, 1977-358, 1977-359, 1977-360 ; Smits R.F. 1977-330 ; Stevens R.F. 1979-41 ; Strijdonck R.F. 1979-42 ; Tetar van Elven R.F. 1979-43 ; Vogels R.F. 1979-44 ; Wauters R.F. 1979-45.

Dons sous réserve d'usufruit :

Voir Annexe II.

Dépôts (inventaire DL) :

a) Dépôt permanent de la Fondation de France (Don Salavin, 1973) : Bening D.L. 1973-18 ; Brueghel (J. I) et Balen D.L. 1973-21 ; Hulst D.L. 1973-19 ; Rubens D.L. 1973-16 ; Pays-Bas du Nord, XVe s. D.L. 1973-23.

b) Dépôt du musée des Beaux-Arts d'Alger (1968) : Bril D.L. 1970-4 ; Sellaer (genre de) D.L. 1970-21.

c) Dépôt du Musée des Thermes et de l'Hôtel de Cluny (1978) : Wolfwoet D.L. 1978-2.

Index 9

Commanditaires ou premiers destinataires

(le cas des portraits spécialement commandés en tant que tels étant à part : cf. la rubrique *Portraits* dans l'index iconographique ou index n° 16.
Pour certains commanditaires ou destinataires collectifs, tels que ville ou église, difficiles à préciser nominativement, cf. l'index n° 10).

Annonciades (couvent des) à Bruxelles	Rubens INV. 1762
Augustins (couvent des) à Paris	Flemalle INV. 1288
Augustines (couvent des) à Sept-Fontaines	Crayer INV. 1186
Averhoult (A. d')	Coter R.F. 534, 1482
Becker (H.)	Rembrandt (d'après) INV. 1743
Blondel (A.)	Flandres XVIIe s. R.F. 996
Borromeo (Cardinal)	Brueghel (J.I.) INV. 1092, 1093 Rubens INV. 1764
Brabant (C. de)	Voir *Braque*
Braque (J.)	Weyden R.F. 2063
Bristol L.	Denis INV. 1206
Capucins (couvent des) à Malines	Crayer M.I. 337
Carondelet (J.)	Gossaert INV. 1442-1443
Clarisses (couvent des) à Bois-le-Duc	Bloemaert INV. 1052
Coudenberg (B. de)	Coter R.F. 534, 1482
Federico da Montefeltro	Juste de Gand MI 644 à 657
Floreins (J.)	Memling R.F. 215
Frédéric-Henri d'Orange-Nassau	Honthorst INV. 1364
Gruuthuse (J. de)	Flandres XVIe s. INV. 20224
Henri IV	Pourbus INV. 1710
Hooftman (A.)	Vos (M. de) INV. 1931
Huysmans	Huysmans INV. 1377 à 1380
Imperiali (G.V.)	Rubens INV. 854
Isabelle la Catholique	Juan de Flandes R.F. 2557 Sittow R.F. 1966-11
Jacobins (couvent des) à Paris	Pourbus INV. 1705
Jean-Maurice de Nassau	Voir *Nassau*
Jeanne la Folle	Coter M.N.R. 375-376
Jésuites (couvent des) à Bergues, Bruxelles, Bruges	Dyck (A. van) INV. 1766 Lievens INV. 1431 Thulden INV. 1904
Lambert de Thorigny (N.)	Asselyn INV. 984 à 986 Flemalle INV. 161 Juste d'Egmont INV. 2901 Swanevelt INV. 1871-1872
Lionne (H. de)	Backhuyzen INV. 988
Lopez de Villanueva (L.)	Key R.F. 216-217
Louis XIV	Bernaerts INV. 1622 à 1663, 20748-49 Boel INV. 3964 à 4052
Louis XV	Rysbrack INV. 1825-1827
Ludovisi (Cardinal)	Seghers (D.) INV. 797
Marie de Médicis	Rubens INV. 1769 à 1792
Montefeltro	Voir *Federico da Montefeltro*
Nassau (J.M. de)	Post INV. 1722 à 1729
Philippe le Beau	Coter M.N.R. 375-376
Rio (A. del)	Key R.F. 216-217
Rolin (N.)	Eyck INV. 1271
Sauli (V.)	David R.F. 2228
Sedano (famille)	David R.F. 988
Trinitaires (couvent des) à Burgos	Key R.F. 216-217
Villa (famille)	Weyden INV. 1982
Willem V	Schweickhardt INV. 1837

Indirectement, par le biais des *esquisses* préparatoires, on peut citer encore à titre de *commanditaire* ou de *premier destinataire* :

Amalia van Solms, femme de Frédéric-Henri d'Orange	Willeboirts R.F. 1938-28
Charles Ier d'Angleterre	Rubens M.I. 969
Eglise Sainte-Walburge à Anvers	Rubens M.N.R. 411
Jésuites d'Anvers	Rubens M.I. 962 à 965
Louis XIV	Thulden INV. 1905
Sénat du Royaume de Belgique à Bruxelles	Gallait R.F. 1976-2

Index 10

Lieux d'origine ou de destination

(connus de façon certaine et documentée)

Index 11

Musées et collections cités dans les notices

1. Musées et églises

(à l'exception des églises qui sont indiquées dans les index 9 et 10)

Londres, Galerie Wallace	*Pynacker*	R.F. 702
Londres, Whitehall	*Rubens*	M.I. 969
Lyon, Musée des Beaux-Arts	*Rubens* (d'après)	M.I. 970
Madrid, Musée du Prado	*Rubens*	M.I. 967
Milan, Pinacoteca Ambrosiana	*Brueghel* (J.I.)	INV. 1092, 1093
Munich, Alte Pinakothek	*Dyck* (A. van -d'après)	INV. 1232
Munich, Alte Pinakothek	*Dyck* (A. van - d'après)	R.F. 1961-83
Munich, Alte Pinakothek	*Rubens* (d'après)	INV. 1765
Munich, Alte Pinakothek	*Werff*	R.F. 3709
Naples, Musée du Capo di Monte	*Brueghel* (P. II)	R.F. 829
New York, Metropolitan Museum	*David*	R.F. 2228
Ottawa, Galerie Nationale du Canada	*Dyck* (A. van - d'après)	R.F. 1961-83
Paris, Musée des Thermes et de l'Hôtel de Cluny	*Wolfvoet*	D.L. 1978-2
Paris, Musée du Petit Palais	*Janssens* (P. - d'après)	R.F. 1961-14
Paris, Musée du Petit Palais	*Hobbema* (d'après)	R.F. 1961-47
Philadelphie, Johnson G. Collection (Museum of Art)	*Rombouts* (Th. - d'après)	M.I. 933
Philadelphie, (Museum of Art)	*Teniers*	M.I. 1005
Prague, Národní Galerie	*Sellaer* (genre de)	D.L. 1970-21
Roanne, Musée Joseph-Déchelette	*Os*	INV. 1676
Rome, Santa Croce in Gerusalemme	*Rubens* (d'après)	M.N.R. 982
Strasbourg, Musée des Beaux-Arts	*Dyck* (A. van - d'après)	R.F. 2117
Stuttgart, Staatsgalerie	*Snyders*	INV. 1850
Turin, Galerie Sabauda	*Weyden*	INV. 1982
Urbino, Galleria Nazionale delle Marche	*Juste de Gand*	M.I. 644-657
Vienne, Kunsthistorisches Museum	*Sittow* (d'après)	R.F. 1547
Vienne, Kunsthistorisches Museum	*Vos* (C. de - d'après)	INV. 953
Waddesdon Manor, National Trust	*Dou*	INV. 1216
Washington, National Gallery	*Dyck* (A. van - d'après)	R.F. 2117
Williamstown, Sterling and Francine Clark Institute	*Fabritius* (B. d'après)	M.N.R. 464
Windsor Castle, Royal Art Collection	*Dyck* (A. van - d'après)	INV. 1237 M.I. 804
Worcester, Art Museum	*Duck* (d'après)	M.N.R. 678

2. Collectionneurs, anciens possesseurs, marchands, etc.

(à l'exception des personnes mentionnées dans les index 8 et 9 en tant que donateurs, commanditaires ou destinataires)

Amsterdam, Galerie De Boer (avant 1939)	*Eeckhout* (d'après)	R.F. 2384
Amsterdam, Firme Müller (en 1906)	*Heda* (d'après)	M.N.R. 439
Besançon, Palais Granvelle (au XVIIe s.)	*Flandres ? fin XVIe s.*	R.F. 1937-11
Bruxelles, Galerie de l'Archiduc Léopold-Guillaume (au XVIIe s.)	*Teniers*	M.I. 1004-1005
Bruxelles, Vente Robiano (en 1837)	*Vois*	M.I. 1011
Bruxelles, Collection du Comte Oscar de l'Espine (1827-1892)	Voir *Croy* (liste des donateurs sous la IIIe République, dans l'index des *Provenances :* index 8)	
Bruxelles, Collection particulière	*Maître de la Madeleine Mansi* (d'après)	R.F. 2176

Colinsburgh, Collection Crawford (au XIXe s.)	*Dyck* A. van (d'après)	R.F. 2118
Leersum, Collection Pauw van Wielsdrecht	*Ravensteyn*	M.I. 956
Londres, Collection Ashburton (au XIXe s.)	*Dou*	INV. 1222
Londres, Collection Seilern	*Teniers*	M.I. 1005
Londres, Commerce d'art (en 1974)	*Schweickhardt*	INV. 1837
Paris, Collection du sculpteur Bouchardon (avant 1808)	*Backhuyzen*	INV. 988
Paris, Collection Du Sommerard (en 1847)	*Bosch* (d'après)	R.F. 970
Paris, Collection Du Sommerard (en 1847)	*Anvers, première moitié du XVIe s.*	R.F. 988
Paris, Collection Du Sommerard (en 1847)	*Ecole flamande XVIIe s.*	R.F. 996
Paris, Collection Jabach (en 1696)	*Dalem*	R.F. 2217
Paris, Collection Lebrun (en 1690)	*Thulden*	INV. 1905
Paris, Collection Leegenhoek	*Bosschaerts*	M.N.R. 583
Paris, Collection particulière	*Rubens*	INV. 854
Paris, Collection Salavin (en 1973)	Voir Fondation de France (annexe I)	
Paris, Collection Wasset (avant 1903)	*Wolfvoet*	D.L. 1978-2
Paris, Galerie espagnole de Louis-Philippe (1838-1848)	*Vos* (C. de - d'après)	INV. 952, 953
Paris, Galerie du Palais-Royal (ou Galerie d'Orléans) (au XVIIIe s.)	*Rubens*	INV. 854
Paris, Marché d'art (après 1945)	*D. Hals,*	M.N.R. 484
Paris, Sénat (en 1815)	*Pourbus*	INV. 1710
Paris, Vente à l'Hôtel Drouot (en 1926)	*Lundens*	M.I. 905
Rome, Cardinal F. Spada (en 1674)	*Bril*	INV. 207
Turin, Collection des ducs de Savoie (au XVIIIe s.)	*Dou* *Weyden*	INV. 1212 INV. 1982
Vienne, Collection particulière	*Netscher*	M.N.R. 696
Vienne, Galerie de Léopold Ier (au XVIIe s.)	*Teniers*	M.I. 1004, 1005
Washington, Collection particulière	*Keyser*	R.F. 1560
Ambassadeur du roi de Danemark auprès de Louis XIV (en 1682)	*Seghers G.*	INV. 1976
Lenôtre (en 1693)	*Bril*	INV. 1118
Philippe II roi d'Espagne (1527-1598)	*Provost*	R.F. 1472

Index 12

Esquisses - Grisailles

a) Esquisses :

Dyck (A. van - école de) R.F. 2119
Gallait R.F. 1976-2
Gilsoul R.F. 1977-412
Rubens M.I. 212, 962 à 965, 967, 969, R.F. 188, M.N.R. 411, D.L. 1973-16
Teniers M.N.R. 731
Thulden INV. 1905, M.I. 974 (cas limite ?)
Willeboirts R.F. 1938-28

b) Grisailles (et camaïeux) :

Coter R.F. 1482 (revers)
Eyck (J. van - entourage de) R.F. 1938-22
Francken INV. 1295, 1296 (compartiments latéraux)
Provost R.F. 1472 (revers)
Teniers M.I. 988
Verboeckhoven M.N.R. 860
Willeboirts R.F. 1938-28

Index 13

Formats, supports

1) Format :

Ovale :

(Tableaux) ovales ou circulaires.
Asselyn INV. 984, 986 ; Beeldemaker R.F. 1938-26 ; Brueghel de Velours INV. 1099 ; Rubens et Brueghel INV. 1764 ; Brueghel R.F. 2547 ; Calraet M.N.R. 886 ; Dou INV. 1223 ; Flinck R.F. 1961-69 ; Gallait R.F. 1976-2 ; Goyen R.F. 61-87 ; Hals R.F. 1949-1 ; Honthorst INV. 1366, 1367 ; Laer INV. 1417, 1418 ; Miel INV. 1450, 1451 ; Neefs INV. 1596, 1597 ; Ostade (A. van) M.I. 951 ; Poel INV. 1692 ; Poelenburg INV. 1700 ; Rembrandt INV. 1744, 1746, 1748, R.F. 3743, 3744 ; Rubens (d'après) R.F. 2122 ; Schalcken INV. 1832 ; Slingelandt INV. 1841 ; Sustermans (d'après) M.I. 984 ; Swanewelt INV. 1872, 1874ù1875 ; Flandres XVIIᵉ s. M.I. 813, 820 ; Rembrandt INV. 1745.

Cintré :

Borch INV. 1901 ; Clève R.F. 839-840 ; Crayer INV. 1186 ; Cronenburg M.I. 819 ; David R.F. 2228 ; Dou INV. 1213, 1215, 1221, 1222, M.I. 915 ; Frédéric R.F. 1493 ; Gossaert INV. 1442-1443 ; Jacob Cornelisz R.F. 1945-20 ; Lievens INV. 1431 ; Maître de Francfort R.F. 1958-5 ; Maître du Martyre de Saint-Jean R.F. 2128 ; Maître de 1499 R.F. 2370 ; Memling INV. 1453-54 ; R.F. 309, 886 ; Metsys R.F. 1475 ; Netscher INV. 1604-1605 ; Rembrandt INV. 1742 ; Rubens M.N.R. 411 ; Schalcken INV. 1829, 1831 ; Thulden INV. 1904 ; M.I. 974 ; Werff M.I. 1012 ; Flandres XVᵉ R.F. 700 ; Flandres XVIᵉ R.F. 46 ; Hollande XVIIᵉ INV. 1466.

Retable à éléments et éléments de retable :

Bellegambe M.I. 817 (élément de retable) ; Bouts INV. 1986-1994 (diptyque) ; Clève INV. 1996 (retable complet) ; R.F. 839-840 (volets) ; Coter R.F. 534 (élément central de triptyque), R.F. 1482 (volet) M.N.R. 375-376 (élément de retable) ; Cronenburgh M.I. 819 (volet) ; David R.F. 588 (triptyque) ; David R.F. 2228 (lunette de retable) ; Eyck (entourage) R.F. 1938-22 (diptyque) ; Frédéric R.F. 1152 (triptyque) ; R.F. 1492 à 1494 (triptyque) ; Gossaert INV. 1442-1443 (diptyque) R.F. 23 (volet de diptyque ?) ; Juan de Flandes R.F. 2257 (élément de retable ?) ; Key R.F. 216-217 (volets) ; Memling INV. 1453-1454 (volets), R.F. 309-886 (diptyque), M.I. 247-249 (triptyque) ; Provost R.F. 1472 (volet) ; Weyden INV. 1982 (élément central de retable) ; R.F. 2063 (retable) ; Anvers XVIᵉ R.F. 1533-1534, 988, 2249 (volets) ; Bruges XVIᵉ M.I. 823 (volet) ; Flandres XVIIᵉ (volet) ; Sittow R.F. 1966-11 (élément de retable ?).

Tableaux agrandis

(sauf les cas d'agrandissement voulus par l'artiste même, cf. A. van Dyck, Rubens) :
Berchem INV. 1042 ; Bloemen (P.V.) INV. 2178 ; Borch M.I. 1006 ; Dou INV. 1221, 1222, M.I. 915 ; Dyck INV. 1231, 1234 ; Honthorst R.F. 2852 ; Koninck INV. 1741 ; Leyster R.F. 2131 ; Lievens INV. 1431 ; Maes M.I. 937 ; Maître de la légende de Sainte Madeleine R.F. 2259 ; Momper INV. 1096 ; Netscher INV. 1604, 1605 ; Rembrandt INV. 1742 ; Romeyn INV. 1755 ; Rubens INV. 1768 ; Rubens (atelier) M.I. 971 ; Snyders INV. 1849, M.I. 980 ; Teniers R .I. 985 ; Vois M.I. 1011 ; Vos (C. de) M.I. 1009 ; Witte (P. de) INV. 516.

2) Supports

(sauf le bois et la toile, cas trop fréquents pour être recensés ici : la répartition semble d'ailleurs à peu près égale entre ces deux types de supports : 580 bois, 540 toiles).

Carton :

Gilsoul INV. 20676 ; Rysselberghe R.F. 1977-360.

Contreplaqué :

Gilsoul R.F. 1977-412.

Cuivre :

Balen D.L. 1973-21 ; *Beeldemaker* R.F. 1938-26 ; *Bosschaert* (Johannes) M.N.R. 583 ; *Bredael* INV. 1072 ; *Bril* INV. 1085, INV. 1118 ; *Brueghel* Jan I dit de velours INV. 1092, 1093, 1099, M.I. 908 ; *Brueghel* Jan I (d'après) M.I. 909, R.F. 2547 ; *Calraet* M.N.R. 886 ; *Clerck* R.F. 1945-17 ; *Dujardin* INV. 1401 ; *Dyck Ph.* van INV. 1265, 1266 ; *Francken* Frans II (d'après) INV. 1990, M.N.R. 582 ; *Heem David* II de M.N.R. 794 ; *Heusch* INV. 1336 ; *Miel* INV. 1450, 1451 ; *Neefs* Pieter II le Jeune INV. 1596, 1597 ; *Nooms* R.F. 3727 ; *Poelenburgh* INV. 1082, 1084, 1086, 1693, 1695, 1697 ; *Pynas* INV. 1269 ; *Snayers* INV. 2009 ; *Steenwyck* Hendrik van dit le Jeune INV. 1866, 1867 ; *Swanevelt* Herman van INV. 1874, 1875 ; *Sweerts* R.F. 1967-11 ; *Teniers* David I le Vieux R.F. 1972-11 ; *Teniers* David II INV. 1877, 1878, 1879, 1884, M.I. 1015 ; *Teniers David* le Jeune (atelier de) INV. 2187 ; *Velsen* M.N.R. 559 ; *Vertangen* Daniel M.N.R. 725 ; *Vinckboons* David (d'après) R.F. 3055 ; Wolfvoet D.L. 1978-2 ; *Wouwerman* Philip INV. 1955 ; *Wttevael* Joachim R.F. 1979-23 ; *Flandres* XVᵉ s. R.F. 700, R.F. 2822, R.F. 1938-17 ; *Hollande* XVᵉ s. INV. 1987 ; *Bruxelles* XVIᵉ s. INV. 2085 ; *Flandres ou Hollande ?* XVIᵉ s. INV. 2104 ; *Anvers* XVIᵉ s. R.F. 988, R.F. 2249 ; *Anvers ou Leyde* XVIᵉ s. R.F. 1185 ; *Flandres* XVIᵉ s. R.F. 1933, R.F. 1534 ; *Flandres ou Hollande* XVIᵉ s. M.I. 825 ; *Anvers* XVIᵉ s. R.F. 1950-42 ; *Bruges* XVIᵉ s. M.I. 823, R.F. 2179 ; *Hollande* XVIᵉ s. M.N.R. 469, INV. 2100, M.I. 842 ; *Flandres ou Espagne* XVIᵉ s. R.F. 2162 ; *Flandres* XVIᵉ s. R.F. 1945-9 ; *Flandres* (ou France ?) XVIIᵉ s. R.F. 1941-19 ; *Flandres* première moitié du XVIIᵉ s. INV. 2005.

Etain :

Miel INV. 1447, 1448.

Papier contrecollé sur bois :

Casteels INV. 1300 *ter* ; Coorte R.F. 1970-53, 54.

Toile contrecollée sur bois :

(cette opération a souvent été effectuée postérieurement à l'exécution du tableau).

Bega INV. 1032 ; Bergen INV. 1035 ; Hagen INV. 1315 ; Hals R.F. 302 ; Helst INV. 1332 ; Israels R.F. 3783 ; Miereveld M.I. 805 ; Pynacker INV. 1733 ; Rassenfosse R.F. 1979-39 ; Teniers M.I. 995, 1005 ; Verhaeren R.F. 1331 ; Vermeer M.I. 1448.

Toile contrecollée sur carton :

Marcette R.F. 1979-36.

Vélin contrecollé sur bois :

Bening D.L. 1973-18.

Vélin contrecollé sur carton :

Flandres XVIIᵉ M.I. 813, 820.

Index 14

Pendants

(le cas des volets de retable démembrés et considérés ensuite comme pendants et celui de tableaux artificiellement réunis en pendants par le commerce d'art ou le goût des collectionneurs sont précisés chaque fois).

Asselÿn	INV. 984 et 986 ?
Berchem	INV. 1045 et Bergen INV. 1035 (pendants réunis au XVIIIe s. ?)
Berchem	INV. 1039 et 1042
Beyeren (et S. van *Ruysdael*) :	R.F. 3724 et 3725 (pendants réunis après coup).
Borch (G. ter)	INV. 20371 et R.F. 3983 (l'un est sans doute la copie du pendant d'origine).
Boucle	INV. 1852 et 1853
Bouts	INV. 1986 et 1994 (à l'origine volets de diptyque).
Bril	INV. 1108 et 1109
Bril	INV. 1113 et 1114
Brueghel (J. I)	INV. 1092 et 1093 (d'une série démembrée de 4 tableaux).
Brueghel (genre de)	INV. 1101 et 1102
Claeissens	R.F. 242 et tableau perdu (Christ).
Clève	R.F. 839 et 840 (à l'origine volets de retable).
Coorte	R.F. 1970-53 et 54
Cuyp (J.)	M.N.R. 454 et 437
Denis (S.)	INV. 1206 et INV. 1207 (perdu ?).
Dou	INV. 1216 et tableau à Waddesdon Manor.
Dou	INV. 1222 et tableau de la coll. Ashburton.
Dou	INV. 1223 et Schalcken INV. 1832 (pendants réunis après coup).
Ducq (J.F.)	INV. 4275 et tableau jadis à Saint-Cloud (disparu).
Dyck (A.v.)	INV. 1242 et 1243
Dyck (Ph.v.)	INV. 1265 et 1266
Elias	INV. 1575 et 1576
Falens	INV. 1281 et 1282
Hals	R.F. 424 et 425 (pendants de fait mais l'un est peut-être la copie du pendant d'origine).
Huysum	INV. 1382 et 1383
Huysum	INV. 1386 et 1387
Jordaens	INV. 1406 et tableau du Louvre déposé à Valenciennes (INV. 1407).
Key	R.F. 216 et 217 (à l'origine volets de retable).
Keyser	R.F. 1560 et tableau dans une coll. privée à Washington.
Koninck	INV. 1741 et Rembrandt INV. 1740 (pendants réunis après coup).
Laer	INV. 1417 et 1418
Maes	R.F. 2858 et 2859
Memling	INV. 1453 et 1454 (à l'origine volets de retable).
Metsu	INV. 1464 et 1465
Miel	INV. 1447 et 1448
Miel	INV. 1450 et 1451
Miel	R.F. 1949-25 et tableau du Louvre déposé à Besançon (R.F. 1949-26).
Mieris W.	INV. 1550 et 1551
Mieris W.	INV. 1552 et tableau à La Haye.
Netscher	INV. 1604 et 1605
Neefs (P. II)	INV. 1596 et 1597
Os (J.v.)	INV. 1676 et tableau du Louvre déposé à Roanne (INV. 1677).
Ostade (A.v.)	M.I. 943 et 944
Poelenburgh	INV. 1084 et 1086
Provost	R.F. 1472 et tableau au Musée du Prado à Madrid (à l'origine volets de retable).
Pynacker	R.F. 709 et tableau à La Galerie Wallace à Londres.
Ravesteyn	M.I. 956 et tableau dans la coll. Pauw van Wieldrecht à Leersum.
Rembrandt	R.F. 3743 et 3744
Rubens	INV. 1790 et 1791
Rubens	M.I. 962 et 964
Schweickhardt	INV. 1837 et tableau dans le commerce Londonien.
Slingelandt	R.F. 758 et 759
Swanevelt	INV. 1874 et 1875
Teniers	M.I. 997 et 998
Genre de Teniers	INV. 8881 et 8883

Index 15

Tableaux à double main

(le premier nom est celui du peintre de figures ; dans le catalogue, au contraire, sauf cas de circonstance (quand les figures déterminent et constituent l'objet principal du tableau), les tableaux ont été généralement rangés dans l'ordre inverse, c.a.d. en privilégiant le nom du peintre qui a exécuté la plus grande part du tableau : fond de paysage, architecture, etc.).

Index 16

Index iconographique

Le classement est d'ordre purement alphabétique. Mais des regroupements systématiques ont été opérés sur des mots-clés (*Portrait, Saints, Christ, Nature morte, Paysage, Scène de genre, Ancien* et *Nouveau Testament*, etc.) qui se retrouvent aussi à leur emplacement alphabétique. Tous les noms propres de personnes et de lieux sont à rechercher dans les rubriques d'ensemble : *Paysage, Portrait, Saint.*

C

D

E

J

L

M

N

O

P

Plan suivi :

1) *Paysage avec site* :
   a) *identifié*
   b) *non identifié*
   c) *Vues d'Italie et paysages italianisants*

2) *Paysage animé* :
   a) *Scènes religieuses*
   b) *Scènes mythologiques*
   c) *Avec animaux*

3) *Paysage urbain ou monumental*
   a) *Palais, architectures palatiales*
   b) *Paysage avec ruines*
   c) *Intérieur d'église*

4) *Autres types de paysage* :
   a) *Marine*
   b) *Paysage aquatique*
   c) *Paysage montagneux*
   d) *Paysage sylvestre*. — Voir aussi *Jardin*
   e) *Paysage rustique (vues de villages et de la campagne)*
   f) *Paysage d'hiver*

Brabant : Gilsoul R.F. 1950-41 ; R.F. 1977-412.
Brésil : Post INV. 1722 à INV. 1729.
Bruxelles : Heyden R.F. 1V50-41 ; Stalbemt INV. 1098 ; Maître de la Vue de Sainte Gudule INV. 1991.
Delft : Vliet R.F. 1962-2.
Dordrecht : Goyen INV. 1305 ; R.F. 3726.
Egmont (Hollande) : Goyen M.N.R. 438.
Emmerich (Allemagne) : Heyden INV. 1339 ; R.F. 1961-88.
Engenho Real (Brésil) : Post INV. 1724.
Fort Ceulen : Post INV. 1726.
Fort Maurice : Backhuysen R.F. 1528.
Gand : Baertsoen R.F. 1977-29 ; Willaert R.F. 1053.
Gênes (représentation erronée) : Beerstraten INV. 1030.
Gueldre : Briet R.F. 1186.
Haarlem : Meer Jan II (van der) R.F. 2862 ; Ruisdael INV. 1819.
Harteveld (château) : Heyden R.F. 3723.
Honfleur : Stevens M.N.R. 963.
Hulst : Meijer R.F. 1999-16.
Ij : Backhuysen INV. 988.
Ilpendam : Hagen M.I. 925.
Ilpenstein : Hagen M.I. 925.
Jérusalem (vue fantaisiste) : Dyck INV. 1766 ; Maître de la Madeleine Mansi R.F. 2250 ; Massys INV. 1446 ; Metsys R.F. 817 ; Monogrammiste de Brunswick R.F. 773 ; Teniers (D. I) R.F. 1972-11.
Juliers : Rubens INV. 1781.
Kampen : Avercamp R.F. 2854.
La Haye : Bassen INV. 2184 ; Bosbom R.F. 2549 ; Potter M.I. 777.
Lyon : Beerstraten R.F. 3745 ; Rubens INV. 1775.
Malte (vue fantaisiste) : Vos (M. de) INV. 1931.
Namur (environs) : Rops R.F. 1948-30.
Naples (environs) : Denis INV. 1206.
Nimègue : Goyen R.F. 3151 ; Helt M.I. 929.
Ostende : Vogels R.F. 1979-44.
Overveen : Meer (J. II, van der) R.F. 2862.
Paris : Casteels (P. II) INV. 1300 bis ; Mommers INV. 2161 ; Nooms INV. 1977, R.F. 1939-18 ; Wouwerman (P.) INV. 1966 ; Zilcken R.F. 1979-51.
Porto Calvo (Brésil) : Post INV. 1729.
Rhenen : Cuyp INV. 1190 ; Goyen R.F. 1961-86.
Rhin (Le) : Heyden INV. 1339 ; Saftleven INV. 1974.
Rio San Francisco : Post INV. 727.
Rome : Beerstraten INV. 1030 ; Begeyn INV. 1031 ; Both M.N.R. 810 ; Bril INV. 1085 ; Caulery M.I. 828 ; Lingelbach INV. 1434, 1437 ; Poelenburgh INV. 1082, 1083, 1084, 1085, 1086, 1698 ; Rubens M.I. 966 ; Ulft INV. 1909 ; Hollande ou Flandre XVIIe s. INV. 1047.
Rotterdam : Blieck (d'après) M.N.R. 495.
Serinhaem (Brésil) : Post INV. 1722.
Scheveningen : Velde INV. 1915 ; Gilsoul INV. 20676.
Sodome (vue fantaisiste) : Anvers ou Leyde XVIe s. R.F. 1185.
Steen (château) : Rubens INV. 1798.
Talavera : Brueghel (J. I) INV. 1009 ; M.I. 908.
Tarse (vue imaginaire) : Lairesse INV. 1420.
Tenreuken : Arthois M.I. 901 ; Breughel (J. I) INV. 1099.
Terneuzen : Buysse R.F. 1977-97.
Terveuren : Venne INV. 1924.
Tivoli : Breenbergh R.F. 1973-4 ; Brueghel (J. I) INV. 1099.
Utrecht : Prins M.N.R. 511 ; Heyden R.F. 3723.
Val du Colombier : Rops R.F. 1948-30.
Vecht : Heyden R.F. 3723.
Venise : Tetar van Elven R.F. 1979-43.
Wondelthem : Buysse R.F. 1977-97.
Xanten : Heyden INV. 1938.

b) *non identifié*
Bellegambe M.I. 817 ; Bernaerts INV. 1622 ; Bril INV. 1121 ; Brouwer (d'après) M.N.R. 914 ; Brueghel (d'après) M.I. 909 ; Casteels INV. 1300 ter ; Dalem R.F. 2217 ; David INV. 1995 ; Dubbels R.F. 3718 ; Dujardin INV. 1399 ; Eyck INV. 1271 ; Francken INV. 1294 et 1295, R.F. 1535 ; Frédéric R.F. 1152 ; Gassel M.N.R. 377 ; Gérard de Saint-Jean R.F. 1285 ; Goyen INV. 1304, R.F. 1961-87 ; Gijsels INV. 1090, 1091 ; Haag M.N.R. 363 ; Heyden M.I. 930 ; Laermans R.F. 1324 ; Maître des Demi-figures INV. 2156 ; Metsys R.F. 1475 ; Maris R.F. 255 ; Neer INV. 1601 ; Ostade INV. 1686 ; Ruisdael R.F. 1162, 1483 ; Ulft INV. 1908 ; Vadder R.F. 1939-25, INV. 2163 ; Valckenborgh R.F. 2427 ; Wouwerman INV. 1951 ; Hollande fin XVe s. INV. 1987 ; Hollande 1re moitié XVIe s. R.F. 1942-11.

c) *Vues d'Italie et paysages italianisants*
Asselyn INV. 984, 985, 986 ; Beerstraten INV. 1030, R.F. 3715 ; Berchem INV. 1037, 1038, 1040, 1043, 1044, 1045, 1046 ; Bloemen INV. 2178 ; Both INV. 1065, 1066 ; Both (d'après) M.N.R. 810 ; Breenberg R.F. 1937-4 ; Bril INV. 1121 ; Dujardin INV. 1393, 1395, 1398, 1399 ; M.I. 935 ; Heusch INV. 1336 ; Hooch (H. de) M.N.R. 884 ; Huysum (genre de) R.F. 2191 ; Laer INV. 1418 ; Lingelbach INV. 1434, 1436, 1437 ; Lisse R.F. 1969-3 ; Miel INV. 1407, 1448, 1450, R.F. 1949-29 ; Moucheron (attr.) R.F. 1970-48 ; Ockers M.N.R. 747 ; Petit INV. 1384 ; Poelenburgh INV. 1695, 1696, 1697, 1698 ; Pynacker INV. 1733, M.I. 954, R.F. 709 ; Romeyn INV. 1755 ; Rubens M.I. 966 ; Swanevelt INV. 1871 à 1875 ; Sweerts M.N.R. 478 ; Tengnagel R.F. 2246 ; Ulft INV. 1908, 1909 ; Velde INV. 1916 ; Weenix INV. 1938, R.F. 1946-7 ; Weenix (J.G.) INV. 1935 ; Hollande XVIIe s. INV. 20236.

2) *Paysage animé*

a) *Scènes religieuses* :
Berchem INV. 1046 ; Bloemaert R.F. 1976-14 ; Bouts R.F. 1 ; Bril INV. 1121 ; Cleve INV. 1996, R.F. 2068, 2230 ; Dyck (A. van, école de) M.I. 208 ; Heck M.N.R. 500 ; Maître de Francfort (attr.) R.F. 1958-5 ; Momper INV. 1116 ; Mostaert (atelier) M.N.R. 399 ; Poelenburgh R.F. 1943-9 ; Pynacker R.F. 709 ; Sustris INV. 8570.

b) *Scènes mythologiques* :
Huysum INV. 1381 ; Knupfer M.N.R. 472 ; Poelenburgh INV. 1697, 1700, M.N.R. 506 ; Savery M.N.R. 952 ; Vertangen M.N.R. 725 ; Werff INV. 1945.

c) *Avec animaux* :
Bernaerts INV. 3953 ; Brueghel (J. I) INV. 1092, 1093, 1099 ; Cuyp M.N.R. 490 ; Dujardin INV. 1396, 1397 ; Fyt M.N.R. 863 ; Gryef INV. 1308 ; Hondecoeter (G.) M.N.R. 813 ; Hondecoeter (M.) M.I. 931 ; Huysmans INV. 1377 à 1380, R.F. 50 à 54 ; Mignon INV. 1553 ; Moucheron (attribué) R.F. 1970-48 ; Neer INV. 1600 ; Ommeganck INV. 1670, 1671 ; Poelenburgh R.F. 1943-9 ; Potter INV. 1732, M.I. 777 ; Pynacker INV. 1733 ; Romeyn INV. 1755 ; Rysbrack INV. 1825 quater, 1826, 1827 ; Savery M.N.R. 952 ; Teniers M.I. 1000, 1003 ; Velde INV. 1917, 1918, M.I. 1007 ; Vinckboons R.F. 3055 ; Vos INV. 1844, 1845, 1846 ; Vrymoet M.N.R. 739 ; Weenix INV. 1046 ; Wouwermans INV. 1951 à M.N.R. 928 ; Wynants INV. 1968 ; Wyntrack INV. 1970.

3) *Paysage urbain ou monumental*

a) *Palais, architectures palatiales* :
Baellieur M.I. 699 ; Coques R.F. 290 ; Bassen INV. 2184 ; Beschey INV. 1049 ; Delen INV. 1203 ; M.N.R. 695 ; Dyck R.F. 1949-36 ; Gallait R.F. 1976-2 ; Hals R.F. 302 ; Houckgeest INV. 1374 ; Janssens (J.) INV. 1392 ; Jordaens INV. 1402 ; Koninck (attr.) INV. 1741 ; Lairesse INV. 1420 ; Massys INV. 1446 ; Moor INV. 1582 ; Nickele INV. 1668 ; Rubens INV. 1760 ; Rubens M.I. 963, R.F. 1977-13 ; Rubens INV. 1794 ; Steenwyck INV. 1864 ; Sustris R.F. 3840 ; Ulft INV. 1909 ; Valkenborch R.F. 2427 ; Vos INV. 952.

b) *Paysage avec ruines* :
Asselyn INV. 986 ; Both M.N.R. 810 ; Bril INV. 1085 ; Brueghel (J. I) INV. 1099 ; Dujardin INV. 1394 ; Goyen INV. 1304, R.F. 3726, R.F. 1961-87 ; Huysmans R.F. 54 ; Huysum INV. 1381, 1382 ; Lingelbach INV. 1436 ; Mignon INV. 1557 ; Poelenburgh INV. 1083, 1084, 1086, 1696, 1698, R.F. 1943-9 ; Rembrandt R.F. 1948-35 ; Rubens M.I. 966, M.I. 967 ; Ruisdael (J. van) M.N.R. 501, INV. 1820, R.F. 1483 ; Ryckaert INV. 1106 ; Savery M.N.R. 952 ; Swanewelt INV. 1874, 1875 ; Tengnagel R.F. 2246 ; Vertangen M.N.R. 725 ; Weenix INV. 1935.

c) *Intérieur d'église* :
Baden INV. 1599 ; Blieck (d'après) M.N.R. 495 ; Bosboom R.F. 2549 ; Duck INV. 1228 ; Francken INV. 1297 ; Neefs (P. I) INV. 1591, 1594, 1595, 20372 ; Neefs (P. I, école de) INV. 1598 ; Neefs (P. II) INV. 1596, 1597 ; Steenwyck INV. 1865 à 1868 ; Streek (d'après) R.F. 3719 ; Vliet R.F. 1969-2, M.N.R. 977.

4) *Autres types de paysage* :

a) *Marine* :
Backhuysen INV. 987, 989, 990, R.F. 1528 ; Beerstraten INV. 1032, R.F. 3715 ; Beyeren R.F. 3724 ; Bout R.F. 3714 ; Casteels INV. 1300 ter ; Cuyp INV. 1195 ; Denis INV. 1206 ; Everdingen R.F. 3704 ; Gassel M.N.R. 377 ; Marcette R.F. 1979-36 ; Maris R.F. 2551 ; Mesdag R.F. 497 ; Netscher (C.) M.N.R. 696 ; Nooms

R.F. 3727 ; Os R.F. 3707 ; Ruisdael (J. van) INV. 1818 ; Ruysdael (S. van) R.F. 3725 ; Rysselberghe R.F. 1976-79 ; Storck R.F. 3713 ; Velde (W. van de) INV. 1921, R.F. 1949-3 ; Teniers M.N.R. 731 ; Waldorp M.I. 90 ; Weenix R.F. 1943-7 ; Hollande 1re moitié du XVIIe siècle INV. 1930, 8850, 20236. – Voir aussi à *Port, Paysage aquatique*.

b) *Paysage aquatique (Rivière, Fleuve, Gué, etc.)*
Arentz R.F. 1163 ; Arthois M.I. 901 ; Asselyn INV. 984, 985 ; Berchem INV. 1037, 1038, 1040, 1044, 1045 ; Bloemen (genre) M.N.R. 671 ; Bril DL 1970-4 ; Bosch R.F. 2218 ; Bril INV. 207, 1113, 1114, 1115, 1117, 1118 ; Brueghel (J. I) INV. 1099 ; Brueghel (genre) INV. 1110 ; Brueghel (J. II) INV. 1120 ; Buysse R.F. 1977-97 ; Casteels INV. 1300 bis, ter ; Cuyp INV. 1190 ; Decker INV. 1201 ; Dubbels R.F. 3718 ; Dujardin INV. 1395 ; Dyck INV. 1236 ; Egmont INV. 2901 ; Everdingen INV. 1270 ; M.I. 921 ; Falens INV. 1281 ; Francken M.N.R. 419 ; Fyt M.N.R. 863 ; Gassel M.N.R. 377 ; Gilsoul R.F. 1314, 1977-412 ; Goyen INV. 1303, 1304, 1305, M.I. 924 ; R.F. 3151 ; R.F. 1961-86 ; M.N.R. 438 ; Gysels INV. 1090 ; Hagen INV. 1315 ; Heck M.N.R. 500 ; Heusch INV. 1336 ; Hobbema M.I. 270, R.F. 1961-47 ; Hondecoeter M.I. 707 ; Hooch (H. de) M.N.R. 884 ; Hulst DL 1973-19 ; Huysmans INV. 1378, R.F. 51, 53, M.I. 934 ; Huysum INV. 1383 ; Huysum (genre) R.F. 2191 ; Laer INV. 1418 ; Laermans R.F. 1324 ; Lingelbach INV. 1436, 1438 ; Maes R.F. 2132 ; Maris R.F. 2551 ; Mathieu R.F. 1979 ; Mauve R.F. 2552 ; Memling INV. 1453 ; Metsys (d'après) R.F. 1730 ; Miel INV. 1448 ; Mommers INV. 2161 ; Momper INV. 1097, M.N.R. 418 ; Mostaert M.N.R. 545 ; Nauwinck R.F. 2855 ; Neer (A.v.d.) INV. 1600 ; Neyn R.F. 1167 ; Nooms R.F. 3727 ; Ockers M.N.R. 747 ; Ommeganck INV. 1670 ; Patinir R.F. 2429 ; Poelenburgh M.N.R. 506 ; Post INV. 1722, 1724, 1725, 1726, 1727, 1728 ; Potter M.I. 777 ; Prins M.N.R. 511 ; Pynacker M.I. 954 ; Rembrandt R.F. 1948-35 ; Roghman R.F. 2861 ; Rubens INV. 1797, 1798, 1800, 1816, M.I. 966 ; Rubens (d'après) INV. 1765, M.N.R. 404 ; Ruisdael (J.V.) INV. 1820, R.F. 1527, M.N.R. 501 ; Ruisdael (genre) INV. 20373 ; Ruisdael (S.V.) R.F. 1162, 1483, 1484, 3725 ; Ryckaert (M.) INV. 1106 ; Rysbrack INV. 1825 quater, 1827 ; Soeys M.N.R. 791 ; Saftleven INV. 1974 ; Siberechts R.F. 1025 ; Stalbemt INV. 1098 ; Swanevelt INV. 1871, 1872 ; Teniers INV. 1883 ; R.F. 711 ; Ulft INV. 1908 ; Vadder INV. 2163 ; Velde INV. 1918 ; Vrijmoet M.N.R. 739 ; Weyden R.F. 2063 ; Wouwermans INV. 1962 ; Wynants INV. 1967, 1968 ; M.N.R. 580, 974 ; Wyntrack INV. 1970 ; Anvers ? XVIe s. R.F. 1185 ; Flandres XVIIe s. R.F. 1950-32, INV. 20466. – Voir aussi : *Amsterdam, Dordrecht, Egmond, Emmerich, Nimègue, Patineurs.*

c) *Paysage montagneux* (ou avec important élément rocheux ou montagneux) :
Bening DL 1973-18 ; Berchem INV. 1037, 1038, 1039, 1040, 1043 ; Bloemaert R.F. 1976-14 ; Both INV. 1065, 1066 ; Bril INV. 207, 1118 ; Brueghel INV. 1094, M.I. 908 ; Cleve R.F. 2068 ; 187 ; Coecke INV. 2003 ; Dujardin INV. 1395, M.I. 935 ; Egmond INV. 2901 ; Everdingen INV. 1270, M.I. 921 ; Eyck INV. 1271 ; Francken INV. 1295 ; Frédéric R.F. 1493, 1977-439 ; Fyt M.N.R. 863 ; Gassel M.N.R. 377 ; Glauber INV. 1301 ; Heck M.N.R. 500 ; Hemessen INV. 1335 ; Heusch INV. 1336 ; Huysmans R.F. 51 ; Hulst DL 1973-19 ; Bargas R.F. 2191 ; Laer INV. 1418 ; Lisse R.F. 1969-3 ; Maître de Francfort R.F. 1958-5 ; Maître de la Madeleine Mansi R.F. 2250 ; Maître du Martyre de Saint Jean l'Evangéliste ; Memling INV. 1454, R.F. 886, R.F. 309 ; Metsys R.F. 817 ; Metsys (d'après) R.F. 1730 ; Miel INV. 1450, 1451 ; Molenaer M.N.R. 443 ; Momper INV. 1096, 1097, 1104, 1116, M.N.R. 418 ; Monogrammiste de Brunswick INV. 1980, R.F. 773 ; Mostaert (G.) M.N.R. 399 ; Mostaert (J.) M.I. 802 ; Nauwinck R.F. 2855 ; Neer (E.v.d.) INV. 1602 ; Patinier R.F. 2429 ; Poelenburgh INV. 1695, 1700, M.N.R. 506 ; Romeyn INV. 1755 ; Rops R.F. 1948-30 ; Ruisdael INV. 1820 ; Saeys M.N.R. 791 ; Saftleven INV. 1974 ; Scorel R.F. 120 ; Snayers INV. 1843, INV. 2009 ; Stalbemt INV. 1098 ; Sustris INV. 1759, 8570 ; Swanewelt INV. 1871 ; Teniers M.I. 1001, 1003 ; Troyen M.N.R. 544 ; Ulft INV. 1908 ; Velde M.I. 1007 ; Verhaecht M.N.R. 401 ; Vos (P. de) INV. 1845 ; Werff INV. 1943 ; Weyden R.F. 2063 ; Wouwermans INV. 1963 ; Anvers ? XVIe s. R.F. 1185 ; Flandres XVIe s. R.F. 1534 (revers) ; Flandres XVIIe s. INV. 8564, 20466 ;

d) *Paysage sylvestre.*
Alsloot M.N.R. 431 ; Arthois M.I. 901 ; Asselyn INV. 986 ; Begeyn INV. 1031 ; Berchem INV. 1037, 1042, 1043, 1046 ; Bergen INV. 1035 ; Bernaerts INV. 1627 ; Bloemaert R.F. 1976-14 ; Bloemen (genre de) M.N.R. 671 ; Boel INV. 2187 bis ; Bol INV. 1062, R.F. 2127 ; Both INV. 1065, 1066 ; Bril INV. 207, 1108, 1109, 1113, 1114, 1115, 1117, 1118, 1121 ; Brouwer R.F. 2559 ; Brueghel (J. I) INV. 1092 ; Claus R.F. 1313 ; Clerck M.I. 960 ; Coecke INV. 2003 ; Croos R.F. 3706 ; Cuyp INV. 1190 ; Decker INV. 1201 ; Delen M.N.R. 695 ; Delville R.F. Diepenbeck INV. 1210 ; Dujardin INV. 1396, 1397, M.I. 935 ; Duyts R.F. 848 ; Dyck INV. 1233, 1236, 1240 ; Van Dyck (genre de) INV. 1188 ; Everdingen INV. 1270 ; M.I. 921 ; Falens INV. 1281, 1282 ; Flinck INV. 1291 ; Francken INV. 1295, M.N.R. 419 ; Frédéric R.F. 1493, 1492, 1494 ; Gassel M.N.R. 377 ; Gilsoul R.F. 1314, 1977-412 ; Glauber INV. 1301 ; Gorter R.F. 1979-35 ; Goyen R.F. 1961-85 ; Gryeff INV. 1308 ; Gysels INV. 1090, 1091 ; Haag M.N.R. 363 ; Hagen INV. 1315 ; Hals (D.) R.F. 302 ; Heck M.N.R. 500 ; Helts R.F. 2129 ; Heusch INV. 1336 ; Hobbema INV. 1342, M.I. 270, R.F. 1526 ; R.F. 1961-47 ; Hondecoeter M.I. 707 ; Hooch (H. de) M.N.R. 884 ; Huysmans INV. 1377, 1378, 1379, 1380, R.F. 50, 51, 52, 53, 54, M.I. 934 ; Huysum INV. 1381, 1382, 1383, 1388, 1389 ; Jacob Cornelisz R.F. 1945-20 ; Jordaens INV. 1405 ; Knupfer M.N.R. 472 ; Laer INV. 1417 ; Laermans R.F. 1324 ; Lairesse INV. 1422 ; Lievens INV. 1431 ; Limborch INV. 1433 ; Lingelbach INV. 1438 ; Lisse R.F. 1969-3 ; Loo M.N.R. 498 ; Maes R.F. 2859, 2858 ; Maître de Francfort R.F. 1958-5 ; Marsens R.F. 3711 ; Massys INV. 1446 ; Meer (de Haarlem) R.F. 2862 ; Memling M.I. 247, R.F. 309, R.F. 886 Metsys R.F. 817 ; Meuleneer INV. 1578 ; Mignon INV. 1553, 1557 ; Molenaer M.N.R. 443, 771 ; Momper INV. 1096, 1097, 1104, 1116, M.N.R. 418 ; Monogrammiste de Brunswick INV. 1980 ; Mostaert (G.) M.N.R. 545 ; Mostaert (J.) M.I. 802 ; Moucheron INV. 1486, R.F. 1970-48 ; Neer (A.v.d.) INV. 1600, 1601 ; Neer (E.v.d.) INV. 1602 ; Netscher INV. 1608 ; Ockers M.N.R. 747 ; Ommeganck INV. 1670, 1671 ; Ostade (I.) INV. 1686, 1687, M.I. 952, Patinir R.F. 2429 ; Petit INV. 1384 ; Poel INV. 1692 ; Poelenburgh INV. 1695, 1696, 1697 ; Post INV. 1722, 1723, 1724, 1725, 1727, 1728, 1729 ; Potter INV. 1732, M.I. 199, M.I. 777 ; Pourbus (F. II) INV. 1705 ; Pynacker INV. 1733, M.I. 954, R.F. 709 ; Pynas INV. 1269 ; Rembrandt R.F. 1948-35 ; Roghman R.F. 921 ; Rombouts R.F. 2861 ; Rubens INV. 1797, 1798, 1800, 1816, M.I. 966 ; Rubens (d'après) INV. 1765, M.N.R. 404 ; Ruisdael (J.V.) INV. 1819, R.F. 710, 1527, M.N.R. 501 ; Ruisdael (genre) INV. 1821, 20373 ; Ruysdael (S.V.) R.F. 1950-48, 1484 ; Ryckaert (M.) INV. 1106 ; Rysbrack INV. 1826, 1827 ; Saeys M.N.R. 791 ; Saftleven (H.) INV. 1974 ; Savery R.F. 2224, M.N.R. 952 ; Schalcke R.F. 1959-1 ; Siberechts R.F. 1025 ; Snyders M.I. 980, 981 ; Soutman R.F. 426 ; Stalbemt INV. 1098 ; Strijdonck R.F. 1979-42 ; Sustris INV. 1759, 1978, 8570 ; Swanevelt INV. 1871, 1872, 1874, 1875 ; Tempel R.F. 903 ; Teniers INV. 1879, 1881, 1883, 1887, M.I. 995, 997, 1000, 1001, 1003, 1005, R.F. 711, 1531, M.N.R. 913 ; Thomas M.I. 973 ; Vadder R.F. 1939-25 ; Valckenborch (Q. van) R.F. 2432 ; Valkenborch (F. van) R.F. 2427 ; Veen INV. 1997 bis ; Velde INV. 1917, 1919 ; Venne INV. 1924 ; Verhaecht M.N.R. 401 ; Verkolje INV. 1929 ; Vertangen M.N.R. 725 ; Vinckboons R.F. 3055 ; Vos (P. de) INV. 1845, 1846, 1847 ; Vranck R.F. 1182 ; Vrijmoet M.N.R. 739 ; Weenix INV. 1937, R.F. 712 ; Werff INV. 1939, 1943, 1945 ; Weyden R.F. 2063 ; Wouwerman INV. 1952, 1953, 1955, R.F. 1529, M.N.R. 928 ; Wtewael M.N.R. 462 ; Wynants INV. 1967, 1968, 1969 ; R.F. 2422, M.N.R. 974, 589.
– Voir aussi *Jardin.*

e) *Paysage rustique* (vues de villages et de la campagne).
Apshoven M.N.R. 676 ; Asch M.N.R. 707 ; Both INV. 1065, 1066 ; Bril INV. 1115, 1121, DL 1970-4 ; Brouwer R.F. 2559, M.N.R. 914 ; Brueghel INV. 1099, M.I. 908, 909, INV. 1101, 1120 ; Craesbeck R.F. 2860 ; Croos R.F. 3706 ; Dalem R.F. 2217 ; Goyen R.F. 61-85, 1961-87, M.N.R. 438 ; Gijsels INV. 1090, 1091 ; Haag M.N.R. 363 ; Heyden M.I. 930, R.F. 3723 ; Hobbema M.I. 270, R.F. 1526 ; Meer (de Haarlem) R.F. 2862 ; Meer (d'Utrecht) INV. 1452 ; Miel INV. 1447, 1451 ; Mole R.F. 1949-25 ; Neer INV. 1601 ; Ostade INV. 1686, 1687, 1689 ; Poel INV. 1692, M.I. 953, R.F. 2884, M.N.R. 733 ; Post INV. 1722, 1723, 1724 ; Pynacker INV. 1733 ; Rubens INV. 1797 ; Sieberechts R.F. 1025 ; Smits R.F. 1977-330 ; Soest R.F. 1187 ; Strijdonck R.F. 1979-42 ; Sustris INV. 8570 ; Swanevelt INV. 1871, 1872, 1874, 1875 ; Teniers INV. 1879, 1881, 1883, 1884, 1887, 1889, M.I. 989, 994, 995, 997, 998, 1000, 1001, 1002, 1003, R.F. 711, 1531, M.N.R. 973, M.I. 985 ; Tilborch M.I. 825 ; Utrecht

Maurice de Bavière : Honthorst INV. 1366.
Mayenne (Duc de) : voir *Charles de Lorraine.*
Médicis (Ferdinand II) : Sustermans R.F. 2124.
Médicis (François Ier) : Rubens INV. 1790.
Milcendeau : Evenepoel R.F. 1977-169.
Moncade (François de) : Dyck (A. van) INV. 1240.
Nassau (Frédéric-Henri de) : voir *Orange.*
Oldenbarneveld (Jan van) : Miereveld INV. 1574.
Orange (Frédéric de Nassau, prince d') : Honthorst (d'après) : R.F. 2856 ; Miereveldt (atelier) M.I. 805.
Palatin (Edouard de Bavière, prince) : Honthorst INV. 1367.
Palatin (Maurice de Bavière, prince) : Honthorst INV. 1366.
Paracelse : Metsys (d'après) R.F. 1730.
Perret (Auguste) : Rysselberghe R.F. 1977-359.
Philippe le Beau : Coter M.N.R. 376, Bruxelles XVIe s. INV. 2085.
Philippe le Bon : Weyden (d'après) M.I. 818.
Platon : Juste de Gand M.I. 655.
Ptolémée : Juste de Gand M.I. 657.
Richmond (Duc de) : voir Lennox.
Romain Rolland : Masereel INV. 20709.
Senèque : Juste de Gand M.I. 654.
Sixte IV : Juste de Gand M.I. 644.
Solon : Juste de Gand M.I. 653.
Strode (Sir John) : Dyck (d'après A. van) R.F. 2118.
Stuart (James) : Dyck (A. van) INV. 1246.
Titus (fils de Rembrandt) : Rembrandt R.F. 1948-34.
Tromp (Cornelis) : Hollande XVIIe s. INV. 1466.
Vair (Guillaume du) : Pourbus (Fr. II atelier) INV. 1712.
Velde (Emile van de) : Cluysenaar R.F. 1979-33.
Verhaeren (Emile) : Rysselberghe R.F. 1977-357.
Vicq (Henri de) : Rubens INV. 1793.
Virgile : Juste de Gand M.I. 652.
Vos ? (Paul de) : Dyck (A. van) INV. 1248.
Wassenaer (Jan van) : Mostaert (atelier) M.I. 802.

b) *identification erronée :*
Montrose : Dyck (A. van, école) R.F. 2119.
Odescalchi : Dyck (A. van) R.F. 1924-34.
Rembrandt (frère) : Rembrandt (d'après) R.F. 2379.
Ruyter : Jordaens INV. 1408.
Titus, fils de Rembrandt : Rembrandt (atelier) INV. 1749.

c) *non identifié :*
Bailly R.F. 792 ; Beeldemaker R.F. 1938-26 ; Bol INV. 1063, 1064 ; Borch INV. 20371 ; Boucquet R.F. 1155 ; Bray R.F. 1760 ; Calraet M.N.R. 886 ; Cleve INV. 2105 ; Coques (genre) M.N.R. 730 ; Cuyp (A.) INV. 1194 ; Dirck Jacobsz R.F. 1938-24 ; Drost R.F. 1751 ; Dujardin INV. 1401 ; Elias INV. 1575, R.F. 2134 ; Franchoys INV. 1249 ; Gossaert R.F. 23 ; Gossaert (d'après) R.F. 3051 ; Helst INV. 1333 ; Hulle M.I. 920 ; Jonson van Ceulen INV. 1122 ; Jordaens INV. 1408 ; Keyser INV. 1413, R.F. 1560 ; Martszen de Jonge M.I. 812 ; Mieris (F. van) INV. 1546 ; Mol M.I. 941 ; Mor INV. 1582, 1583 ; Moreelse R.F. 1959-29 ; Navez R.F. 1975-16 ; Oost (J. I, attr.) INV. 1930 bis ; Palamedesz R.F. 914 ; Provost ? INV. 1346 ; Rembrandt (atelier) INV. 1749 ; Rembrandt (d'après) R.F. 2379 ; Scorel R.F. 120 ; Vliet R.F. 956 ; Vois INV. 1932 ; Wouters M.N.R. 485 ; Wytmans R.F. 2885 ; Flandres ou Hollande XVIe s. INV. 2104 ; Flandres INV. 2100, M.I. 842 ; Flandres (ou Espagne) XVIe s. R.F. 2162 ; Flandres XVIIe s. R.F. 2126 ; Hollande XVIIe s. INV. 161, M.I. 811.

4) *Portrait de femme* (représentation d'un seul personnage) :

a) *identifié :*
Amija (Catherine) : voir Vogelaer.
Anne d'Autriche : Rubens (d'après) INV. 1794.
Both van der Eem (Catherine) : Hals (entourage) R.F. 425.
Elizabeth Stuart, reine de Bohême : Miereveld M.I. 2133.
Elizabeth de Valois, reine d'Espagne : Mor (d'après) INV. 1721.
Fourment (Suzanne) : Rubens INV. 1796 ; *Rubens* (d'après) R.F. 2122.
Henriette de France : Dyck (d'après A. van) M.I. 804.
Isabelle-Claire-Eugénie (régente des Pays-Bas) : Dyck (A. van) INV. 1239.
Jeanne la folle : Coter M.N.R. 375.
Jeanne d'Autriche : Rubens INV. 1791.
Lockhorst (Anna van) Ravesteyn M.I. 956.
Marguerite d'Autriche : Maître de la légende de sainte Madeleine R.F. 2259.
Marguerite d'York : Flandres XVe s., R.F. 1938-17 ;
Médicis (Marie de) : Pourbus (F. II) INV. 1710 ; Rubens INV. 1792.
Perret (Mme Auguste) : Rysselberghe R.F. 1977-360.
Pronck (Cornelia) : Rembrandt R.F. 3744.
Rembrandt (la mère de) : Dou INV. 1223.
Schoonhoven (Anna van) : Verspronck R.F. 1944.
Spinola Doria (Marquise Geronima) : Dyck (A. van) R.F. 1946-36.
Stoffels (Hendrickje) : Rembrandt INV. 1751.
Vogelaar (Catherine de) : Maes R.F. 2859.

b) *identification erronée :*
Elizabeth de Bourbon, reine d'Espagne : Rubens (d'après) INV. 1794.
Elizabeth Stuart, reine de Bohême : Miereveld (d'après) M.I. 806.
Fourment (Suzanne) : Rubens (d'après) M.N.R. 429.
Isabelle-Claire-Eugénie, régente des Pays-Bas : Flandres XVIIe s. M.I. 820.
Keroual (Louise de), duchesse de Portsmouth : *Verelst* INV. 1927.
Marie-Anne, reine de Hongrie : *Rubens* (d'après) INV. 1794.
Scoraille (Marie-Angélique de) : Verelst INV. 1927.

c) *non identifié :*
Benson R.F. 2821 ; Borch R.F. 3983 ; Cuyp M.N.R. 454 ; Elias INV. 1576, M.I. 940 ; Flinck R.F. 1961-69 ; Hals M.I. 927 ; Hanneman (attr.) M.I. 910 ; Helst INV. 1334 ; Jacob d'Utrecht R.F. 2091 ; Memling R.F. 1723 ; Miereveld (d'après) M.I. 806 ; Rassenfosse R.F. 1979-39 ; Ravesteyn M.I. 955 ; Rijckere R.F. 1961-48 ; Rubens (d'après) M.N.R. 429 ; Rubens (école de) M.I. 972 ; Scheltema R.F. 1588 ; Sittow (d'après) R.F. 1547 ; Stevens (A.) M.N.R. 729 ; Tempel R.F. 903 ; Verelst INV. 1927 ; Verspronck R.F. 2135, 2863 ; Victors INV. 1286 ; Vliet INV. 1861 ; Vois M.I. 1011 ; Vos (C. de, atelier de) M.I. 1009 ; Flandres (ou Hollande ?) XVIe s. M.I. 825 ; Bruges XVIe s. R.F. 2179 ; Hollande XVIe s. M.N.R. 469 ; Flandres début du XVIIe siècle M.I. 820, R.F. 1937-11 ; Flandres XVIIe s. M.I. 972, M.I. 1016 ; Hollande XVIIe s. M.I. 827, 830, R.F. 1938-18.

5) *Portrait d'enfant :*

a) *identifié :*
Beresteyn : Soutman R.F. 246.
Charles Ier (enfants de) : Dyck (d'après A. van) INV. 1237.
Daemen : Roosendael R.F. 3717.
Guillaume-Henri de Nassau (identification douteuse) : Bol INV. 1062.
Louis XIII : Rubens INV. 1777.
Médicis (Mathias de) : Sustermans (d'après) M.I. 984 (jadis dénommé Léopold de Médicis).
Meerman : Slingelandt INV. 1840.
Peter (René) : Stevens R.F. 1948-19.
Reepmaker : Aelst R.F. 2129.
Richardot (le fils de) : Dyck INV. 1244 (identification douteuse).
Rubens (enfants de) : Rubens INV. 1796 ; R.F. 1977-13.
Veen (famille) : Veen INV. 1911.

b) *non identifié :*
Beschey INV. 1049 ; Bol INV. 1062 ; Coques R.F. 290 ; Cronenburg M.I. 819 ; Cuyp INV. 1193, M.N.R. 437 ; Cuyp (genre de) M.N.R. 700 ; De Jonghe R.F. 3074 ; Dyck (A. van) INV. 1242, 1243, 1244 ; Flinck INV. 1292 ; Frédéric R.F. 1152, 1492-94 ; Geest M.N.R. 424 ; Gelder R.F. 2610 ; Hals (d'après) R.F. 1949-1 ; Jager M.N.R. 687 ; Jonghe R.F. 3074 ; Navez R.F. 3939 ; Ostade INV. 1679 ; Rembrandt (d'après) INV. 1743 ; Stevens R.F. 1972-36, M.N.R. 963 ; Tilborch M.N.R. 825 ; Vaillant R.F. 2562 ; Flandres XVIe s. R.F. 1950-42 ; Flandres XVIIe s. R.F. 1739. — Voir aussi : *Famille, Portrait en donateur ou orant.*

6) *Portrait collectif :*

a) *identifié :*
Beresteyn (famille Van) : Soutman R.F. 246.
Charles Ier (les enfants de) Dyck (d'après A. van) INV. 1237.
Eyck (famille Van - identification erronée) : Coques R.F. 290.
Fourment (Hélène - et ses enfants) : Rubens INV. 1796, R.F. 1977-13.
Furstenberg, évêque de Paderborn et son élève : Roosendael R.F. 3717.
Hueck et sa femme : Helt-Stockade M.I. 929.
Meerman (famille) : Slingelandt INV. 1840.
Nassau (Frédéric-Henri et Maurice de) : Willeboirts R.F. 1938-28.
Princes Palatins (Charles Ier et Robert) : Dyck A. van INV. 1938.
Reepmaker (famille) : Helst R.F. 2129.
Syndics des arbalétriers : Helst INV. 1332.
Veen (le peintre entouré de sa famille) : Veen INV. 1911.
Richardot et son fils (identification erronée) : Dyck INV. 1244.
Rubens et van Dyck : Dyck (d'après) R.F. 2117.
Wouverius : cf. Richardot.

b) *non identifié :*
Baellieur M.I. 699 ; Beschey INV. 1049 ; Bol INV. 1062 ; Coques R.F. 290 ; Cronenburg M.I. 819 ; Gelder R.F. 2610 ; De Jonghe R.F. 3074 ; Dyck INV. 1242, 1243, 1244 ; Frédéric R.F. 1152 ;

Knupfer M.N.R. 472 ; Moor INV. 1581 ; Ostade INV. 1679 ; Stevens R.F. 1972-36, M.N.R. 963 ; Tilborch M.N.R. 825 ; Flandres XVIe s. R.F. 1950-42 ; Flandres XVIIe s. R.F. 1937-11. — Voir aussi *Portrait en donateur ou orant.*

7) *Autres types de portrait :*
  a) *Portrait allégorique ou symbolique :*
    Cuyp (J.G.) M.N.R. 437, 454 ; Flinck R.F. 1961-69 ; Knupfer M.N.R. 472 ; Moor INV. 1581 ; Rembrandt (d'après) INV. 1743 ; Roosendael R.F. 3717 ; Rubens INV. 1792 ; Flandres XVIIe s. R.F. 1937-11.
  b) *Portrait en donateur ou orant :*
    — *identifié :*
    Blondel (abbé Antoine) : Flandres XVIIe s. R.F. 996.
    Carondelet (Jean) : Gossaert INV. 1442 ; Gossaert (d'après) R.F. 3051.
    Cellier ? (Jean du) : Memling R.F. 886 (ancienne dénomination).
    Clève (Jean, duc de) : Weyden (d'après) INV. 20223.
    Floreins (famille) : Memling R.F. 215.
    Jeanne la Folle : Coter M.N.R. 375.
    Philippe le Beau : Coter M.N.R. 376.
    Rio (Antoine del) et sa femme : Key R.F. 216, 217.
    Rolin (chancelier Nicolas) : Eyck INV. 1271.
    Sedano (famille) : David R.F. 588.
    — *non identifié :*
    Clève INV. 1996, R.F. 2068 ; David INV. 1995 ; Dyck (A. van) INV. 1231 ; Gossaert R.F. 23 ; Gérard de Saint-Jean R.F. 1285 ; Maître de 1499 R.F. 2370 ; Memling R.F. 886 ; Bruges milieu du XVIe s. M.I. 823 ; Cronenburg M.I. 819 ; Oost INV. 1672.
  c) *Portrait équestre :*
    Cuyp INV. 1191, 1192 ; Duchatel INV. 1227 ; Dyck (A. van) INV. 1240 ; Dyck (A. van - école de) INV. 1188 ; Rubens INV. 1781 ; Willeboirts R.F. 1938-28.
  d) *Portrait de peintre* (sauf *autoportrait*).
    — *identifié :*
    Corneille (Michel le père) : Loo INV. 1439.
    Milcendeau (Charles) : Evenepoel R.F. 1977-169.
    Rubens : Dyck (d'après A. van) R.F. 2117.
    Vos (Paul de) : Dyck (A. van) INV. 1248. — Voir aussi *Gallait* R.F. 1976-2.
    — *non identifié :*
    Craesbeeck INV. 1179 ; Hals (imitation) R.F. 2130 ; Ryckaert (D II) M.I. 146.
  e) *Portrait de genre* (portrait considéré comme tableau de genre) :
    Cuyp (A.) INV. 1194 ; Cuyp (J.G.) M.N.R. 437, M.N.R. 454 ; Dyck M.I. 916 ; Dyck (d'après) R.F. 2393, 1961-83 ; Eeckhout (d'après) R.F. 2384 ; Fabritius B. (d'après) M.N.R. 464 ; Fabritius (C.) R.F. 3834 ; Flinck INV. 1292 ; Frédéric R.F. 1330 ; Grebber R.F. 2136 ; Hals M.I. 926 (d'après) R.F. 1949-1 ; Hals (imitation) R.F. 2130 ; Loo INV. 1440 ; Mol M.I. 941 ; Navez R.F. 3939 ; Rembrandt (entourage) INV. 1748, M.I. 959 ; Rembrandt (d'après) INV. 1750 ; Rubens (école) M.I. 971 ; Rubens (d'après) M.I. 970 ; Teniers INV. 1891 ; Victors INV. 1286 ; Wauters R.F. 1979-45 ; Wouters M.N.R. 485 ; Flandres XVIIe s. M.I. 972 ; Hollande XVIIe s. R.F. 3721.

Poule : Bernaerts sauf INV. 1622. — Voir aussi : *Basse-cour, Scène de genre rustique, Paysage rustique.*
Poupée : De Jonghe R.F. 3074.
Prédication : Bloemaert R.F. 1976-14 ; Heck M.N.R. 500 ; Maître de la Vue de Sainte-Gudule INV. 1991 ; Wtewael M.N.R. 462 ; Flandres XVIe s. INV. 20534.
Présentation au temple : Flandres XVIe s. R.F. 1533.
Prêteur (d'argent) : Metsys INV. 1444.
Prière : Benson R.F. 2821 ; Brekelenkam M.I. 939 ; Dou INV. 1223 ; Metsys INV. 1444 ; Provost R.F. 1472. — Voir aussi : *Portrait en orant, Saints, Ermite.*
Prodigue (Fils) : voir *Parabole.*
Prophète : voir *Elisée.*
Proserpine : Verkolje (N.) INV. 1929.
Psyché : Clerck M.N.R. 395.

Q

Quêteur : Teniers (D. II) M.I. 994.
Quilles : Apshoven (attr.) M.N.R. 676 ; Delen M.N.R. 695.

R

Rachel : Berchem INV. 1046.
Raisin : Aelst R.F. 666 ; Clève (d'après) R.F. 2288 ; Dael INV. 1196 ; Fyt INV. 1298.
Raphaël : Rembrandt INV. 1736.
Ravaudeuse : Israels R.F. 2550.
Religieux : voir : *Portrait en orant, Evêque, Clarisse.*
Religion (Allégorie) : Rubens M.I. 969. — Voir aussi : *Allégorie, Ange, Christ, Ermite lisant, Fondation de couvent, Intérieurs d'églises, Jugement dernier, Miséricorde, Paysage, Saints, Vierge.*
Rémouleur : Teniers (D. II) INV. 1889.
Renard : Boel INV. 4043.
Renaud (et Armide) : Dyck (A. van) INV. 1235.
Reniement de Saint Pierre : Teniers INV. 1877.
Repas : Benson R.F. 2248 ; Saeys M.N.R. 791 ; Steen M.I. 983. — Voir aussi *Festin.*
Résurrection du Christ : Key R.F. 216 ; Memling M.I. 248 ; Thulden INV. 1904.
Résurrection de Lazare : voir *Saint Lazare.*
Rêve : Coecke INV. 2003.
Riboteuse : Metsu INV. 1464.
Rivière : voir *Paysage.*
Roi : Jordaens INV. 1406.
Route : Arthois M.I. 901 ; Ach M.N.R. 707 ; Both INV. 1065, 1066 ; Brouwer (d'après) M.N.R. 914 ; Brueghel (J. I) INV. 1099 ; Brueghel (J. I, d'après) M.I. 909 ; Brueghel J. I, genre de) INV. 1100 ; Croos R.F. 3706 ; Goyen M.I. 924 ; Gijsels INV. 1090 ; Haag M.N.R. 363 ; Heusch INV. 133 ; Hobbema INV. 1342 ; Hooch (H. de) M.N.R. 884 ; Huysmans R.F. 50 ; Marcette R.F. 1979-36 ; Memling R.F. 1723 ; Momper INV. 1096, 1097, 1104 ; Neer INV. 1601 ; Neer (E. van der) INV. 1602 ; Ostade INV. 1686, 1687, 1688, 1689 ; Rombouts R.F. 2861 ; Ruisdael INV. 1819, 1820, R.F. 710, 1527, M.N.R. 501, INV. 1121 ; Teniers (D. II) INV. 1001 ; Wouwerman M.N.R. 928 ; Wijnants INV. 1969 ; R.F. 2422 ; Wijntrack INV. 1970.
Ruines : voir *Paysage urbain ou monumental.*

S

Sacrifice : Flemalle INV. 161 ; Lastman R.F. 920 ; Monogrammiste de Brunswick INV. 1980 ; Rubens M.I. 962.
Saint :
  Adrien : Bellegambe M.I. 817.
  Antoine : Crayer INV. 1186 ; Huys R.F. 3936 ; Teniers (D. II) INV. 1880, M.I. 991 ; Valkenborgh (F. van) R.F. 2432 ; Flandres début XVIIe s. R.F. 996, 1012.
  Augustin : Crayer INV. 1186 ; Juste de Gand M.I. 650.
  Bernard : Cleve R.F. 2230.
  Charles Borromée : (identication erronée) Oost INV. 1672.
  Dominique : Memling R.F. 215.
  Étienne : Poelenburgh INV. 1082.
  François d'Assise : Cleve INV. 1996 ; Crayer M.I. 337 ; Pourbus (Fr. II) INV. 1705 ; Seghers (G.) INV. 1976 ; Witte INV. 516.
  François de Paule : Thulden M.I. 974.
  Georges : Rubens (d'après) M.I. 970.
  Gery : Maître de la Vue de Sainte-Gudule INV. 1991.
  Jacques : Memling R.F. 215.
  Jean-Baptiste : Bloemaert R.F. 1976-4 ; David R.F. 588 ; Dyck (A. van école de) M.I. 208 ; Eyck (entourage de) R.F. 1938-22 ; Floris INV. 20746 ; Floris (atelier de) M.N.R. 276 ; Heck M.N.R. 500 ; Memling INV. 1453, R.F. 886 ; Sustris R.F. 3840, Weyden R.F. 2063 ; Wtewael (d'après) M.N.R. 462 ; Flandres XVIe s. INV. 20534 ; Hollande XVIe s. R.F. 1942-11.
  Jean Evangéliste : David R.F. 588 ; Dyck (A. van) INV. 1766 ; Francken INV. 1296, 1412 ; Jordaens INV. 1404 ; Maître du martyre de saint Jean R.F. 2128 ; Weyden R.F. 2063 ; Flandres début du XVIe siècle R.F. 1534.
  Jérôme : Juste de Gand M.I. 649 ; Patenier R.F. 2429 ; Slingelandt R.F. 758.
  Joseph : Bouts R.F. 2622. — Voir aussi : *Mariage de la Vierge, Nativité, Sainte Famille.*
  Lazare : Gérard de Saint-Jean R.F. 1285 ; Rubens R.F. 188 ; Bruges XVIe s. INV. 20224.
  Luc : Francken INV. 1296, 1412 ; Jordaens INV. 1404.
  Macaire : Oost (J. II) INV. 1672.

Marc : Francken (Fr.) INV. 1296, 1412 ; Jordaens INV. 1404.
Mathieu : Francken (Fr.) INV. 1296, 1412 ; Jordaens INV. 1404 ; Rembrandt INV. 1738.
Paul apôtre : Vos (M. de) INV. 1931.
Paul (ermite) : Flandres XVIIe s. R.F. 1012.
Philippe : Nauwinck R.F. 2855 ; Sustris INV. 8570.
Pierre : Neefs (P. I) INV. 1591 ; Teniers (D. II) INV. 1877.
Sébastien : Dyck (A. van) INV. 1233, M.I. 918 ; Dyck (A. van, d'après) R.F. 1961-84 ; Memling R.F. 247.
Thomas d'Aquin : Juste de Gand M.I. 651.
Victor : Flandres 1re moitié du XVIe siècle R.F. 1533.
Sainte :
Anne : Floris (atelier de) M.N.R. 276 ; Hollande XVe s. INV. 1987.
Barbe : Coter R.F. 1482 ; Crayer INV. 1186 ; Anvers XVIe s. R.F. 988.
Catherine : Witte INV. 516 ; Anvers XVIe s. R.F. 988, 2249.
Cécile : Knupfer M.N.R. 472.
Claire : Provost R.F. 1472.
Dorothée : Teniers (D. II) M.I. 1005.
Élisabeth : Floris (atelier de) M.N.R. 276.
Émérencie : Provost R.F. 1472.
Hélène : Marmion R.F. 1490.
Madeleine : Crayer M.I. 337 ; Dyck (A. van) INV. 1230, 1766 ; Maitre des Demi-figures INV. 2156 ; Memling INV. 1454 ; Slingelandt R.F. 759 ; Werff INV. 1943 ; Weyden R.F. 2063 ; Flandres XVIe s. R.F. 1946-9 ; Flandres XVIIe s. INV. 8564.
Marguerite : Anvers 1re moitié du XVIe siècle R.F. 2249.
Saints Innocents : Rubens INV. 1763.
Salomon : Francken (Fr. II) INV. 1297 ; Vos (C. de d'après) INV. 953.
Salvator Mundi : Cleve R.F. 187.
Samaritain : Rembrandt (école de) INV. 1737 ; Pynas INV. 1269.
Samaritaine : Breda INV. 1072 ; Juan de Flandes R.F. 2557.
Samuel : Eeckhout INV. 1267.
Sacrifice : voir : *Iphigénie, Isaac.*
Sanglier : Vos (P. de) INV. 1487.
Sarah : Dyck (Ph. van) INV. 1265 ; Poelenburgh INV. 1693 ; Werff R.F. 3709.
Saturne : Rubens INV. 1783.
Satyre : Poelenburgh INV. 1700.
Savant : Spreeuven INV. 1862. Voir aussi *Philosophe.*

Scène de genre :

Plan suivi :

1) *Métiers, occupations quotidiennes.*
2) *Militaire.*
3) *Mondain.*
4) *Familial.*
5) *Scène d'intérieur et intérieurs domestiques.*
6) *Rustique.*
7) *Pastoral.*

1) *Métiers, occupations quotidiennes.*
Arentz R.F. 1163 ; Asch M.N.R. 707 ; Avercamp R.F. 2854 ; Beelt M.N.R. 923 ; Beuckelaer R.F. 2659 ; Bloemen INV. 2178 ; Both (d'après) M.N.R. 810 ; Bout R.F. 3714 ; Breen R.F. 1738 ; Brekelenkam M.I. 907, 939 ; Briet R.F. 1186 ; Bril INV. 1085 ; Charlet R.F. 1979-00 ; Cossiers R.F. 1166 ; Cuyp (B.) R.F. 1942-6 ; Doomer R.F. 3733 ; Dou INV. 1213, 1215, 1217, 1218, 1219, 1220 ; Dubbels R.F. 3718 ; Dujardin INV. 1394 ; Duyts R.F. 848 ; Frédéric R.F. 1152, 1330 ; Grebber R.F. 2136 ; Gysels INV. 1090, 1091 ; Haag M.N.R. 363 ; Hondius R.F. 656 ; Honthorst R.F. 2852 ; Israels R.F. 2550, 3783 ; Jordaens INV. 1406 ; Kessel INV. 1892 ; Laer INV. 1417 ; Laermans R.F. 1324 ; Leys R.F. 1977-226 ; Lingelbach INV. 1434-1437 ; Maes R.F. 2132 ; Mauve R.F. 2552 ; Meer de Haarlem R.F. 2862 ; Meer d'Utrecht INV. 1452 ; Metsu INV. 1460, 1463, 1464, 1465 ; Metsys INV. 1444 ; Miel INV. 1447, 1448, 1451 R.F. 1949-25 ; Mieris W. INV. 1550, 1551, 1552 ; Mommers INV. 2161 ; Neer INV. 1603 ; Ostade (A.) INV. 1680, 1681, 1683, 1684, 1685, M.I. 943, 944, 945, 946, 948, R.F. 1518, M.N.R. 989 ; Ostade (I.) INV. 1686, 1687, 1688, 1689, M.I. 950, 952, M.N.R. 512 ; Palamades R.F. 2875 ; Poel INV. 1692, M.I. 953, R.F. 1509, R.F. 2884, M.N.R. 702, M.N.R. 733 ; Post INV. 1724 ; Potter INV. 1731 ; Pynacker INV. 1733 ; Quast M.I. 904 ; Rauv R.F. 1975-15 ; Rembrandt INV. 1742, M.I. 169 ; Rubens INV. 1797 ; Ryckaert M.I. 146 ; Schalcken INV. 1831, 1832 ; Snyders M.I. 978, INV. 1848 ; Sweerts M.N.R. 478 ; Teniers INV. 1889, M.I. 994, R.F. 711 ; Tilborch M.N.R. 825 ; Vaillant R.F. 2562 ; Velde INV. 1915 ; Verboeckhoven M.N.R. 860 ; Verelst M.N.R. 703 ; Vermeer M.I. 1448 ; Vois M.I. 1011 ; Wouverman (Ph.) INV. 1951, 1952, 1953, 1954, 1955, 1957, 1962, 1963 ; Wouverman (P.) INV. 1966 ; Hollande XVIIe s. R.F. 2857 ; Flandres ou Hollande XVIIe s. INV. 1047 ; Hollande XVIIe s. INV. 2185. — Voir aussi : *Cabarets, Genre rustique, Genre pastoral, Musique.*

2) *Scène de genre militaire*
Breda INV. 1072 ; Duck INV. 1228 ; Duck (d'après) M.N.R. 678 ; Duyster INV. 1229 ; Meyer M.N.R. 710 ; Miel INV. 1450 ; Sweerts INV. 1441, R.F. 1967-11 ; Teniers INV. 1877 ; Teniers (genre) INV. 8881, 8882, 2187 ; Weenix (J.B.) INV. 1935 ; Wouvermans (Ph.) INV. 1961, 1962, R.F. 1529. — Voir aussi : *Attaque, Siège.*

3) *Scène de genre mondain* (« tableaux de société »)
Baellieur M.I. 699 ; Bassen INV. 2184 ; Borch INV. 1899, 1900, 1901 ; Braekeleer M.N.R. 772 ; Brekelenkam M.I. 907 ; Caulery M.I. 828 ; Codde R.F. 612, M.N.R. 452 ; Dou INV. 1213, 1216 ; Duck INV. 1228 ; Duck (d'après) M.N.R. 678 ; Francken INV. 1295 ; Hals (D.) R.F. 302, M.N.R. 484 ; Honthorst INV. 1364 ; Hooch INV. 1373, R.F. 1974-29 ; Janssens (J.) INV. 1392 ; Keyser R.F. 1560 ; Laemen INV. 20384 ; Leyster R.F. 2131 ; Lucas de Leyde R.F. 1962-17 ; Martszen M.I. 812 ; Meer d'Utrecht INV. 1452 ; Metsu INV. 1461 ; Mieris (Fr. I) INV. 1547 ; Mieris (W.) INV. 1548, 1550 ; Molenaer M.N.R. 443 ; Netscher INV. 1604, 1605 ; Nickele INV. 1668 ; Palamades R.F. 2876 ; Saeys M.N.R. 791 ; Schalcken INV. 1831 ; Steen R.F. 301 ; Teniers (D. I) INV. 1878 ; Velsen M.N.R. 559 ; Vois M.N.R. 922 ; Weenix INV. 1938, R.F. 1943-7 ; Wouwerman INV. 1953, 1954, 1955, 1957.

4) *Scène de genre familiale*
Blommers R.F. 2553 ; Borch M.I. 1006 ; De Jonghe R.F. 3074 ; Heemskerck M.I. 928 ; Hooch (P. de) INV. 1372 ; Jordaens INV. 1406 ; Moni INV. 1580 ; Ostade INV. 1682 ; Rembrandt INV. 1742 ; Steen R.F. 3830 ; Stevens R.F. 1972-36 ; Verkolje INV. 1928 ; Hollande XVIIe s. INV. 1549.

5) *Scène d'intérieur et Intérieurs domestiques*
Brekelenkam M.I. 939 ; Charlet R.F. 1979-32 ; De Jonghe R.F. 3074 ; Dou INV. 1213, 1217, 1221 ; Ensor R.F. 1977-165 ; Frédéric R.F. 1330 ; Hoogstraten R.F. 3722 ; Israels R.F. 2550 ; Janssens (P.) R.F. 1961-14 ; Koninck (S.) INV. 1471 ; Metsu INV. 1462, 1464, 1465 ; Metsys INV. 1444, R.F. 1475 ; Mieris (F.) INV. 1547 ; Mieris (W.) INV. 1548, 1552 ; Netscher INV. 1604, 1605 ; Ostade (A.) INV. 1679, R.F. 1518 ; Palamedes R.F. 2876, 2878, 2879 ; Rassenfosse R.F. 1979 ; Rembrandt INV. 1740, 1742 ; Schalcken INV. 1831 ; Slingelandt INV. 1840 ; Spreeuven INV. 1862 ; Steenwyck INV. 1864 ; Vois INV. 1932 ; Weyden INV. 1982 ; Wolffort M.N.R. 407 ; Hollande XVIIe s. R.F. 2857. — — Voir aussi : *Atelier d'artiste - Métiers, occupations quotidiennes*

6) *Scène de genre rustique*
Apshoven M.N.R. 676 ; Asch M.N.R. 707 ; Beeit M.N.R. 923 ; Bega INV. 1032, R.F. 2880, M.N.R. 933 ; Beuckelaer R.F. 2659 ; Blommers R.F. 2553 ; Brakeleer M.N.R. 772 ; Brakenburg R.F. 3708 ; Brekelenkam M.I. 939 ; Briet R.F. 1186 ; Brouwer INV. 1010, R.F. 2559, M.N.R. 914 ; Brueghel (P. I) R.F. 730 ; Brueghel (P. II) R.F. 829 ; Craesbeeck (genre de) R.F. 3973 ; Dalem R.F. 2217 ; Dusart R.F. 3716 ; Gysels INV. 1090, 1091 ; Heemskerck M.I. 928 ; Jordaens INV. 1406 ; Kalf INV. 1411, M.I. 938 ; Lundens M.I. 905 ; Mieris W. INV. 1550, 1551, 1552 ; Molenaer M.N.R. 771 ; Ostade (A. van) INV. 1682, M.I. 947, 949, 951 ; Palamedes R.F. 2877 ; Poel R.F. 1509 ; Ravet R.F. 1975-15 ; Rembrandt M.I. 169 ; Rubens INV. 1797 ; Siberechts R.F. 1025 ; Sorgh INV. 1754, M.I. 903, 1014 ; Steen INV. 1863, 983 ; Stevens R.F. 1979-41 ; Teniers INV. 1881, 1883, 1884, 1886, 1888, 1890, M.I. 986, 987, 988, 989, 992, 993, 995, 996, 997, 998, 1001, 1002, 1015, R.F. 1530, 1531, 1961-79, M.N.R. 913 ; Teniers (genre) M.I. 985 ; Hollande XVIIe s. R.F. 1950-5, R.F. 2546 ; Flandre ou Allemagne début XVIIIe s. M.N.R. 941.

7) *Scène de genre pastoral*
Asselyn INV. 984, 986 ; Berchem INV. 1037, 1038, 1040, 1042, 1043, 1044, 1045 ; Bergen INV. 1035 ; Bloemen (genre) M.N.R. 671 ; Bloemen (P. v) INV. 2178 ; Boel INV. 2187 bis ; Bol INV. 1062 ; Both INV. 1065 ; Cuyp INV. 1190, 1193 ; Glauber INV. 1301 ; Hagen INV. 1315 ; Heusch INV. 1336 ; Heyden M.I. 930 ;

Tables des matières

Toutes les photographies qui ont servi à l'illustration de cet ouvrage proviennent du Service de Documentation photographique de la Réunion des Musées nationaux à l'exception des clichés suivants :

Archives Photographiques :
Hulle M.I. 920 ; Mierevelt INV. 1574 ; Ostade M.I. 944, M.I. 949 ; Rubens INV. 854, INV. 1762 ; Schalcken INV. 1832 ; Sustermans M.I. 984 ; Teniers M.I. 991 ; Witte INV. 516 ; Wouverman INV. 1953, 1959, 1961.

Braun :
Ter Borch M.I. 1006 ; Dou INV. 1217 ; Lievens INV. 1431 ; Lingelbach INV. 1434 ; Neer INV. 1602 ; Ostade M.I. 943, M.I. 945 ; Vos INV. 1844 ; Weenix INV. 1938 ; Wouwerman INV. 1958 ; Ecole hollandaise XVIIe INV. 1754.

Maquette
Bruno Pfäffli

Photocomposition
L'Union Linotypiste

Photogravure
Bussière AG

Impression
Imprimerie Union, Paris